Jacky GIRA

Méthode de français

AVANT-PROPOS

■ Publics et objectifs généraux

Ce quatrième niveau de la méthode de français langue étrangère PANORAMA s'adresse à des étudiants ayant déjà suivi environ 350 heures de cours. Il vise :

• **le perfectionnement et l'enrichissement des savoir-faire communicatifs acquis aux niveaux précédents.** Il s'agit de pouvoir faire face aux situations de communication les plus diverses, d'être en mesure de comprendre des documents écrits et oraux plus complexes, d'être à l'aise dans des productions écrites ou orales longues et structurées.

• **l'acquisition de connaissances et de savoir-faire culturels.** PANORAMA IV poursuit la présentation des spécificités culturelles et comportementales françaises tout en s'ouvrant largement à d'autres horizons dans un dialogue permanent avec les autres pays du monde.

• **la maîtrise d'un discours sur les écrits d'information et d'opinion (presse, essais, etc.) ainsi que sur les objets culturels (littérature, arts, etc.).** Rendre compte du contenu d'un document, le mettre en relation avec des réalités et des connaissances, formuler des opinions sur son propos requièrent des compétences spécifiques. Dans cette optique, PANORAMA IV prépare aux épreuves du DELF (5e et 6e niveaux).

■ Six unités thématiques et communicatives

L'ouvrage compte **24 leçons de six pages** représentant chacune entre 4 et 6 heures d'enseignement et de travail personnel. Ces leçons sont regroupées en **six unités.** Chaque unité est organisée selon une grande direction thématique et communicative.

Unité 1 – IDÉES (formuler des idées ; naviguer entre les faits et les idées) – Quelques-unes des causes, grandes ou petites, qui nous poussent à agir : la solidarité, l'éducation, la politique, la condition des femmes, le statut des jeunes, etc.

Unité 2 – RÉCITS (raconter ; de l'anecdote personnelle aux évolutions historiques) – Une réflexion sur l'idée de progrès, sur les mythes de l'âge d'or, sur les traditions, sur les technologies modernes, sur l'art d'hier et d'aujourd'hui, etc.

Unité 3 – ESPACES (décrire des espaces, des organisations, des comportements) – L'esprit cartésien, l'humour, la laïcité, les identités nationales ou régionales, l'immigration, etc.

Unité 4 – INTERROGATIONS (poser des problèmes ; expliquer ; démontrer) – Le mystère de nos origines, la science de l'éthique, la notion de hasard, l'économie et l'entreprise, la psychologie, etc.

Unité 5 – PASSIONS (expression des sensations, des impressions et des sentiments) – Grandes passions et goût du risque, nouvelles formes de loisirs ; plaisir de jouer avec les mots, etc.

Unité 6 – VALEURS (porter des jugements, exagérer, minimiser, ironiser) – Les médias, les modes, le sentiment religieux, la préservation du patrimoine, la francophonie, etc.

■ Fonction spécifique de chaque leçon d'une unité

À l'intérieur d'une unité, chaque leçon possède sa propre fonction et poursuit ses objectifs particuliers.

Leçon Analyses et Commentaires (suite de documents écrits et oraux organisés autour d'un thème) – Repérage des contenus et de l'organisation rhétorique des textes ; reformulation ; synthèse et compte rendu de ces informations ; mise en relation des informations avec les connaissances du lecteur ; développement des aptitudes à généraliser, à illustrer par des exemples, à défendre ou à réfuter une opinion, à expliquer, etc.

Leçon DOSSIER-DÉBAT (montage de documents qui éclairent de façon contrastée une grande question controversée) – Recherche d'informations en fonction d'un objectif ; comparaison et synthèse de documents ; acquisition des compétences mises en œuvre dans les débats.

Leçon SIMULATION (regroupement de situations pratiques selon un parcours fonctionnel ou autour d'un thème) – Révision et enrichissement des moyens expressifs par le biais de jeux de rôles oraux ou écrits.

Leçon PROJET (mobilisation des étudiants sur un projet de réalisation collective ou individuelle) – Mise en commun des compétences et des connaissances ; appel à la créativité.

Un apprentissage programmé

• **Aides à l'apprentissage.** L'ouvrage comporte de nombreux tableaux qui regroupent les moyens linguistiques (vocabulaire, formes grammaticales) autour d'une intention communicative ou d'un savoir-faire rhétorique. Par ailleurs, si l'exercice au sens classique du terme disparaît dans le livre de l'élève, de nombreuses procédures médiatrices sont prévues pour faciliter l'apprentissage : activités de textualisation, de reformulation, de prise de notes, etc.

• **Approche progressive compatible avec une utilisation souple du manuel.** Les textes sont introduits selon un ordre croissant de longueur et de difficulté. Les objectifs sont par ailleurs hiérarchisés selon des critères de logique et de priorité (synthétiser les informations données par un texte suppose des capacités de repérage et de prise de notes). Toutefois, compte tenu du niveau des étudiants, cette organisation n'est pas incompatible avec une utilisation souple de l'ouvrage. Les tableaux d'apprentissage répertoriés dans l'index des contenus (p. 154) permettent de satisfaire des besoins ponctuels et facilitent une utilisation « à la carte » du manuel.

Matériel complémentaire

• **LES CASSETTES AUDIO.** Chaque leçon propose un document oral (deux dans les leçons de simulation) d'une durée moyenne de cinq minutes : extraits d'interviews, de débats, de conversations prises sur le vif, de spectacles, etc. Ces documents, qui font l'objet d'une exploitation dans le manuel, sont transcrits dans le livre du professeur.

• **LE CAHIER D'EXERCICES.** Chaque leçon du manuel y est développée et enrichie :
- travail sur des regroupements lexicaux suggérés par le contenu de la leçon ;
- révision systématique des points de grammaire qui risquent d'être encore source de problèmes ;
- travail de compréhension et d'expression sur des textes ou des regroupements de textes ;
- pratique des différents types de développements écrits.

Ces activités, dont les corrigés figurent à la fin du cahier, sont conçues pour préparer les épreuves du DELF.

• **LE LIVRE DU PROFESSEUR.** Pour chaque leçon du manuel : présentation des objectifs, propositions de déroulements de classe, notes sur des points de langue ou de civilisation, corrigés des activités, transcription des documents oraux figurant sur les cassettes.

ANALYSES ET COMMENTAIRES

1. Refaire le monde

Qui ne s'est pas fait plaisir à refaire le monde avec de grandes idées, des idées simples ou des idées venues d'ailleurs ?
Dans cette leçon, vous apprendrez à rechercher et à formuler les idées principales d'un texte et à formuler vos propres idées.

Les cafés sont des lieux privilégiés pour refaire le monde. Il en existe même qui organisent des débats. Ici, un café philosophique : le café des Phares à Paris.

L'aéroport de Denver (Colorado) construit en 1994.
Les ressources de la plus haute technologie pour une architecture aux allures de campement indien.

LE TROC DES SAVOIRS

Je t'apprends les échecs, tu m'apprends l'italien ou la mécanique... Ce troc des savoirs – en pleine expansion – est issu du Mouvement des réseaux d'échanges réciproques de savoirs. Créé il y a vingt-cinq ans par une institutrice d'Orly, Claire Héber-Suffrin, qui voulait ouvrir sa classe sur la ville, le mouvement est devenu aujourd'hui national. On dénombre ainsi 450 réseaux qui rassemblent 50 000 personnes à travers la France. D'autres existent en Belgique, en Suisse, en Allemagne, en Argentine et au Brésil. Le principe est simple : chacun sait quelque chose et peut transmettre sa connaissance. Enfants, retraités, ouvriers, immigrés ou cadres se rencontrent ainsi dans les lieux d'échanges les plus variés : classe d'école, salle des fêtes, maison de quartier, café ou chez un particulier. Chacun devient ainsi tour à tour prof et élève. À Nicolas, qui souhaite perfectionner son informatique, Max, retraité et ancien informaticien, apporte son soutien : « *On venait de m'envoyer en préretraite. C'était une façon de rompre l'isolement. Devenir prof et élève, c'est extraordinaire.* » « *Ce qui est formidable, c'est le décloisonnement social. On construit une nouvelle façon de vivre* », explique Christiane Saget, animatrice du réseau d'Orly. Comme l'exprime Edgar Morin[1], « *l'idée de réseau est une idée maîtresse... Une grande boucle a été formée et tout peut commencer à changer lorsque le message d'une telle expérience se transmet...* ».

Myriam GOLDMINC et Catherine MONCEL,
Le Point, 16/11/1996.

1. sociologue français.

KOOLIMADU[1]
PREMIER VILLAGE NON FUMEUR

Tout a commencé par un décès. Ahmed Kutty, un fumeur impénitent de 58 ans qui fréquentait régulièrement la salle de lecture municipale, est mort d'un cancer en 1994. En apprenant le lien entre cancer et tabagie, les fondateurs de la salle de lecture, Moideen et Kader, gros fumeurs eux aussi, résolurent de lancer un mouvement anti-tabac dans le village. Ce ne fut pas chose aisée. Au départ, l'idée de vivre plus vieux – mais sans tabac – n'emballait pas les gros fumeurs. Mais les anciens du village, qui imposent leur loi aux quelque 250 foyers du village, firent usage de persuasion. *« Nous avons imprimé des formulaires d'engagement à ne plus fumer, puis nous nous sommes rendus dans chaque maison du village et avons demandé à chaque personne de signer ou d'y apposer l'empreinte de son pouce »*, explique Moideen.

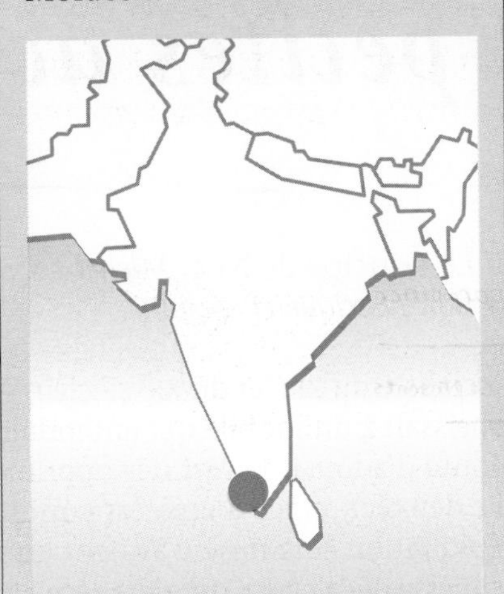

Puis on supprima l'approvisionnement des fumeurs à la source. Les deux magasins du village vendaient environ 300 paquets de cigarettes et de *beedis* par jour. Les militants leur ont demandé de ne pas renouveler leur stock. Puis les militants ont pris contact avec la branche de Kozhikode du Nehru Yuva Kendra (NYK) – créé en 1972 pour faire participer les jeunes des campagnes au développement des villages – pour savoir comment venir définitivement à bout du tabac en zone rurale. Partout ont fleuri des affiches, guirlandes et banderoles portant les slogans « Arrêtez de fumer, sauvez la famille » et « Koolimadu, zone non-fumeurs ».

Stephen David et Soumya Bhattacharya, « India Today », ***Courrier International***, 15/03/1997.

1. village situé à 25 km du port de Kozhikode (Calicut) dans le sud de l'Inde.

1. Deux expériences originales

a) Lisez les titres des articles des pages 4 et 5. Faites des suppositions sur le contenu des articles.

b) Lisez les articles. Faites la chronologie des informations présentées.

Exemple : « Le troc des savoirs »

(1) initiative d'une institutrice

(2) ...

c) En utilisant le vocabulaire ci-contre, résumez chaque texte en une phrase.

d) Donnez votre avis sur ces deux expériences.

2. Une idée pour « refaire le monde »

(Travail en petits groupes)

Recherchez une idée qui pourrait faire évoluer la société ou l'un de ses aspects (vie quotidienne, éducation, travail, etc.). Présentez et justifiez cette idée.

FORMULER LES IDÉES OU LES INFORMATIONS PRINCIPALES D'UN DOCUMENT

■ Quand le texte présente surtout des idées ou des informations générales

- Le texte (l'auteur) expose ... présente ... parle de ... traite de ...
- Le sujet traité dans ce texte est ... – Le problème (la question) qui est posé(e) est ... – Il s'agit de montrer que ...

■ Cas des autres types de texte

- Le texte raconte (relate, retrace) ... – Il décrit (dépeint, détaille) ... – Il explique (démontre, prouve) ..., etc.
- L'auteur fait le récit de ..., la description de ..., etc.

■ Selon la manière de présenter les informations

- L'auteur aborde ... esquisse ... donne un aperçu de ... évoque ... développe (longuement/brièvement) ... illustre ... traite d'une manière exhaustive/superficielle ..., etc.

Grandes causes et petites actions

Dans son essai Le Principe de Noé, *Michel Lacroix analyse et commente les moyens d'action politique et sociale.*

La morale socialiste du XIXe et du XXe siècle n'était pas sans générosité, mais elle obéissait à un mobile qui entendait aller au-delà de la seule charité. La volonté d'adoucir le sort des opprimés et des exploités reposait sur l'espoir de créer, grâce à eux, les conditions d'un changement structurel. L'exploitation et la misère avaient une vertu explosive et régénératrice. La faiblesse de la classe ouvrière recelait une puissance de changement [...]. On faisait de l'action révolutionnaire ; on ne faisait pas de l'humanitaire. Bien différente est la morale de compassion envers les faibles qui se développe de nos jours. Le bénévolat, la solidarité envers les exclus ne sont pas dictés par la volonté de faire accoucher un monde nouveau, et l'on aperçoit ici une des différences essentielles entre l'exploitation et l'exclusion. L'exploité espère changer sa condition en tirant parti des mécanismes de négociation sociale et politique, en revendiquant, en jouant de la dialectique du maître et de l'esclave, tandis que l'exclu n'a pas même cette possibilité : il se trouve, justement, exclu de la logique traditionnelle de la revendication ; il est placé à l'écart des forces réformistes ou révolutionnaires. Aussi la compassion envers les faibles n'est-elle assortie d'aucune promesse d'avenir meilleur. Dans l'optique de la responsabilité, le faible est protégé parce qu'il est faible, et pour aucune autre raison. [...]

L'attitude de responsabilité face à un monde jugé fragile et le retour à la compassion donnent toute leur importance aux « petites actions ». Lors de son discours d'investiture à l'Assemblée nationale en 1988, Michel Rocard[1] fit allusion aux cages d'escaliers des HLM que, selon lui, il convenait de repeindre. Est-ce là votre projet de société ? lui demanda-t-on. Mais ce programme n'était peut-être pas dénué de sagesse, car les actions qui maintiennent en vie ne sont pas forcément spectaculaires.

Michel LACROIX, ***Le Principe de Noé***, Flammarion, 1997.

1. Premier ministre en France de 1988 à 1992.

3. Lecture – Compréhension

Au fur et à mesure de votre lecture du texte de la page 6, trouvez les mots dont voici la signification.

- *Lignes 1 à 7 :* motivation – les conditions de vie – relatif à l'organisation générale de la société – avoir potentiellement.
- *Lignes 7 à 18 :* le fait de plaindre les autres – ceux qui n'ont pas de travail, pas de logement – donner naissance à – utiliser à son avantage.
- *Lignes 18 à 27 :* accompagnée – quand l'Assemblée nationale reçoit pour la première fois un nouveau Premier ministre – être dépourvu de ... (être sans ...).

4. Deux conceptions de l'action

a) Formulez l'idée principale développée par Michel Lacroix.

« Pour résoudre les problèmes sociaux ... »

b) En employant des formes nominales (voir tableau ci-contre), notez les informations relatives aux deux conceptions de l'action présentées dans le texte.

Morale socialiste des XIXe et XXe siècles	*Formes d'actions souhaitées par M. Lacroix*
• dépassement de l'action charitable • ...	• ... • ...

c) Trouvez des exemples de ces deux formes d'action dans l'histoire de votre pays, ou dans celle de pays que vous connaissez.

Exemples de changement structurel : la Révolution française (1789) – la Révolution russe (1917), etc.

Exemples d'actions de solidarité : la création en France des « Restos du cœur » (aide alimentaire aux personnes démunies), création des HLM (habitation à loyer modéré), etc.

5. Les deux conceptions de l'action à l'épreuve

(Travail en petits groupes)

a) Choisissez un problème concret.

Exemple : l'inégalité des chances à l'école.

b) En utilisant des formes nominales, faites une liste des moyens qui permettraient de le résoudre.

1) *actions révolutionnaires :* séparation de l'enfant et de sa famille dès l'âge de 3 ans ...

2) *petites mesures :* soutien scolaire ...

c) Présentez et discutez ces solutions.

NOTER, ÉNUMÉRER DES INFORMATIONS (LES FORMES NOMINALES)

■ **Pour noter des informations, exposer des arguments (voir p. 60) ou assurer la cohérence des textes (voir p. 90), on utilise souvent des formes nominales.**

Exemple : **Causes du chômage**
→ **mécanisation de l'industrie**
→ **informatisation des services**

Il faut donc savoir traduire les actions (verbes) ou les qualités (adjectifs et adverbes) par des noms. Cette transformation peut se faire :

- **en recherchant un mot de la même famille :**

Voltaire a été emprisonné à la Bastille à cause de ses écrits très virulents.

Exemple de la prise de notes :

Virulence des écrits de Voltaire. → **Emprisonnement** à la Bastille.

...

- **en recherchant un nom qui exprime l'idée du verbe ou de l'adjectif :**

En 1851, Victor Hugo est député de Paris. Il dénonce le coup d'État de Louis-Napoléon (futur Napoléon III). Il essaie même de soulever le peuple de Paris. Il doit quitter la France.

Exemple d'exposé d'arguments :

C'est son opposition au coup d'État de Napoléon III et sa tentative de soulèvement du peuple de Paris qui ont causé l'exil de Victor Hugo.

- **en utilisant des expressions comme :**

« le fait de (+ infinitif) », « le fait que (+ subjonctif) », pour traduire une action ;

« le caractère, le côté, l'aspect (etc.) », pour traduire une qualité.

Exemple d'utilisation de ces expressions pour assurer la cohérence d'un texte :

En 1894, dans une période où se développent en France des courants de pensée antisémite, un militaire, le capitaine Dreyfus, est accusé injustement d'espionnage. **Le caractère injuste et scandaleux de ces accusations** est alors dénoncé par Émile Zola dans un article célèbre : « J'accuse... » **Le fait qu'un écrivain célèbre ait pris parti dans cette affaire** entraînera la révision du procès.

Un étudiant étranger dans une université de Virginie

Au milieu des années 1950, à l'âge de 18 ans, Philippe Labro quitte la France pour étudier dans une université de Virginie (États-Unis). Il y découvre de nouvelles habitudes et une autre organisation de la société. En 1986, il a raconté ces expériences dans un roman autobiographique dont voici trois extraits.

Un mot a très vite fait son apparition : *date*. C'est un verbe, c'est aussi un mot, ça veut dire un rendez-vous avec une fille, mais ça désigne la fille elle-même : je vais boire un verre avec une *date*. Une fille vous accorde une *date* et elle devient votre *date* régulière si vous sortez plus d'une fois avec elle. Si vous êtes un nouveau, et que vous ne connaissez pas de filles, on peut vous emmener en *blind date* – rendez-vous aveugle –, c'est-à-dire que vous ignorez tout de la fille avec qui vous allez sortir ce soir-là, et c'est votre copain ou sa propre amie qui feront les présentations. Le rendez-vous aveugle peut conduire aux pires catastrophes, comme aux surprises miraculeuses. [...]

C'est un rite, et je me suis aperçu ici, sans le formuler de façon aussi claire, que tout est rite, tout est cérémonie, signe, étape d'un immense apprentissage. Il y a un Jeu et des jeux à l'intérieur de ce grand Jeu de la vie américaine et tout mon être aspire à les jouer.

Le campus d'une université américaine. Un modèle importé en France dans les années 60.

Quelques semaines après son arrivée, Philippe Labro est convoqué par deux étudiants responsables du « Comité d'Assimilation » qui lui font une remarque sur son comportement.

– Tout va très bien, me dit-il, tout le monde est très content de ton comportement sur le campus, mais voilà ... la Règle de la Parole, nous avons reçu des informations selon lesquelles tu ne t'y conformais pas. Pas vraiment.

– Mais ça n'est pas vrai, dis-je. C'est faux.

Gordon sourit. Il se redressa sur son siège, sûr de son fait.

– Attends, s'il te plaît. Le Comité d'Assimilation n'a pas pour habitude de lancer des affirmations pareilles à la légère. Nous vérifions toujours.

– Toujours, répéta le garçon roux.

Le blond opina de la tête, sans parler.

– Mais je dis bonjour, protestai-je, je suis désolé, je salue tout le monde, et je réponds au salut des autres.

Pour la première fois depuis qu'il m'avait accueilli dans la salle, Gordon eut l'air gêné. Il cherchait ses mots. Ses gros sourcils bruns se fronçaient sous l'effort.

– Ça n'est pas que tu ne dises pas bonjour, ou que tu ne renvoies pas les saluts, ça n'est pas ça, nous avons vérifié. Nous sommes d'accord, ce n'est pas cela.

Il répéta :

– Là n'est pas la question.

Puis il lâcha, comme si c'était une notion énorme et qu'il avait eu quelque pudeur à exprimer :

– C'est que tu ne souris pas en le faisant.

Le bal de fin d'année du collège est une autre occasion de découvrir les comportements caractéristiques de la société américaine de cette époque.

Il en était du bal comme du reste, comme de toute la vie sur le campus, comme des fraternités et des comités et des associations et des matches de football : on ne faisait pas les choses en solo, on participait, on appartenait à une communauté qui tissait inlassablement des liens entre ses membres, au service d'un même esprit – un système dont l'origine remontait aux pionniers et à cette volonté de créer un nouveau monde qui avait animé les premiers colons, précisément sur cette terre de Virginie, comme plus haut en Nouvelle-Angleterre – à cause de cette peur diffuse devant l'immensité d'un continent sauvage et inconnu. Pour lutter contre les forces obscures, les hommes venus du monde ancien s'étaient resserrés autour des chariots, autour de leurs femmes, autour des valeurs traditionnelles : la famille, la solidarité, l'effort, l'union. Leur sens saxon[1] de la tribu avait sublimé[2] cette nécessité, ce besoin d'être ensemble.

Philippe Labro, ***L'Étudiant étranger***, Gallimard, 1986.

1. les Saxons sont un peuple germanique qui se mêla aux Angles pour former à partir du ve siècle la civilisation anglo-saxonne.
2. transformer un besoin concret (ici, le besoin de protection) en idéal ou en trait de mentalité.

6. Rites

a) Lisez le premier extrait du roman autobiographique de Philippe Labro. Définissez le mot date (natures grammaticales, sens, emplois, origine, etc.). Recherchez les avantages et les inconvénients de ce rite.

b) Dans la société française, certains rites sont rattachés aux mots suivants. Lesquels ?

- le café (le lieu)
- le fromage
- l'intellectuel
- la dictée
- la bise
- le déjeuner

c) Quels sont les rites de votre pays qui, selon vous, devraient être exportés en France ?

7. Règles

a) Lisez le deuxième extrait du roman.
Imaginez que vous êtes étudiant dans ce collège et que vous expliquez à un étudiant français la « Règle de la Parole ».

« Il existe ici une règle … Si … »

b) Donnez votre avis sur les buts et les moyens de cette règle. Comment faciliteriez-vous l'intégration d'un étudiant étranger dans une école ou une université ?

8. Comportements

a) Lisez le troisième extrait du roman. Relevez et classez les mots qui évoquent l'idée de groupe et l'idée de rapprochement.

b) Notez l'essentiel de l'explication de Philippe Labro, en utilisant des formes nominales.

- Trait de mentalité : …
- Origine historique : …
- Conséquences sur les comportements : …

c) Recherchez les effets des traits de mentalité suivants sur le comportement des Français. Faites des hypothèses sur les origines historiques de ces traits de mentalité.

– Les Français ont un grand respect pour les vestiges du passé.
– La plupart des Français souhaitent vivre dans une maison avec un jardin.

CONVERSATION COURANTE
C'EST TELLEMENT MIEUX AILLEURS !

■ **Écoutez. Trois Français qui ont beaucoup voyagé citent en exemple des modes de vie ou des habitudes étrangères. Complétez le tableau.**

	1	2	3
Pays	…	…	…
Coutume, mode de vie ou réalisation cités en exemple	…	…	…
Raisons de cette préférence	…	…	…

■ **Continuez la conversation de ces Français. Mettez en commun votre connaissance des pays étrangers. Qu'est-ce qui est mieux ailleurs ? Qu'est-ce qui, dans votre pays, pourrait, selon vous, être cité en exemple à l'étranger ?**

En France, celui qui a une petite faim vers midi et qui ne veut pas passer une bonne heure dans un restaurant n'a guère d'autre choix qu'un sandwich insipide. Dans beaucoup de pays en revanche, on peut grignoter quelque chose à toute heure. En Espagne, par exemple, les bars à « tapas » permettent d'associer rapidité, variété et saveur.

DOSSIER - DÉBAT

2. Tous des génies ?

Certains d'entre nous sont-ils plus doués que les autres ou bien naissons-nous tous avec des capacités intellectuelles, artistiques, physiques identiques ?
C'est le débat que vous organiserez au cours de cette leçon en apprenant à utiliser des phrases riches d'informations, à passer des faits aux idées et à illustrer vos arguments par des exemples.

NOUS SOMMES TOUS DES CRÉATEURS

Les plus grandes inventions ont souvent pour origine la simple observation de l'environnement. C'est en regardant voler les oiseaux que Léonard de Vinci eut l'idée de dessiner les premières « machines volantes ». Quant aux frères Montgolfier, inventeurs du ballon qui porte leur nom – la montgolfière –, ils auraient été inspirés à la fois par les nuages et par une jupe gonflée par le vent !

Les individus naissent libres et égaux ... en créativité. Pourtant, certains deviennent Van Gogh ou Einstein et d'autres se montrent incapables de produire quoi que ce soit d'inventif avec leurs mains ou leurs méninges[1]. Question de chance, de hasard, pense-t-on la plupart du temps, en préférant croire que certains naissent Picasso et d'autres grouillots[2], selon la volonté des bonnes fées de la créativité. C'est faux. Si Mozart était né dans une ferme autrichienne et non à Salzbourg dans une famille de musiciens, il ne serait sans doute pas devenu le génie que nous connaissons. Et si vous et moi avions eu Léopold Mozart pour papa, nous n'aurions peut-être pas composé notre première symphonie à 8 ans, mais nous serions au moins capables d'écrire un menuet.

Morale de l'histoire : les grands créateurs le sont parce que leur environnement leur a permis de l'être. Mais l'entourage ne fait pas tout. Un grand nombre de personnes possèdent, sans en avoir forcément conscience, des talents inexploités qui ne demandent qu'à faire surface. Comment ? La première étape consiste à se faire une idée plus claire de ce qu'est la créativité. Pour la plupart d'entre nous ce domaine est entouré d'un tel mystère, d'une telle aura[3], que l'on n'ose pas prétendre y accéder. Pourtant, si on ne parle plus de don mais de « capacité à réaliser une production qui soit à la fois nouvelle et adaptée » comme le fait

Todd Lubart, du laboratoire de recherche Cognition et développement, au CNRS[4], on se dit que l'on doit pouvoir y arriver. C'est d'ailleurs ce que nous faisons tous les jours en concoctant[5] une recette de cuisine, en inventant une histoire pour endormir un enfant, en se composant une tenue avant de sortir, en bricolant à la maison, ou encore en trouvant l'attitude qui va désamorcer un conflit avec un interlocuteur.

Comme M. Jourdain fait de la prose[6], nous créons sans le savoir. La raison de cette ignorance tient au fait que la forme d'inventivité la plus courante, dite adaptative, appelée aussi débrouillardise, est peu (voire pas du tout) valorisée. La créativité qui nous fascine depuis des siècles est dite cognitive, parce qu'elle fait davantage appel aux connaissances et à un processus mental que la précédente.

Agnès Galletier, ***Quo***, octobre 1997.

1. ici, le cerveau. 2. jeune employé chargé des courses et des petites tâches (mot péjoratif). 3. aspect sacré et mystérieux. 4. Centre national de la recherche scientifique. 5. imaginer. 6. allusion à une scène du *Bourgeois gentilhomme* de Molière : M. Jourdain découvre avec émerveillement qu'il parle « en prose » depuis son enfance.

Deltaplane et hélicoptère s'inspirent de la chauve-souris et de la libellule.

1. Raisonnement

a) Lisez l'article ci-dessus. Notez les différentes étapes du raisonnement de l'auteur.

(1) Capacités égales de tous les individus à la naissance.

(2) ...

b) Résumez en une phrase :

– la thèse soutenue par l'auteur,

– la thèse à laquelle il s'oppose.

2. Recherche d'exemples

(Travail en petits groupes)

En utilisant le vocabulaire du tableau ci-contre, recherchez des exemples qui permettent de défendre les six thèses suivantes :

Les capacités — **sont-elles**
- intellectuelles
- artistiques
- physiques et pratiques

- innées ?
ou
- acquises ?

CAPACITÉS, COMPÉTENCES, PERFORMANCES

■ **Les capacités intellectuelles** : la mémoire – le raisonnement, la logique – l'intuition – la concentration – la créativité, l'invention ; **artistiques** : le sens artistique (avoir l'oreille musicale – avoir le sens de la couleur) – l'imagination – l'habileté manuelle (savoir tout faire de ses doigts) ; **pratiques** : la débrouillardise – le sens de l'orientation ; **physiques** : l'endurance, la force, etc.

■ **Les compétences innées** (qu'on possède à la naissance, antérieures à toute expérience) / **acquises** (par l'éducation, l'expérience) : le don – être doué pour le dessin – avoir le don des langues, etc. – avoir la bosse des maths *(fam.)* – avoir des talents de conteur, une aptitude pour la musique, des facilités pour ..., des dispositions pour ... – Cet étudiant a des possibilités (des moyens).

■ **Les performances** : une inspiration – une idée géniale – un coup de génie – une trouvaille – une illumination.
Une personne brillante – un surdoué – un génie – un virtuose – une intelligence hors du commun.

INTERVIEW D'UN SCIENTIFIQUE
LE COUP DE GÉNIE DE LOUIS PASTEUR

■ **Préparation à l'écoute. Vérifiez votre compréhension des mots suivants :**

Les maladies infectieuses : la rage – la variole (ou petite vérole) – le charbon – le choléra des poules.

La vaccination – vacciner (injecter, inoculer un vaccin) – **être immunisé contre une maladie.**

Un bouillon de culture (préparation de laboratoire qui permet de cultiver les germes microbiens).

Le pus (liquide fabriqué par une plaie infectée).

Décimer (tuer en grande quantité).

■ **Écoutez le document. Une journaliste interroge Pierre Darmon, directeur de recherche au CNRS et biographe de Louis Pasteur. Relevez toutes les informations qui vous permettront d'enrichir la biographie suivante.**

Né en 1822, Louis Pasteur est un chimiste et un biologiste qui a découvert le rôle des micro-organismes (microbes) dans certains processus biologiques (fermentation, maladies, etc.).

Pour l'histoire de la science, il restera celui qui, le 6 juillet 1885, a pour la première fois ...

Cette date est mémorable pour plusieurs raisons ...

Mais la vaccination de Joseph Meister n'était que l'aboutissement de longues années de recherche. Avant 1885, Pasteur avait travaillé sur ...

En fait, le vrai coup de génie de Pasteur date de 1879. L'anecdote mérite d'être racontée ...

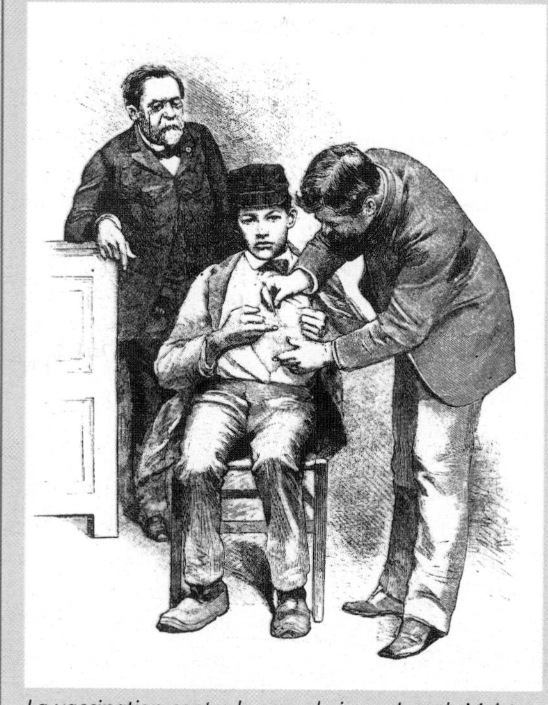

La vaccination contre la rage du jeune Joseph Meister.

Tout est affaire d'apprentissage

Antoine de La Garanderie et la « gestion mentale »

Homme de conviction, **Antoine de La Garanderie** est un enseignant dont les ouvrages ont beaucoup de succès et qui s'est attaché à montrer que l'échec scolaire n'était pas une fatalité. Étudiant en priorité les causes de la réussite et persuadé que celle-ci réside avant tout dans une attitude psychologique, il a mis au point une méthode fondée sur la prise de conscience des processus personnels d'apprentissage (la gestion mentale).

Pour lui, les atouts du succès sont :

– **la représentation mentale** du projet qui nous motive ; représentation grâce à laquelle nous anticipons les étapes et les difficultés de l'entreprise ;

– **la connaissance des dominantes et des stratégies mentales** sur lesquelles chacun peut s'appuyer. Certains apprennent mieux en lisant, d'autres en écoutant. Certains ont besoin d'imaginer avant de découvrir. Pour d'autres, c'est l'inverse. Certains assimilent les connaissances en y adhérant, d'autres en s'y opposant. Certains, enfin, ont besoin que tout leur soit expliqué alors que d'autres peuvent apprendre sans tout comprendre.

3. ÉTUDE DE LA PHRASE COMPLEXE

a) Dans le texte ci-dessus, relevez les informations qui sont données à propos de chaque groupe marqué en gras. Notez les constructions grammaticales.

Exemple :

Antoine de La Garanderie
→ homme de conviction : groupe juxtaposé
→ un enseignant : ...

b) Retrouvez ces constructions dans le tableau de grammaire (p. 13) et complétez votre information.

c) Réfléchissez à vos différentes façons d'apprendre et confrontez-les avec celles de votre voisin(e).

RASSEMBLER DES INFORMATIONS AUTOUR D'UN NOM (PHRASES COMPLEXES)

À l'écrit comme à l'oral, on fait souvent se succéder des phrases courtes et des phrases plus complexes, plus riches d'informations.

Voici les principales constructions grammaticales qui permettent d'« accrocher » les informations au nom (la personne ou la chose dont on parle).

■ 1. Juxtaposition (ou construction avec le verbe « être ») d'un nom ou d'un adjectif ; utilisation des parenthèses

Né en 1896, instituteur de l'école publique (puis de sa propre école privée), Célestin Freinet est l'initiateur d'une pédagogie qui a marqué l'enseignement en France.

■ 2. Propositions participe passé et participe présent

Persuadé que le savoir ne doit pas être transmis passivement et encourageant le « tâtonnement expérimental », Freinet a créé des classes actives où les élèves progressent à leur rythme.

■ 3. Propositions relatives

- introduites par *qui, que, où.*
- introduites par *dont* (quand l'information s'applique à un nom complément d'un autre nom, d'un adjectif ou d'un verbe qui se construit avec « de »).
- introduites par :

→ *à qui* (pour les personnes) – *auquel (à laquelle, auxquels, auxquelles)* après un verbe se construisant avec « à ».

→ *de qui* (pour les personnes) – *duquel (de laquelle, desquels, desquelles)* après un verbe suivi d'un groupe prépositionnel terminé par « de » (auprès de... à la suite de ...).

→ *qui* (pour les personnes) – *lequel (laquelle, lesquels, lesquelles)* après un verbe suivi d'une préposition autre que « à » et « de ».

Pour Freinet, la conquête de l'autonomie est un des buts essentiels de l'éducation. La pratique démocratique, dont le meilleur exemple est le vote de toutes les décisions, doit permettre à l'élève d'acquérir le sens des responsabilités dont il aura besoin plus tard.

Le journal de classe auquel tous les élèves participent est un autre moyen d'ouvrir l'école sur la vie.

4. Construction de phrases complexes

À partir des notes suivantes, rédigez deux paragraphes de trois phrases chacun. Dans le premier paragraphe, utilisez en priorité les constructions des rubriques 1 et 2 du tableau ci-contre. Dans le second, les constructions relatives.

Deux écoles pas comme les autres

L'école Montessori

■ Maria Montessori : italienne, médecin ; inspiratrice de différents mouvements de rénovation pédagogique du XXe siècle ; a fondé des écoles spéciales pour handicapés.

■ Pédagogie appliquée ensuite aux autres enfants ; s'appuie sur le développement sensoriel ; vise l'épanouissement de l'enfant.

■ Enfant laissé libre de ses choix ; travaille à son rythme ; progresse rapidement et harmonieusement.

Les classes bilingues au Canada

■ Le Canada – comporte deux provinces francophones. Dans les années 70, on y conçoit des programmes d'éducation bilingue. Les éducateurs font souvent référence à ces programmes.

■ L'éducation bilingue. Elle s'appuie sur deux atouts : le jeune âge de l'élève et l'immersion dans la langue étrangère. Sans immersion, pas d'apprentissage satisfaisant.

■ Les petits Canadiens anglophones ; scolarisés en français dès l'école maternelle ; apprennent d'une manière naturelle. Leurs capacités intellectuelles ont augmenté.

Certaines écoles permettent de développer des talents artistiques en même temps que les acquisitions fondamentales. Ici, les petits rats de l'Opéra de Paris.

Témoignages : la part du don et celle de l'apprentissage

Un cas d'échec scolaire

Un psychologue analyse le cas de David, 11 ans, élève au CE2 (cours élémentaire deuxième année, la troisième année du cycle primaire).

Un psychologue fait passer des tests. Pasteur et Einstein, qui furent des élèves médiocres, avaient-ils des QI (quotient intellectuel) élevés ?

David est en CE2 avec un échec global en mathématiques. L'entretien avec la mère ne permet pas de comprendre une telle difficulté : aîné de quatre enfants, il ne présente aucun autre trouble particulier ; sa scolarité est plutôt médiocre, surtout à cause du calcul.
Lors de l'entretien suivant, David parle d'une sœur plus âgée qui vit en Bretagne chez les grands-parents ; la mère ne l'avait pas mentionnée. Il dessine sa famille : cinq enfants et les deux parents, et dit : « *On est six.* »
Les opérations effectuées dans un test de connaissances scolaires sont étonnantes : David évite systématiquement le nombre 7 en tant que signe, mais aussi dans ses calculs, en le remplaçant par 6, ce qui donne par exemple : 27 + 12 = 38 ou 239 – 12 = 226 ; si l'on opère la substitution les calculs sont corrects.
L'entretien suivant avec la mère est très difficile car elle avait interdit à ses enfants de parler à qui que ce soit de cette fille qu'elle avait eue hors mariage. David avait transposé cet interdit dans les mathématiques, tout en assimilant les techniques opératoires dans un raisonnement logique.

E. Bosetti, S. Goulfier et A. Thiriet, ***Le Psychologue, l'école et l'enfant,*** Dunod, 1995.

Cas d'une mémoire prodigieuse

Neurologue et psychologue russe, A.R. Luria a étudié le cas peu commun du journaliste Veniamin.

Il fallait reconnaître que la mémoire de Veniamin n'avait pas de limites définies, ni dans son étendue ni dans sa constance. Il était capable de reproduire sans erreur ni effort apparent n'importe quelle liste de mots qui lui avait été donnée une semaine, un mois, et même une ou plusieurs années plus tôt. Certaines de ces expériences, toujours couronnées de succès, avaient lieu 15 ou 16 ans après une première mémorisation de la liste et sans aucune préparation. Veniamin s'asseyait, fermait les yeux, se taisait quelques instants, puis disait : « *Oui, c'est bien ça... c'était dans votre ancien appartement, vous étiez assis devant la table et moi dans un fauteuil à bascule... vous portiez un complet gris et vous me regardiez comme ça... voilà, je vois ce que vous me disiez...* » et ensuite il énumérait sans la moindre erreur tous les éléments de la liste qui lui avait été donnée quelques années plus tôt.

A.R. Luria, ***Une prodigieuse mémoire,*** Delachaux et Niestlé, 1970.

Formation tardive

Françoise, 46 ans, était vendeuse dans une boutique de luxe. C'est par une amie qui lui en parlait souvent qu'elle a décidé de reprendre des études par le biais d'un CIF[1]. Elle précise : « *Avant j'étais assistante de direction et porter le café au patron, franchement, c'était pas mon truc. Alors je me suis dirigée vers la vente et j'ai eu envie d'avoir un diplôme qui ouvre des portes. À quarante-six ans, je me suis remise aux études et j'ai fait un BTS[2] en huit mois. J'ai donc ingurgité ce que les étudiants font généralement en deux ans. Il y avait des choses que je ne connaissais pas au niveau du français et du droit. Avec trois enfants, ce n'était pas évident, mais la motivation l'a emporté.* »

N. Dujour, ***Entreprendre des études à tout âge,*** Marabout, 1996.

1. Congé individuel de formation. Le bénéficiaire de ce congé peut recevoir une aide financière. 2. Brevet de technicien supérieur.

Le regard de la littérature

Une jeune fille se souvient

Lorsque j'ai eu huit ans, j'ai pris l'habitude de dérober des livres dans la bibliothèque et je prenais au hasard tout ce qui me tombait sous la main, je n'évitais que les livres pour enfants qui sont exceptionnellement ennuyeux. Or, un jour que j'étais plongée dans ma lecture, j'entends mon père qui explose de rire derrière moi et se tape sur les cuisses en bêlant : « *Kay, venez voir votre fille, elle lit Heidegger !* » Comme je ne trouvais pas ça drôle, il me demande si je comprends quelque chose, je dis : « *Oui, bien sûr, et toi ?* » Alors, surprise ! il me répond : « *Eh bien, moi, rien du tout.* » Je referme mon livre et je lui dis quelque chose du genre : « *Ce n'est pourtant pas bien compliqué de se rendre compte qu'une ontologie fondamentale dont on veut renouveler la signification ne peut passer que par une phénoménologie de l'existence permettant d'expliciter la structure globale de l'être-là*[1]. » Depuis ce moment, il n'a plus été vraiment le même.

Patrick Cauvin, ***E = MC2 mon amour,*** Jean-Claude Lattès, 1977.

1. La phrase accumule volontairement les termes philosophiques abstraits et signifie à peu près : « *Si on veut donner un sens à l'existence de l'homme, il faut s'appuyer sur ce qu'il fait.* »

5. Préparation au débat

a) Lisez les documents ci-dessus. Recherchez comment ils peuvent servir d'argument au débat entre l'inné (le don) et l'acquis (l'apprentissage) que vous avez ébauché dans l'exercice 2, p.11.

b) Regroupez dans le tableau suivant l'ensemble des idées et des exemples que vous avez trouvés depuis l'exercice 1.

	Idées	Exemples
(1) La part de l'inné est très importante. Presque tout est affaire de don.	....	....
(2) Le don n'existe pas.	Les découvertes dites « géniales » sont souvent le fruit du hasard.	La découverte du vaccin du choléra des poules par Pasteur.
(3) Tout peut s'apprendre.	....	....
(4) Le rôle de l'apprentissage est limité.	....	....

6. Organisez un débat de 30 minutes sur le sujet

7. Défendez par écrit l'un des quatre points de vue ci-dessus

« De nombreux exemples montrent que la part du don doit être minimisée … »

(Pour passer d'un exemple à l'idée qu'il illustre ou éclairer vos idées par des exemples, voir p. 48)

SIMULATION

3. Causes à défendre

Qui n'a pas eu un jour besoin ou envie de défendre une cause, grande ou petite ? Celui qui s'engage au service d'une idée doit savoir préparer un bon dossier, convaincre, répondre aux contradictions et aux attaques, mener une réunion mais aussi surveiller son image.
C'est ce parcours que vous suivrez tout au long de cette leçon.

La condition des femmes est-elle en régression ?

(Dossier de L'*Express*, 6/02/1997)

Il y a bien un retour en arrière. On entend, ici ou là, ce qu'on n'osait pas dire il y a cinq, dix ans : que, avec le chômage, il faut donner la primauté aux hommes. Cela veut dire que l'idée d'égalité n'est pas totalement inscrite dans les mentalités collectives.

Corinne Lepage (ancien ministre de l'Environnement).

Les jeunes femmes d'aujourd'hui sont parfois aussi démunies que celles des années 60, voire davantage, car la vie est plus dure. La marge entre les riches et les pauvres grandit et les filles des classes sociales basses en pâtissent. Je ne pense pas que les hommes se vengent des femmes, mais la difficulté de la vie affecte particulièrement ces dernières. J'ai rencontré de gros « machos » quand j'ai commencé à faire du cinéma, mais je m'en fichais : cela ne m'a jamais empêchée de travailler. J'essayais de trouver ma propre riposte. Il y a plus de femmes cinéastes en France qu'ailleurs, grâce à la Nouvelle Vague et à des pionnières : Agnès Varda, Marguerite Duras.

Claire Denis (cinéaste).

Aujourd'hui, les femmes exercent des métiers longtemps réservés aux hommes.

On ne peut pas dire qu'il y ait un retour en arrière général en France. Nous sommes plutôt en tête, parmi les Européennes. Mais, maintenant qu'il s'agit de faire entrer dans les mœurs les acquis légaux, on piétine un peu, après des avancées spectaculaires. En politique, c'est le trou noir. Nous sommes au 72e rang mondial. Il faut se battre pour la parité. Mais c'est la société tout entière, largement dominée par des critères masculins, qui résiste. On continue à éduquer les filles dans l'idée qu'elles n'auront pas à commander. Les professeurs de natation s'intéressent encore aux performances des garçons et au style des filles. Et les femmes ont trop de scrupules : est-ce que je vais être capable de le faire ? demandent-elles quand on leur propose des responsabilités. Jamais les hommes ne se posent la question. Si on boycottait tous les machistes, cela finirait par leur faire honte. Le problème est là : ils n'ont jamais honte.

Élisabeth GUIGOU (*ministre de la Justice en 1998*).

Aujourd'hui, on a le plus souvent affaire à des mufles. Face à la concurrence des femmes, les hommes se sentent obligés de se conduire comme des coqs. La galanterie a disparu. Le plus injuste, c'est qu'on applaudit complaisamment les performances, même médiocres, d'un homme, alors qu'une femme doit accomplir un exploit pour qu'on s'intéresse à elle. Le milieu du cyclisme n'a toujours pas intégré les femmes... Les médias nationaux ne s'y intéressent pas. Le public, si. De là pourrait venir le changement.

Jeannie LONGO (championne de cyclisme).

Il n'y a pas plus de misogynes, au contraire. Il existe des tentatives pour redorer la paternité, mais cela ne diminue en rien les droits et les responsabilités de la mère, aujourd'hui devenue toute-puissante. Je suis moins enthousiaste qu'il y a quelques années. Je croyais les femmes pleines d'appétit, mais beaucoup refusent les responsabilités. Elles sont plus passives qu'autrefois et aimeraient bien se reposer sur les hommes. C'est une affaire de tempérament, pas une régression.

Évelyne SULLEROT (*sociologue et écrivain*).

RÉPONSES AUX QUESTIONS DES AUDITEURS
ÉGALITÉ HOMMES/FEMMES OÙ EN EST-ON ?

Roselyne Bachelot (députée RPR, membre de l'Observatoire de la parité entre hommes et femmes), Frédérique Bredin (députée PS) et Rose-Marie Lagrave (École des hautes études en sciences sociales) répondent aux questions des auditeurs de la station de radio *France-Inter.*

■ **Préparation à l'écoute. Vérifiez votre compréhension des mots suivants :**

La sphère privée (la famille) – **une procédure de divorce** (les étapes judiciaires qui permettent de divorcer) – **corroborer un fait** (confirmer) – **faire tout un plat** (*fam.* : dramatiser une situation) – **une convention collective** (contrat passé entre les partenaires d'une entreprise et qui règle les conditions de travail) – **de facto** (de fait, qui s'appuie sur un fait) – **un recours** (possibilité de faire appel à la justice pour régler une situation illégale).

■ **Écoutez le document. Une amie qui ne connaît pas la France vous pose les questions suivantes. Répondez en développant votre réponse.**

– Peux-tu me dire si les femmes et les hommes ont juridiquement les mêmes droits ?

– Y a-t-il partage des tâches familiales ?

– Est-ce qu'on peut dire qu'il y a égalité des hommes et des femmes dans les milieux professionnels (les entreprises, les administrations) ?

– On a parlé de « nouveaux pères ». On a dit que les mentalités avaient changé ?

– Quelles sont les propositions des femmes qui ont des responsabilités politiques ?

1. RECHERCHER ET REGROUPER DES INFORMATIONS

a) En lisant le dossier ci-dessus et en écoutant le document sonore, préparez une fiche sur la condition des femmes en France. Regroupez les principales informations autour des points suivants (utilisez si possible des formes nominales).

• Étapes de la conquête des droits des femmes.

• Réalités de l'égalité homme/femme :
– dans la vie familiale,
– dans la vie professionnelle,
– dans le monde politique.

• Attitudes psychologiques des hommes/des femmes.

• Solutions possibles.

b) Comparez cette situation avec celle qui existe dans votre pays.

DÉBAT À PROPOS D'UN PROBLÈME D'URBANISME « DANS LA JUNGLE DES VILLES »

Préparation à l'écoute

- Lisez le document suivant et observez la photo.

Que diraient Lamartine et Jean-Jacques Rousseau s'ils voyaient ce que sont devenues les routes qu'ils empruntaient en rêvant ou en réfléchissant, sur le trajet de Chambéry au lac du Bourget. Forêts hideuses de panneaux géants, alignements de bâtiments disgracieux, parkings laids. Voilà une spécialité nationale ! La France si fière de ses monuments et de ses paysages est affublée des entrées de ville parmi les plus vilaines du monde. Au moins, en Grande-Bretagne, le *Green Belt Act* de l'après-guerre a délimité des ceintures vertes autour des villes où il est interdit de construire. Quant à l'Allemagne, l'urbanisme commercial y est planifié, donc maîtrisé. Hélas, rien de semblable chez nous. En matière d'urbanisme commercial, la France, c'est le capharnaüm. Aucun texte ne régit avec précision l'installation des commerces. Même si la récente loi Raffarin tend à limiter son extension, le grand commerce vit dans un système ultralibéral.

L'Événement du jeudi, 24/10/1996.

Écoute du document

- *Situation* : La conseillère municipale, responsable de l'urbanisme d'une ville de 150 000 habitants, organise une réunion de concertation avec la présidente du comité du quartier Langevin, le responsable d'une association de défense de l'environnement et la secrétaire générale d'un syndicat des commerçants.

- Au fur et à mesure de l'écoute, complétez les tableaux.

Propos de la présidente du comité de quartier et du responsable de l'association de défense de l'environnement	
Arguments	*Absence de politique d'urbanisme …*
Formules qui permettent d'accuser	*Ce que je mets en cause …*
Expression des sentiments et des jugements (indiquez l'attitude exprimée)	*Nous sommes indignés* (indignation) …

Propos de la responsable de l'urbanisme et de la représentante des commerçants	
Arguments	…
Formules qui permettent de se défendre, de contester	…
Formules qui permettent de rassurer	…
Expression des sentiments et des jugements (indiquez l'attitude exprimée)	…

2. Convaincre – Accuser – Se défendre

a) Lisez l'article ci-contre. Esquissez un plan des lieux qui sont évoqués.

Reconstituez (en imaginant les épisodes qui ne sont pas racontés) les étapes de la construction de cette gare (depuis le projet jusqu'à la réalisation).

b) Recherchez et présentez des réalisations qui ont été contestées.

c) Jeu de rôles. Imaginez et jouez le débat entre un(e) candidat(e) aux élections municipales d'Ablaincourt et un(e) habitant(e) de la ville.

Le débat peut aussi porter sur l'une des réalisations qui auront été présentées en b).

ACCUSER - SE DÉFENDRE

■ **Accuser**

Je vous accuse (reproche) de ... – C'est vous qui êtes responsable (qui portez la responsabilité) de ... – Je condamne (désapprouve, blâme, réprouve) votre action, votre décision ...

■ **Nier – Contester**

Je nie (totalement) avoir dit que ... – Je démens (fermement) ces accusations – Je m'inscris en faux contre ... – Je conteste ces accusations – Ces accusations sont sans fondement (ne sont pas fondées).

■ **Promettre – Donner des assurances**

Je vous promets (assure, garantis) que cela sera fait – Je m'engage à ce que cela soit fait – Je vous promets (assure, garantis) que cela sera fait – Soyez certain que je respecterai mes engagements ... que je tiendrai parole.

■ **Manifester son scepticisme**

Je n'y crois pas beaucoup – Ça m'étonnerait – Ce sont des paroles en l'air – Vous nous racontez des histoires.

Une réalisation contestée

La gare des betteraves

Seule au milieu d'un océan vert, accolée à un parking désert, il y a une gare, une gare TGV, s'il vous plaît. On l'appelle la « gare des betteraves ». Pourquoi diable avoir choisi Ablaincourt-Pressoir, 210 habitants, comme halte du TGV-Nord ? Amiens et Saint-Quentin, les villes les plus proches, sont distantes de 45 kilomètres. Et leur desserte[1] exige la construction de deux routes, car, une fois descendu du train, comment faire au milieu des betteraves ? Amiens avait vivement réagi à l'époque, en manifestant contre cette aberration : ils étaient 100 000 dans la rue pour réclamer le TGV. La mission d'enquête publique avait rendu un avis défavorable sur cette gare des betteraves. Mais il n'empêche : elle existe et ne sert à rien. En moyenne quotidienne, montée et descente, la gare d'Ablaincourt a accueilli 385 passagers en 1996 et 480 en 1997 : « *Forte progression* », note-t-on avec satisfaction à la direction de la SNCF.

Pascal Percq (à Lille), ***Le Point***, octobre 1997.

3. L'art de ne jamais dire oui... ni non

a) Dans le dialogue ci-contre, relevez les moyens utilisés par le député pour ne jamais dire le mot « oui ».

Imaginez une suite à l'interview.

b) Jeu de rôles. Entraînez-vous à ne jamais dire « oui » ni « non » en jouant l'une des scènes suivantes.

- Un(e) ami(e), qui souhaiterait partir en vacances avec vous, vous harcèle.
- Vous êtes le chef d'une entreprise qui a de graves difficultés. Un journaliste trop curieux vous interroge.

Un journaliste interroge un député de l'opposition.

Le journaliste : Si j'entends vos propos, vous êtes d'accord sur ce point avec le gouvernement.

L'opposant : Avant d'aller plus loin, permettez-moi une remarque. Ce n'est pas très souvent que ma sensibilité a l'occasion de s'exprimer sur ce plateau. Aussi, je vous remercie de m'avoir invité.

Le journaliste : Eh bien, profitez-en. Êtes-vous oui ou non, dans cette affaire, d'accord avec le pouvoir ? D'un mot ?

L'opposant : Le problème ne se pose pas en ces termes.

Le journaliste : Mais la détaxation du roudoudou[1], c'est bien ce que vous souhaitiez ?

L'opposant : C'est un pas en avant. Cela va dans la bonne direction.

Le journaliste : Et le remplacement du Comité supérieur par un Haut Conseil, votre plate-forme pour un projet en faisait bien la première des priorités ?

L'opposant : Cela va, en effet, dans le bon sens.

Alain Schifres, ***Les Hexagons***, Robert Laffont, 1994.

1. truc, machin : mot du vocabulaire enfantin qui peut signifier n'importe quoi.

SIMULATION

Un meneur à l'œuvre

Dans un amphithéâtre d'université, au début des années soixante-dix. Le gouvernement vient de supprimer le sursis (délai) dont les étudiants bénéficiaient pour faire leur service militaire. Sous la conduite de Gyf, ils préparent une manifestation contre cette décision et mettent au point un slogan.

1 Gyf aborda sans tarder, car la manifestation annoncée allait bientôt se mettre en marche, la question fondamentale des slogans. Après avoir résumé la situation, il sonda rapidement l'assemblée, d'où il ressortit que le mot d'ordre le plus souvent repris était : Non à 5 l'armée ! C'était sobre, parlant, nul besoin de faire un dessin. On commençait déjà à se lever quand Gyf s'empara à nouveau du micro, et sur un ton dramatique : Camarades, vous venez d'un seul coup de condamner la lutte des peuples opprimés qui tentent de s'affranchir du joug de l'impérialisme. Comment ça ? Qu'est-ce qu'il racontait ? On était à fond 10 pour les peuples opprimés. Tout peuple opprimé était le bienvenu [...].

Vive l'armée prolétarienne, lança Gyf, vive l'armée du peuple. On – du moins ceux qui avaient retrouvé leur place – se rassit. La nuance soulevée par notre ami camarade méritait débat. Il fallait d'abord bien identifier l'agresseur. Là, c'était facile : les Américains et leurs valets. 15 Attention, mit en garde Gyf, l'Amérique produit aussi ses exploités dont nous sommes pleinement solidaires, et il eut un mot pour nos frères rouges – et sœurs – et sœurs, qui organisaient la résistance sur le sol même qui nourrissait en son sein les rejetons dégénérés et assoiffés de sang du capitalisme postnégrier. Car qui était à la source de tous les 20 conflits ? Le coupable, on le connaissait aussi bien que lui, c'était toujours le même partout. Alors un seul mot d'ordre : Non à l'armée du capital, hurla Gyf dans le micro.

Il fallait reconnaître que la maîtrise dialectique de notre ami avait fait considérablement progresser le débat. Restait à peaufiner le concept, 25 de sorte qu'après le dépôt d'une série d'amendements suivi d'un vote à mains levées fut adopté à l'unanimité le slogan ; non à l'armée du capital, oui à l'armée populaire de libération de nos frères – et sœurs – en lutte contre l'impéralisme. Ce qui avait vraiment belle allure. Mais pas à l'unanimité, au fait.

Jean ROUAUD, ***Le Monde à peu près***, Éditions de Minuit, 1996.

- **lignes 1 à 10**
  faire un sondage – apparaître en conclusion – saisir brutalement – se libérer – être totalement favorable à ...
- **lignes 11 à 20**
  serviteur – enfants – qui a perdu les qualités de ses ancêtres – en continuation avec les pratiques esclavagistes
- **lignes 21 à la fin**
  améliorer – article qui modifie une loi.

4. CONDUIRE UN DÉBAT

a) Lisez cet extrait d'un roman de Jean Rouaud.

Pour la compréhension des mots difficiles, aidez-vous des définitions données en marge.

Relevez les étapes de la mise au point du slogan.

(1) Proposition de l'assemblée : « Non à l'armée ! »

(2) Remarque de Gyf : « ... ».

b) Relevez le vocabulaire du langage révolutionnaire.

Les oppresseurs	*Les opprimés*
le joug de l'impérialisme ...	camarade ...

c) Imaginez la suite de la réunion.

d) Commentez la façon de conduire la réunion. Trouvez d'autres façons de mener un débat.

5. Améliorez votre image

Jeu de rôles (à faire par deux).

Chacun des deux partenaires doit tester chez l'autre les qualités présentées dans le document ci-contre.

a) Préparez des questions simples et concrètes.

Exemple (pour la qualité 1 – Avoir un idéal) :

« Quand vous aurez 90 ans, comment occuperez-vous votre temps ? »

b) Analysez les réponses et donnez les conseils appropriés.

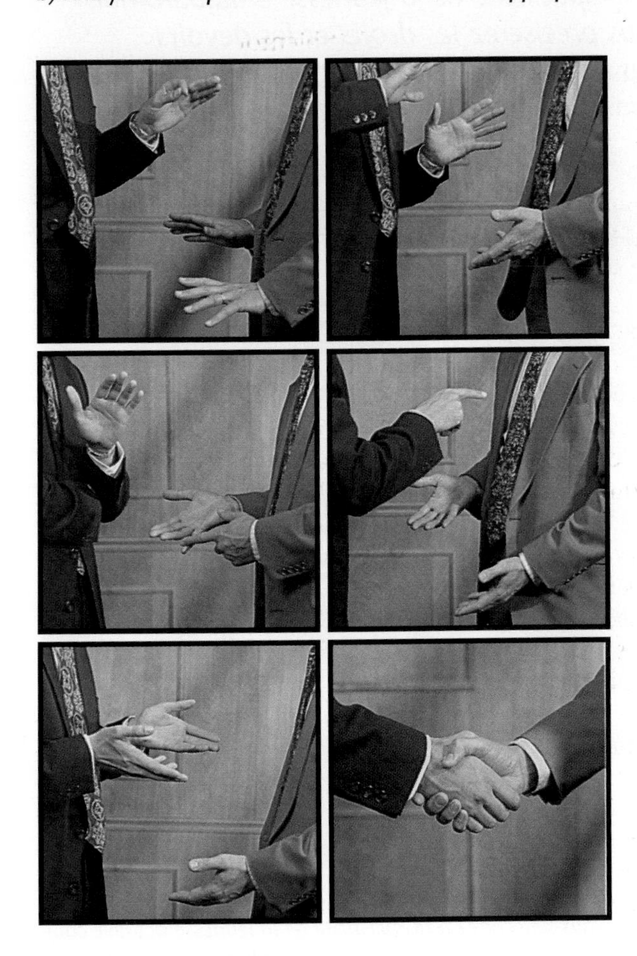

6. Surveillez vos gestes

a) Mimez les gestes décrits ci-contre. Recherchez les significations qu'ils peuvent avoir pour un Français.

Exemple : a → 3 – 13

1 : agressivité – 2 : anxiété – 3 : chaleur humaine – 4 : confiance en soi – 5 : crainte – 6 : émotivité – 7 : franchise – 8 : incapacité à communiquer – 9 : malaise – 10 : manies – 11 : manque de confiance en soi – 12 : goût de la précision – 13 : sens du contact – 14 : timidité.

b) Vérifiez vos réponses. Comparez avec la signification que ces gestes pourraient avoir dans votre pays.

Comment avoir une image de star

Certaines personnalités du monde politique ou des médias, certains artistes ont une présence, un charisme, un je-ne-sais-quoi qui séduit tout de suite. Comment acquérir une telle confiance en soi ?

1 – Avoir un idéal.
Les personnes charismatiques savent pourquoi elles sont sur terre et ce qu'elles veulent réaliser jusqu'à la fin de leur vie, dans les cinq minutes qui viennent.

2 – Des valeurs.
Une fois le but fixé, n'hésitez pas à mettre en action tous les moyens qu'il faut pour y parvenir.

3 – Ne pas condamner.
Ne pas se plaindre ou parler négativement des autres.

4 – Prenez des risques.
De l'audace, de l'ambition, du souffle !

5 – Écoutez les autres.
99 % des imbéciles ont malgré tout quelque chose d'intéressant à dire.

6 – Respectez les opinions des autres.
Dire à quelqu'un qu'il a tort le met aussitôt sur la défensive. Après, plus question de le faire changer d'avis.

7 – Concentrez-vous sur l'essentiel.
Ne vous occupez pas des détails.

8 – Ne vous prenez pas pour une star.

D'après ***Quo***, octobre 1997.

Ces gestes anodins qui nous trahissent

Les mains

a – mouvements amples qui illustrent ce qu'on dit (par exemple, un cercle lorsqu'on dit « englober »).

b – petits gestes saccadés qui ponctuent les phrases ou signalent les mots importants.

c – manipulent un objet.

d – mains croisées.

Le corps

e – droit, les épaules un peu en arrière.

f – voûté, les épaules rentrées.

g – les bras croisés.

h – assis, cheville nouée derrière la jambe.

Le regard

i – fuyant l'interlocuteur.

j – fixe l'interlocuteur avec intensité.

k – soutient celui de l'interlocuteur.

a (3 - 13) – *b* (12) – *c* (2 - 6 - 10) – *d* (5 - 9) – *e* (4) – *f* (9) – *g* (9 - 11) – *h* (14) – *i* (8 - 14) – *j* (1) – *k* (7).

PROJET

4. Une charte pour les jeunes

*Tout au long de cette leçon, vous élaborerez (de préférence en petits groupes) les premiers articles d'***une charte pour les jeunes de votre pays.** *Votre premier article définira la spécificité de la jeunesse d'aujourd'hui. Dans les articles suivants, vous préciserez* **les droits et les devoirs réciproques des jeunes et des adultes** *dans les domaines suivants : la famille, l'école, la formation et le travail, la culture et les loisirs.*

Les rites de passage entre la jeunesse et l'âge adulte sont en déclin, mais certaines traditions subsistent qui visent à prouver qu'on est devenu un homme fort et courageux.

UN NOUVEL ÂGE DE LA VIE

La notion de « jeunesse », pendant plusieurs décennies, sembla contenue dans celle d'adolescence, notion psycho-biologique plutôt rassurante, parce qu'à la fois naturelle et sociale. Quand on parlait des « jeunes » on parlait des « ados », et à leurs « problèmes », on proposait des solutions médicales et des soutiens psychologiques. On a beau aujourd'hui continuer de proposer les mêmes solutions, on ne s'adresse plus aux mêmes « jeunes », non seulement parce que la roue a tourné et que ce n'est plus la même génération, mais parce que les « jeunes d'aujourd'hui », ceux qui frappent à la porte des entreprises, ballottés de stage en stage, ont parfois trente ans et plus...
La jeunesse n'est donc plus ce qu'elle était, puisqu'elle est devenue, comme le dit le sociologue Olivier Galland, « un nouvel âge de la vie », plus long qu'autrefois.

Valérie Marange, ***Les Jeunes,*** Le Monde Éditions, 1995.

1. Définition de la jeunesse d'aujourd'hui

a) En lisant les différents documents de cette double page, vous réfléchirez à la spécificité de la jeunesse actuelle comparée à celle des générations précédentes. Vous préciserez (après en avoir débattu) :

– les limites de la tranche d'âge à l'intérieur de laquelle on est appelé « jeune »,
– les valeurs et les aspirations des jeunes,
– leurs caractéristiques psychologiques.

b) En vous aidant des formules du tableau de la page 38 (Définir une notion), ***rédigez une définition de la jeunesse d'aujourd'hui adaptée à votre pays.***

LES VALEURS DES JEUNES

Les éléments nécessaires à une vie heureuse

	Indispensable ou très important	Important mais sans plus ou pas important
Réussir sa vie de famille	91 %	9 %
Avoir un métier intéressant	91 %	9 %
Être entouré d'amis fidèles	84 %	16 %
S'engager au service des autres	57 %	43 %
Gagner beaucoup d'argent	41 %	59 %
Vivre longtemps	36 %	64 %
Avoir une vie spirituelle	24 %	76 %

Unanimes sur l'importance dans leur vie de valeurs telles que l'amitié, l'honnêteté, la fidélité, les droits de l'homme, mais aussi l'argent (toutes sollicitées par plus de 90 % d'entre eux), les jeunes apparaissent par contre moins attachés à la patrie ou à la spiritualité. Cependant, dans une société décrite comme de plus en plus individualiste, et alors que disparaît la conscription, l'idée de sacrifice pour la patrie reste partagée par la majorité des 15-25 ans : 56 % (contre 42 %) se disent prêts à mourir pour défendre leur pays en cas d'invasion étrangère.

Enquête effectuée en 1997, SOFRES, ***L'état de l'opinion***, Éditions du Seuil, 1998.

Le personnage d'Antigone

Dans sa pièce Antigone, *Jean Anouilh a donné une vision moderne de ce personnage du théâtre grec. Créon, roi de Thèbes, a interdit, en accord avec les lois, que l'on donne une sépulture à son neveu Polynice, mort en voulant prendre le pouvoir. La jeune Antigone, sœur de Polynice, s'obstine au péril de sa vie à vouloir accomplir les rites funéraires. Créon essaie de l'en empêcher en lui montrant qu'une vie heureuse vaut mieux qu'un acte d'héroïsme inutile.*

ANTIGONE, *doucement*

Quel sera-t-il, mon bonheur ? Quelle femme heureuse deviendra-t-elle, la petite Antigone ? Quelles pauvretés faudra-t-il qu'elle fasse elle aussi, jour par jour, pour arracher avec ses dents son petit lambeau de bonheur ? Dites, à qui devra-t-elle mentir, à qui sourire, à qui se vendre ? Qui devra-t-elle laisser mourir en détournant le regard ?

CRÉON, *hausse les épaules*

Tu es folle, tais-toi.

ANTIGONE

Non, je ne me tairai pas ! Je veux savoir comment je m'y prendrai, moi aussi, pour être heureuse. Tout de suite, puisque c'est tout de suite qu'il faut choisir. Vous dites que c'est si beau la vie. Je veux savoir comment je m'y prendrai pour vivre.

CRÉON

Tu aimes Hémon ?

ANTIGONE

Oui, j'aime Hémon. J'aime un Hémon dur et jeune ; un Hémon exigeant et fidèle, comme moi. Mais si votre vie, votre bonheur doivent passer sur lui avec leur usure, si Hémon ne doit plus pâlir quand je pâlis, s'il ne doit plus me croire morte quand je suis en retard de cinq minutes, s'il ne doit plus se sentir seul au monde et me détester quand je ris sans qu'il sache pourquoi, s'il doit devenir près de moi le monsieur Hémon, s'il doit apprendre à dire « oui », lui aussi, alors je n'aime plus Hémon !

CRÉON

Tu ne sais plus ce que tu dis. Tais-toi.

ANTIGONE

Si, je sais ce que je dis, mais c'est vous qui ne m'entendez plus. Je vous parle de trop loin maintenant, d'un royaume où vous ne pouvez plus entrer avec vos rides, votre sagesse, votre ventre. *(Elle rit)* [...]. Moi, je veux tout, tout de suite – et que ce soit entier – ou alors je refuse ! Je ne veux pas être modeste, moi, et me contenter d'un petit morceau si j'ai été bien sage. Je veux être sûre de tout aujourd'hui et que cela soit aussi beau que quand j'étais petite – ou mourir.

Jean ANOUILH, ***Antigone***, La Table ronde, 1946 (pièce écrite en 1942).

PROJET

Jean-Baptiste Greuze (1725-1805),
Le Mauvais Fils puni,
musée du Louvre.

2. Les droits et devoirs réciproques des jeunes et de leur famille

a) Formulez le(s) problème(s) que soulève chacun des témoignages ci-après et l'article ci-contre. Complétez éventuellement cette liste de problèmes.

b) Recherchez comment résoudre ces difficultés en définissant les droits et les devoirs réciproques des jeunes et de leur famille (utilisez le vocabulaire du tableau de la page 25).

c) Rédigez ces propositions (deuxième article de la charte).

« *Beaucoup de parents n'assument pas leurs rôles. Certains croient que c'est l'école qui va tout apprendre à leurs enfants. Ou alors, c'est la télé, ou alors c'est un professeur particulier, ou alors c'est des cours par correspondance mais en tout cas, ce ne sont pas les parents : "Trop de travail, pas le temps, trop de soucis."* »

Quentin, Le Neubourg (27).

« *On voit de plus en plus de cellules familiales éclatées, familles monoparentales, familles recomposées. Or, beaucoup de cas sociaux, enfants à problèmes, sont des enfants qui vivent de telles situations. Il est donc temps de changer nos façons prétendument modernes de voir.* »

Garçon, 21 ans, étudiant, Quimper.

« *Je pense que les enfants et les jeunes n'ont plus de repères solides. Toutes les valeurs de solidarité, de partage, d'écoute, de respect de l'autre... sont dévalorisées. Les jeunes pensent qu'ils ne peuvent être aimés que pour ce qu'ils ont et plus pour ce qu'ils sont.* »

Jeune femme, 23 ans.

« *Je dois dire que je discute plus de la vie quotidienne, de l'actualité avec mes ami(e)s à l'université qu'avec mes parents à la maison. Mes parents me prennent pour un enfant ou presque, naïf, innocent voire parfois idiot.* »

Clément, 23 ans, étudiant.

Extraits de Michel Fize, ***Génération Courage***, Julliard, 1995.

Les jeunes et la famille en Italie

L'Italie est sans doute la nation où les transformations sont les plus révélatrices. S'il pouvait naguère sembler en retard sur les pays du Nord, ce pays est aujourd'hui à l'avant-garde, puisque c'est à présent dans les pays du nord de l'Europe que la prolongation de la vie chez les parents est le plus en hausse, à l'instar[1] du modèle italien. Le nombre d'adolescents poursuivant des études au-delà de la scolarité obligatoire s'accroît. Après l'école, ceux qui entrent immédiatement sur le marché du travail « *représentent une minorité décroissante* », observe Alessandro Cavalli[2].

Quand l'emploi se dérobe, quand les études s'allongent, quand les couples se forment plus tard, qui protège et qui soutient les jeunes pendant leur phase d'attente et d'exploration ? Les parents, bien sûr. La famille italienne incarne assez bien le modèle moderne européen : « *Les jeunes adultes ont négocié à l'intérieur de celle-ci des espaces considérables de liberté* », note A. Cavalli. « *Ils jouissent souvent à l'intérieur de l'habitation familiale d'un espace propre, qu'ils peuvent gérer de façon autonome... Ils sortent le soir comme et quand ils veulent.* »

Cet allongement de la jeunesse tient-il à la crise, ou bien annonce-t-il une transformation en profondeur des comportements jeunes ?

Catherine Bédarida, ***Le Monde de l'Éducation***, avril 1994.

1. à l'exemple. 2. auteur d'une étude sur la jeunesse.

3. Les jeunes et l'école

a) Faites le travail d'écoute du document sonore (voir ci-dessous).

b) Définissez les droits et les devoirs réciproques des jeunes et de l'école (enseignants, programmes, etc.) dans votre pays. Rédigez ces principes dans le troisième article de votre charte.

MICRO-TROTTOIR ET TABLE RONDE
L'ÉCOLE ET L'ÉDUCATION À LA CITOYENNETÉ

En 1997, le ministère français de l'Éducation a réaffirmé qu'un des objectifs principaux de l'école devait être l'éducation à la citoyenneté. Ce qui signifie qu'elle doit donner à l'élève les connaissances, le savoir-vivre, la morale qui lui permettront de s'intégrer à la société des adultes.

■ Préparation à l'écoute

À savoir : Le système éducatif français est très centralisé – 5 élèves sur 6 sont scolarisés dans l'enseignement public. Le ministère de l'Éducation fixe et contrôle les programmes, les horaires, la formation des enseignants du public et du privé.

Vocabulaire : **un gros mot** (mot vulgaire) – **un repère, un cadre** (des règles de comportement et de pensée) – **la civilité** (le savoir-vivre courant) – **une salissure** (nom formé avec le verbe « salir ») – **un principal** (directeur d'un collège) – **un agent de service** (personne chargée du nettoyage, de l'entretien, etc.) – **les pratiques** (les façons de faire) – **les contenus** (les programmes) – **le vécu** (l'expérience vécue) – **une dérive** (le fait de s'éloigner de l'objectif que l'on s'est fixé).

■ Première partie du document (micro-trottoir)

- Identifiez les personnes qui parlent (élèves, enseignants, parents).
- Imaginez la question qui a été posée à chacune d'elles.
- Notez le problème (le manque, la difficulté) suggéré par chaque intervention.

■ Deuxième partie du document (table ronde)

Une femme, principale de collège, une enseignante représentant un syndicat, un enseignant et un délégué syndical donnent leur conception de l'éducation à la citoyenneté.

- Notez les points de convergence et les nuances entre les différentes interventions.
- Faites un bref compte rendu de ces interventions.

« Les participants sont d'accord sur …

L'un d'eux (l'une d'elles) a mis en valeur … précisé … souligné … »

Un professeur (Gérard Depardieu) dans un collège «sensible». Le plus beau métier du monde, *film de Gérard Lauzier.*

EXPRESSION DU DROIT ET DU DEVOIR

■ Droits

- Avoir le droit de … – avoir la liberté de … – avoir l'autorisation (la permission) de … – être autorisé à … – avoir la possibilité, le pouvoir, la faculté de faire quelque chose.
- Donner le droit de … – autoriser – permettre – accepter – consentir (un consentement) – concéder (une concession) – dispenser (une dispense) – exempter (être exempté de …) – tolérer (une tolérance) – légaliser – régulariser.

■ Devoirs et obligations

- Devoir faire … – être obligé (être dans l'obligation) de faire … – avoir à faire …
- Pierre est chargé de … – a pour tâche (pour fonction) de …
- Le rôle (la mission, la tâche, le devoir) de Pierre est de … – Faire respecter la discipline relève de la responsabilité de …, incombe à Pierre.

■ De la suggestion à l'expression de l'obligation

- Je suggère (que …), conseille (que …), appelle de mes vœux une réforme.
- Il est (serait) … – Il me paraît (paraîtrait) bon, souhaitable, intéressant, possible, essentiel, important, impératif, etc.
- Il conviendrait de …

4. Les jeunes et le travail

Dans la BD de la page 27, Claire Brétecher met en scène des adolescents et des adultes de milieu aisé. Le dialogue s'inspire de la façon de parler de certains jeunes d'aujourd'hui : expressions imagées, déformation de prononciation, abréviations ou inversion des syllabes des mots. Mais l'auteur crée aussi ses propres expressions.

a) Réécrivez le dialogue en langue courante.

Explication pour la troisième vignette : *laisse Bouygues* (Bouygues est un constructeur du bâtiment appelé familièrement « le roi du béton » – les jeunes inversent quelques syllabes de certains mots : tomber → béton). *La nuigrav* (sur tous les paquets de cigarettes figure la mise en garde : « Nuit gravement à la santé. »).

b) Quels sont les problèmes évoqués par cette BD ?

– préoccupations et mentalités des jeunes face à l'entrée dans la vie active et au travail,
– attitudes des adultes.

c) Recherchez les difficultés que les jeunes de votre pays peuvent rencontrer en matière de formation et d'emploi. Présentez ces problèmes et leurs solutions dans le quatrième article de votre charte.

5. Les jeunes et la culture

a) Lisez le texte ci-dessous. Trouvez, d'après le contexte, le sens des mots familiers suivants : sortir de ses gonds – les fringues – glander – tchatcher – les thunes.

b) Notez et complétez avec vos propres remarques :

– les arguments qui s'opposent à l'existence d'une culture propre aux jeunes,
– ceux qui définissent cette culture spécifique.

c) Faites l'inventaire des besoins des jeunes de votre pays en matière de culture. Proposez des solutions dans le dernier article de votre charte.

CULTURE JEUNE

Quand on parle de « culture jeune », bien des esprits sérieux sortent de leurs gonds : de la culture, ça, ces vêtements uniformes, ces musiques abrutissantes, ces gribouillis. Les jeunes ne lisent plus, ne pensent plus, ne créent rien de nouveau. La « culture jeune » n'est qu'un produit publicitaire, une « acculturation » plutôt qu'une sous-culture. Bien sûr, cet aspect mercantile existe, qu'il s'agisse de « fringues » ou de sorties. Les vêtements, la musique surtout, le cinéma et les livres aussi, les jeunes en sont surconsommateurs relativement à la population adulte. Est-ce si mauvais signe, et surtout est-ce leur faute si culture rime aujourd'hui avec consommation ? Douceur des heures qui coulent entre copains-copines, à « glander », « tchatcher », écouter de la musique. Loin des dissertations, des contrôles de maths... Plus tard, si on a « des thunes », on ira au cinéma, ou on regardera une cassette vidéo... Jeunesse apathique en quête de sensations ? Pourtant, l'observateur attentif ne peut négliger le désintéressement authentique propre à ces pratiques, à cet univers esthétique et convivial. Il existe une culture des jeunes parce que ceux-ci pratiquent des formes particulières de convivialité, centrées sur une quête d'identité, qui a besoin de nourritures et de modes d'expression. Le marché florissant des signes et des modes recouvre des modes de vie. Parures du corps et danses rituelles, rites vestimentaires et culinaires, sports et musiques spécifiques, idoles et mythes, tous les ingrédients sont là.

Valérie Marange, ***Les Jeunes,*** Le Monde Éditions, 1995.

La grande fête de la musique techno à Berlin.

RAPACES

Claire Brétecher, *Agrippine et les inclus,* © Claire Brétecher, 1995.

ANALYSES ET COMMENTAIRES

5. Âges d'or

L'âge d'or appartient-il au passé ? Sommes-nous en train de le vivre aujourd'hui ? Ou bien l'Histoire ne nous offre-t-elle que des instants d'exception dont il faut savoir profiter ?
Tout en réfléchissant à ces questions, vous apprendrez à repérer dans un texte les intentions et les opinions de l'auteur et à reformuler le contenu du texte pour l'adapter à une nouvelle situation de communication.

XVe siècle, l'âge d'or des aventuriers

« Routiers et capitaines partaient, ivres d'un rêve héroïque et brutal. » (José Maria de Heredia, poète du XIXe siècle.)

Plaisir des voyages à pied au XVIIIe siècle

J'aime à marcher à mon aise, et m'arrêter quand il me plaît. La vie ambulante est celle qu'il me faut. Faire route à pied par un beau temps, dans un beau pays, sans être pressé, et avoir pour terme de ma course un objet agréable[1] : voilà de toutes les manières de vivre celle qui est le plus de mon goût. [...] Je me souviens d'avoir passé une nuit délicieuse hors de la ville[2], dans un chemin qui côtoyait le Rhône ou la Saône, car je ne me rappelle pas lequel des deux. Des jardins élevés en terrasses bordaient le chemin du côté opposé. Il avait fait très chaud ce jour-là, la soirée était charmante ; la rosée humectait[3] l'herbe flétrie ; point de vent, une nuit tranquille ; l'air était frais, sans être froid ; le soleil, après son coucher, avait laissé dans le ciel des vapeurs rouges dont la réflexion rendait l'eau couleur de rose : les arbres des terrasses étaient chargés de rossignols qui se répondaient de l'un à l'autre. Je me promenais dans une sorte d'extase, livrant mes sens et mon cœur à la jouissance de tout cela, et soupirant seulement un peu du regret d'en jouir seul. Absorbé dans ma douce rêverie, je prolongeai fort avant dans la nuit ma promenade, sans m'apercevoir que j'étais las. Je m'en aperçus enfin. Je me couchai voluptueusement sur la tablette d'une espèce de niche ou de fausse porte enfoncée dans un mur de terrasse ; le ciel de mon lit était formé par les têtes des arbres ; un rossignol était précisément au-dessus de moi ; je m'endormais à son chant : mon sommeil fut doux, mon réveil le fut davantage.

Jean-Jacques ROUSSEAU, ***Les Confessions***, 1782.

1. il s'agit ici d'une femme. 2. la ville de Lyon. 3. les gouttes d'eau qui se déposent sur la végétation pendant la nuit.

Antiquité grecque – beauté des corps et de l'esprit

« L'amour des belles choses a engendré tous les biens. »
Platon (428-348 avant Jésus-Christ), Le Banquet.

VALORISER

■ Le XVIe siècle a été une époque idéale, parfaite, exemplaire, rêvée, incomparable pour ...

■ On a pu y vivre les plus beaux moments (les seuls, les meilleurs, etc.) qui aient (jamais) été vécus.

■ Rien ne vaut cette époque pour ... – Rien n'a été plus passionnant que ... – Aucune époque ne peut rivaliser avec le siècle de Louis XIV pour ... – Il n'y a pas plus grand moment pour ... (que ...)

■ C'est l'époque de la primauté (la prépondérance, la suprématie) de ...

C'est la grande époque du théâtre ... – une époque où le théâtre prédomine (l'emporte sur ... éclipse ...)

■ Au XVIIIe siècle, l'art de la conversation est à son apogée, à son top niveau *(fam.)* – C'est le summum (le nec plus ultra) ...

L'art de régler les conflits au XVIIe siècle

Le jeune d'Artagnan a provoqué en duel Athos, un mousquetaire du roi qu'il avait bousculé et qui lui avait manqué de respect. Au moment de se battre, Athos s'inquiète de la jeunesse de son adversaire.

– Ah ça ! mais, continua Athos parlant moitié à lui-même et moitié à d'Artagnan, ah ça ! mais, si je vous tue, j'aurai l'air d'un mangeur d'enfants, moi !
– Pas trop, monsieur, répondit d'Artagnan, avec un salut qui ne manquait pas de dignité ; pas trop, puisque vous me faites l'honneur de tirer l'épée contre moi avec une blessure dont vous devez être fort incommodé.
– Très incommodé, sur ma parole, et vous m'avez fait un mal du diable, je dois le dire ; mais je prendrai la main gauche, c'est mon habitude en pareille circonstance. Ne croyez donc pas que je vous fasse une grâce[1], je tire proprement des deux mains ; et il y aura même désavantage pour vous : un gaucher est très gênant pour les gens qui ne sont pas prévenus. Je regrette de ne pas vous avoir fait part plus tôt de cette circonstance.
– Vous êtes vraiment, monsieur, dit d'Artagnan en s'inclinant de nouveau, d'une courtoisie dont je vous suis on ne peut plus reconnaissant.
– Vous me rendez confus, répondit Athos, avec son air de gentilhomme ; parlons donc d'autre chose, je vous prie, à moins que cela ne vous soit désagréable.

Alexandre DUMAS, ***Les Trois Mousquetaires***, 1844.

1. une faveur (du fait qu'il tiendra son épée de la main gauche).

1. Moments de perfection

a) Imaginez que les scènes racontées par Jean-Jacques Rousseau et par Alexandre Dumas se déroulent aujourd'hui. Quelles seraient les différences ?

Exemple : Vouloir sortir à pied de la ville de Lyon pour se retrouver en pleine campagne serait beaucoup moins agréable.

b) Recherchez comment les deux auteurs ont idéalisé chacune de ces situations. Cette idéalisation est-elle justifiée ?

2. C'était l'âge d'or de...

Choisissez une activité (manger, faire la fête, s'habiller, etc.) ou un métier (comédien, militaire, etc.) que vous auriez aimé faire à une autre époque. Mettez en valeur les avantages de cette époque (voir tableau ci-contre).

An 2000 – L'âge d'or de la communication

Contre l'insupportable bruit des portables[1]

La révolte s'organise contre le bruit perturbateur des sonneries de GSM : partie d'Italie (9 millions d'usagers) et de France (5 millions), elle amène d'ores et déjà certains à imaginer des mesures contraignantes à l'égard de ceux qui vivent l'oreille collée à leur portable.

Partout (écoles, bureaux, musées, etc.) les musiquettes font des ravages. C'est lors d'un spectacle, toutefois, que le déclenchement d'un GSM qui nous joue « Jingle Bells » produira son maximum de crispation. Surtout lorsque son propriétaire – qui est rarement un gynécologue appelé en urgence – n'hésite pas à se lever ou à entamer une conversation...

Aussi, les théâtres et autres opéras lancent-ils des appels pressants à l'extinction des « G » avant que le rideau se lève. Le Palais des Congrès à Paris, a décidé de le faire avec fermeté. À Forest-National, récemment, Aznavour s'est offert un petit intermède pour prier les mordus du cellulaire d'oublier un moment leur (insup) portable.

Les restaurants, autres nouveaux lieux de débauche téléphonique, s'organisent eux aussi. Timidement, comme ceux qui insistent au bas d'un menu pour un « usage modéré du téléphone ». Avec un peu plus d'audace, quand les usagers frénétiques sont priés de se regrouper dans un espace distinct. Avec imagination, plus rarement, comme ce grand établissement parisien qui invite ses clients à se débarrasser de leur greffe acoustique à l'entrée : lorsque sonne le « G », un garçon s'en va avertir le propriétaire...

D'autres solutions sont envisagées avant qu'on en vienne aux règlements.

D'abord l'usage du vibreur, qui peut remplacer la sonnerie. Problème : ce signal silencieux est parfois inefficace et il alourdit le prix d'achat des appareils.

Ensuite, le rappel régulier des règles de la bienséance qui, même s'il a ses limites, permettrait de remédier au triste spectacle de jolies femmes contraintes de plonger le regard dans leur verre d'eau pendant que leur accompagnateur est en ligne...

Une société belge vient, elle, de lancer sur le marché un panneau « No GSM » qu'elle espère exporter partout. Enfin, la vraie bonne idée d'un humoriste français : que les détenteurs de GSM se voient obligés d'embaucher un... porteur de portable.

Jean-Pierre STROOBANTS, *Le Soir*, 31/01 et 01/02/1998.

1. article paru dans un quotidien belge francophone.

3. LECTURE – COMPRÉHENSION

Au fur et à mesure de votre lecture du texte ci-dessus, trouvez les mots dont voici la signification.

NB : l'auteur utilise certains mots dans un sens figuré. Nous ne donnons que le sens courant de ces mots.

- *Paragraphe 1 :* gênant – marque de téléphone portable – obligatoire – à l'intention de ...
- *Paragraphe 2 :* dégât important – colère, irritation – commencer.
- *Paragraphe 3 :* d'une manière autoritaire – utilisateur passionné – téléphone portable.
- *Paragraphe 4 :* excès dans les plaisirs sensuels – animé par une activité excessive – implantation d'un organe pris sur un autre être vivant.
- *Paragraphes 5, 6, 7, 8 :* signal donné par les vibrations de l'appareil – savoir-vivre – apporter une solution à un problème – propriétaire.

4. Dégager les intentions de l'auteur

À l'aide du vocabulaire suivant, dégagez les intentions de Jean-Pierre Stroobants.

L'auteur affirme ... nous informe que ... annonce ... présente ...
Il critique ... s'insurge contre ... s'indigne de ... dénonce ...
Il énumère ... illustre ... donne l'exemple de ...
Il souhaite ... appelle de ses vœux ... invite à ...
Il se moque de ... ironise sur ... présente d'une manière humoristique ...

La réaction de l'auteur face à une innovation technologique rappelle celle des contemporains des premières automobiles. Taxées de laideur, bruyantes, source d'accidents et de perturbations diverses, c'étaient des machines du diable.

5. Reformuler

a) Lisez le tableau « Reformuler ».

b) Pour chaque paragraphe de l'article de la page 30 :

• ***Relevez les mots ou expressions qui ont pour but de frapper le lecteur, de l'amuser, etc. (exagérations, jeux de mots, images amusantes, etc.).***

Exemple : la révolte s'organise → exagération.

• ***Reformulez le paragraphe en résumant les informations essentielles d'une manière neutre.***

Exemple : Paragraphe 1 → À l'exemple de l'Italie et de la France, la Belgique connaît un nombre croissant d'utilisateurs de téléphones portables. Ce phénomène est source de nuisances et certains imaginent des formes de réglementation.

6. Recherche d'idées de discussions et de commentaires

(Travail en petits groupes)

L'article de Jean-Pierre Stroobants appelle de nombreux commentaires ou discussions. Faites-en la liste en vous inspirant éventuellement des pistes suivantes :

• Quelques directions de recherche :
→ défendre l'opinion de l'auteur
→ critiquer l'opinion de l'auteur
→ généraliser le problème posé
→ évoquer des problèmes similaires

• Quelques mots clés pour vous donner des idées :

→ communication
→ égoïsme
→ innovation
→ leçon de l'Histoire
→ liberté
→ loi
→ passéisme
→ perspectives
→ progrès
→ savoir-vivre

REFORMULER

■ **Celui qui parle ou qui écrit est souvent obligé de redire différemment ce qu'il a déjà dit, lu ou entendu en s'adaptant à son interlocuteur ou à une situation particulière.**

Exemple : La voiture qu'un commercial utilise dans ses activités professionnelles ne démarre pas. Celui-ci pourra dire :

« *Ma voiture est en panne.* » (dans toutes les situations)

« *Mon véhicule est momentanément inutilisable.* » (dans une note à son directeur pour justifier la location d'une autre voiture)

« *Le démarreur ne marche plus.* » (à son garagiste)

« *L'auto de papa est cassée.* » (à son fils de 2 ans)

« *Ma Peugeot est fâchée contre moi.* » (à un copain)

■ **Les reformulations sont fréquentes :**

• **dans les définitions et les explications**

Les exclus, ce sont tous ceux qui parce qu'ils sont sans ressources et sans emploi ne sont pas vraiment intégrés à la société.

• **dans les généralisations et les synthèses**

Il a vendu sa table et ses chaises. Il a donné son armoire à son neveu. → Il s'est débarrassé d'une partie de ses meubles.

• **lorsqu'on rapporte le contenu d'un texte (écrit ou oral) afin de le commenter ou de l'utiliser dans une argumentation** (voir activité 5).

UN ACCORD HISTORIQUE
(revue de presse)

En 1992, au sommet de Rio de Janeiro (ou conférence de Rio), les pays des Nations-Unies se réunirent pour aborder ensemble la question de la protection de l'environnement à l'échelle de la planète. Une Charte de la Terre fut signée affirmant que tous les pays du monde devaient coopérer pour enrayer la dégradation de l'environnement. Du 1er au 11 décembre 1997, les membres de l'ONU se réunirent à nouveau à Kyoto pour tenter de réduire les émissions de gaz industriels générateurs d'effet de serre. Ces gaz s'accumulant dans l'atmosphère provoquent un réchauffement de la Terre qui pourrait progressivement bouleverser les grands équilibres climatiques (fonte des glaces des pôles entraînant une hausse du niveau des océans et la disparition des zones côtières, désertification de certaines régions aujourd'hui cultivées, etc.).
La conférence de Kyoto se termina le 11 décembre. Voici quelques extraits de la presse du 12.

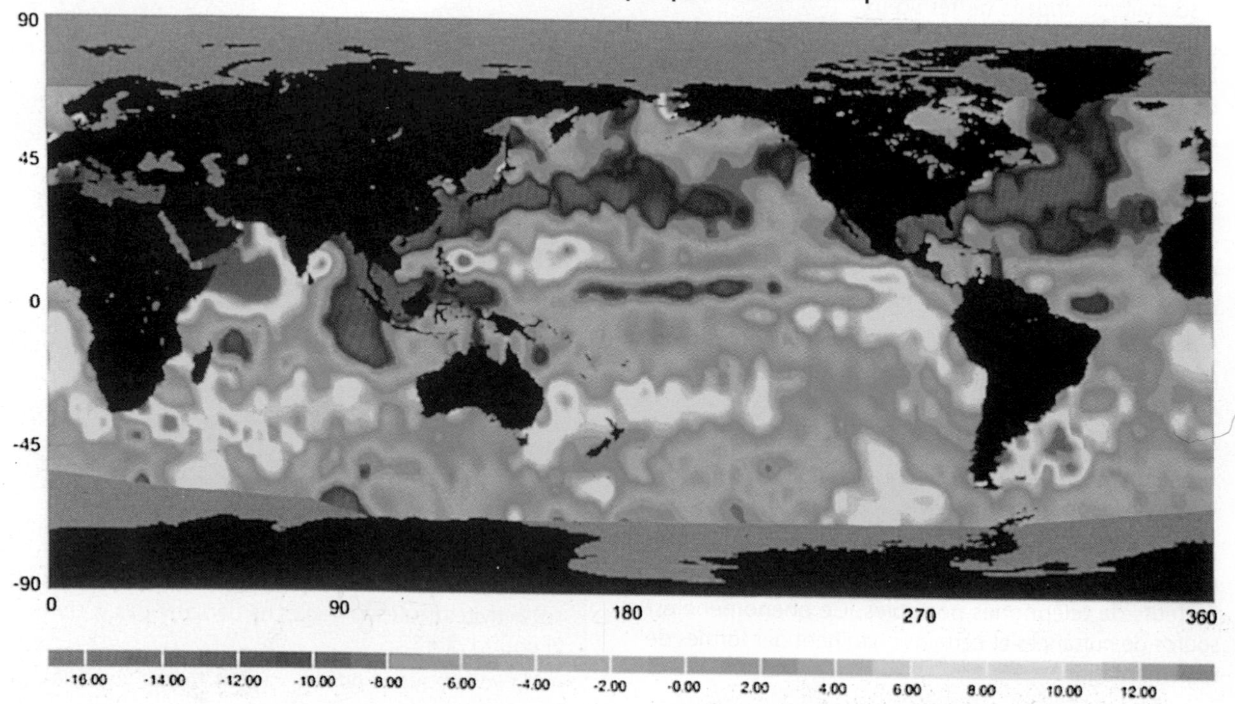

Photo prise par satellite permettant de vérifier les variations du niveau des océans.

Kyoto : le sommet sur l'effet de serre

Compromis minimum pour réduire les gaz

160 pays, dont les États-Unis, signent l'accord pour contrer le réchauffement de la Terre.

Rares sont les accords qui concernent l'ensemble de la planète. En ce sens, celui signé hier par près de 160 pays présents à Kyoto, au Japon, pour faire face à la menace de l'activité humaine sur le climat de la Terre, est historique. Après dix jours de négociations laborieuses et une dernière nuit blanche, la communauté internationale s'est entendue sur une réduction moyenne des émissions de gaz à effet de serre des pays industrialisés de 5,2 % par rapport à leur niveau de 1990 à l'horizon 2008-2012. Parmi ces pays, le protocole distingue huit groupes différents. L'Europe, de loin la plus vertueuse, devra réduire ses émissions de 8 %, les États-Unis de 7 % et le Japon de 6 %.
Autre problème, l'absence des pays en voie de développement (PVD). Les États-Unis demandaient qu'ils supportent eux aussi une part de l'effort de lutte contre l'effet de serre. Pas tous, certes, mais les « pays clés », avait dit le vice-président américain Al Gore lundi à Kyoto. Dans sa ligne de mire, la Chine, le Brésil, la Corée du Sud, l'Inde, etc. Or, jusqu'au bout, ces pays ont menacé de faire échouer l'accord. Résultat, ils ont obtenu le maximum, à savoir qu'ils échappent à la contrainte.
« *Nous aurions aimé aller encore plus loin* », a commenté la commissaire européenne à l'Environnement Ritt Bjerregaard. « *Mais nous sommes satisfaits d'avoir poussé les États-Unis et le Japon à faire beaucoup plus que ce qu'ils voulaient au départ.* » À Kyoto, la lutte contre le dérèglement des climats a fait un premier pas capital.

Frédérique AMAOUA, ***Libération***, 12/12/1997.

Conférence sur le réchauffement de la planète

Le protocole de Kyoto refroidit certains États

États-Unis satisfaits, Europe et Japon mesurés, écologistes très critiques.

Des réactions très contrastées ont accueilli hier l'accord de Kyoto sur la réduction des gaz à effet de serre, allant de la satisfaction affichée des États-Unis aux critiques ouvertes des écologistes en passant par l'approbation mesurée en Europe et au Japon.

Le président Bill Clinton s'est déclaré « *très satisfait* », regrettant seulement que les pays en développement soient exemptés de réduire leurs émissions polluantes.

Pour la France, l'accord de Kyoto marque un « *nouveau progrès considérable pour la protection de l'environnement mondial et la prise de conscience des enjeux internationaux de l'écologie* », selon le ministre de l'Environnement Dominique Voynet. Mais, a-t-elle averti, « *la prévention efficace de l'effet de serre nécessitera bientôt de nouveaux efforts* ».

Pour Greenpeace, c'est « *une tragédie et une farce* ». L'organisation relève cependant qu'un accord contraignant a été adopté « *malgré les objections des compagnies pétrolières, un fait qui montre que l'ascendant de l'industrie sur les gouvernements est finalement en train de s'effilocher* ».

Midi-Libre, 12/12/1997.

Éditorial

Une Terre moins menacée

Les tractations de Kyoto ont été interminables. Navrante fut la révélation des égoïsmes nationaux et des intérêts particuliers. Elles ont parfois noyé dans une sauce technocratique et affairiste le drame que constitue le réchauffement pour des milliards d'humains confrontés à une aggravation des sécheresses, des inondations et des cyclones. Mais on aurait tort de faire la fine bouche. Tout cela ne saurait dissimuler le plus important : la conférence climatique a marqué un tournant positif. Avertie d'un risque flagrant, la communauté internationale a finalement fait un geste significatif dans le sens de la prévention.

Kyoto présente un autre enseignement : l'entrée fracassante de l'écologie dans la sphère économique. Puisque le climat est modifié par l'homme, c'est désormais à lui de le « gérer ». L'action humaine devenant le facteur numéro un de transformation de la nature, la traduction s'avère inévitable en termes d'instruments et de mécanismes économiques. C'est déjà le cas pour la pollution, les déchets, la couche d'ozone, l'eau, les forêts, les ressources de la mer ou du sol. L'environnement n'est plus seulement une affaire de protection ou d'idéologie. Il prend une « valeur », cette valeur acquiert un prix et devient un enjeu de marché.

Le Monde, 12/12/1997.

EXTRAIT DE BULLETIN D'INFORMATION RADIO

(France Inter)

UN ACCORD A ÉTÉ ANNONCÉ...

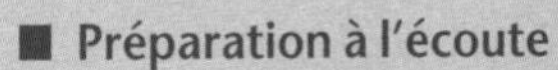

■ **Préparation à l'écoute**

Vocabulaire : **jouer les prolongations** (se dit lorsqu'un match de football se termine par un résultat nul [par exemple 2 à 2] et qu'il faut continuer à jouer pour avoir un gagnant) – **Bill Clinton** (président des États-Unis en 1997) – **un compromis** (un accord où chacune des parties abandonne quelques-unes de ses revendications) – **cracher de la pollution** (émettre des gaz polluants) – **suivre un dossier** (se tenir au courant de l'évolution d'un sujet).

■ **Écoutez le document. Repérez les informations qui vous permettront de compléter celles que vous aurez recueillies en lisant les pages 32 et 33.**

7. Recherche des faits

Lisez l'introduction de la page 32, l'article de* Libération *et écoutez le bulletin d'information. Faites sous forme de notes un relevé des principales informations. Classez-les selon les titres suivants :

1) Résultats de la conférence de Rio.
2) Buts de la conférence de Kyoto.
3) Points d'accord.
4) Problèmes non résolus.

8. Revue de presse – Synthèse des différentes opinions

a) Dans chaque document (pp. 32 et 33), relevez les opinions exprimées à propos de l'accord du 11 décembre :

– opinions des parties prenantes (pays, associations),
– opinions de l'auteur de l'article.

b) Faites une synthèse de ces opinions.

c) Formulez votre propre opinion.

9. Rédigez votre revue de presse en 20 à 30 lignes

– Très bref résumé des faits.
– Exposé contrasté des opinions.

DOSSIER - DÉBAT

6. Doit-on faire table rase du passé ?

Q*u'est-ce que le progrès ? Que signifie être conservateur ? Certaines traditions, certaines idées, certains objets devraient-ils être rangés dans les magasins de l'Histoire ?*
Tout en réfléchissant à ces questions, vous apprendrez à mettre un texte en relation avec vos connaissances et à définir une notion.

Traditions dépassées, rites d'un autre temps. Ne faudrait-il pas dépoussiérer ces coutumes surannées ?

Et pourquoi, bien qu'un président de la République ait tenté en vain de le moderniser, l'hymne national français reste-t-il le plus violent du monde ?

– Bizutage –

Au nom des traditions

Le directeur des Arts et Métiers en appelle à la « coutume ».

L'École nationale supérieure des arts et métiers (ENSAM)[1] n'est pas restée impassible face aux attaques tous azimuts lancées contre les excès du bizutage. L'établissement, souvent montré du doigt, a dû modifier ses pratiques bicentenaires, sous l'impulsion du comité de suivi des traditions mis en place par l'école elle-même pour fixer les dates limites du bizutage, appelé plus communément « usinage » aux Arts et Métiers. *« J'ai été forcé de fermer, pendant huit jours, deux centres, à Cluny et à Châlons (Champagne), pour non-respect des règles,* explique Guy Gautherin. *J'ai même fait voter les étudiants à bulletin secret pour connaître leur avis et savoir s'ils souhaitaient supprimer cette pratique. Ils m'ont donné mille raisons pour poursuivre la coutume. »*

La rentrée à l'ENSAM aura lieu aujourd'hui, et l'« usinage » n'en sera pas absent. Tradition oblige : *« Les étudiants en classes préparatoires sont bien souvent individualistes,* explique Guy Gautherin. *Pour constituer des promotions[2] soudées, l'habitude veut que les nouveaux se prêtent à des exercices, plus bêtes que méchants, qui les font réagir collectivement. »*

Un ancien Gads'art[3] de soixante-huit ans, Claude Heumez, parle, lui, de la *« transmission du flambeau de la fraternité »*. Il est aujourd'hui le délégué de sa promotion et organise des rencontres avec les anciens, *« où, dit-il, nous comptabilisons 85 % de présents à chaque réunion »*.

Mais Guy Gautherin accorde qu'il s'agit là de *« pratiques mises en place depuis la création de l'école et qui ont peu évolué. Les élèves sont réveillés en pleine nuit. On leur fait réciter des monômes[4]. Ils font des exercices de gymnastique[5]. Ce n'est sans doute pas la meilleure façon de transmettre les valeurs de l'école, mais c'est vrai qu'au bout de deux mois les promotions baptisées[6] s'entendent vraiment bien. Cela dit, une personne fragile peut craquer, et cela n'est pas admissible. Mais j'affirme que les actions menées ne sont pas violentes, c'est leur répétition qui risque de devenir insupportable.»*

Comme tous les établissements scolaires, les Arts et Métiers ont reçu la circulaire de Ségolène Royal[7] sur les sanctions encourues par les bizuteurs et les responsables des établissements. *« La loi anti-bizutage peut permettre de toiletter ces traditions,* poursuit Guy Gautherin. *Elle fera l'objet d'une réflexion de la part des élèves et anciens élèves pour adapter ces pratiques à notre époque. Le comité national, créé en juin dernier, doit également faire le bilan des réunions des différents comités de suivi des traditions dans nos huit centres. Mais l'administration ne peut pas imposer ses propres solutions. Les idées neuves doivent émaner des étudiants eux-mêmes. »*

Caroline GAUDRIAULT, *Le Figaro*, 22/09/1997.

1. école formant des ingénieurs des secteurs mécaniques et industriels. **2.** ensemble des élèves entrés la même année. **3.** surnom des élèves de l'ENSAM. **4.** formules algébriques. **5.** il s'agit en fait d'exercices stupides et ridicules. **6.** se dit d'une promotion qui a subi le bizutage. **7.** ministre de l'Éducation en 1997.

1. Ce qu'il faut ranger dans les cartons de l'histoire

(Recherche en petits groupes)

a) Lisez et observez la page 34.

b) Trouvez cinq traditions, objets, institutions, habitudes qui selon vous devraient disparaître. Justifiez votre décision.

2. Pour ou contre le bizutage

a) Lisez l'article ci-dessus. Définissez ce qu'est le bizutage. Y-a-t-il des traditions semblables ou proches dans votre pays ?

b) Relevez les arguments :
- des défenseurs du bizutage,
- de ceux qui veulent supprimer cette tradition.

c) Organisez un débat sur ce sujet ou sur l'un des sujets que vous aurez inventoriés dans l'activité 1.

Attitudes face au passé

■ **Être conservateur,** nostalgique (de ...), traditionnaliste, passéiste, rétrograde – Ne plus être dans le coup *(fam.)* / **Être moderne,** novateur, rénovateur, progressiste, révolutionnaire.

■ **Conserver,** perpétuer, préserver, sauvegarder / **Abandonner,** se débarrasser de, mettre au rebut, mettre au rancart *(fam.)*, rejetter, dire adieu à ...

■ **Vieux,** archaïque, antédiluvien – C'est dépassé, révolu, ringard *(fam.)* – Ça a pris un coup de vieux – Ça a fait son temps / C'est **toujours actuel** (toujours d'actualité), adapté, ce n'est pas démodé.

3. Mettre un texte en relation avec ses connaissances et son expérience

La lecture d'un texte réveille souvent dans notre mémoire des souvenirs de lecture, des expériences que nous avons vécues, des connaissances que nous avons acquises.

Tout en lisant le texte ci-dessous, répondez aux questions qui sont posées. Le vocabulaire du tableau vous aidera à formuler les correspondances que vous établirez.

METTRE EN RELATION

- **Évocation.** Ce passage fait penser à ... évoque ... rappelle ... suggère ...
- **Liaison.** Cette idée peut être reliée à ... (rapprochée de ... rattachée à ...) – Cette opinion est liée à ... correspond à ...
Il y a une liaison (une relation, un lien, un rapport) entre ... et ...
- **Comparaison.** On peut établir des comparaisons, un parallélisme, des analogies entre ... et ... – Ces faits peuvent être comparés à ... s'apparentent à ...

Sur deux idéologies contemporaines : le mythe du progrès et la religion de l'époque

À ceux qui disent que, depuis la fin des grands débats qui opposaient marxisme et capitalisme, il n'y a plus en France d'idéologie, François Brune (auteur de plusieurs essais) répond que notre époque est animée par quatre grands courants idéologiques : le mythe du progrès, le primat du technique, le dogme de la communication et la religion de l'époque. Voici deux extraits de son article.

Le mythe du progrès

Le progrès est certes une réalité ; il est aussi une idéologie. Le simple proverbe « On n'arrête pas le progrès » est un principe de soumission cent fois répété ; c'est aussi une prescription quotidienne : chacun doit progresser, changer, évoluer. Voici par exemple la question que pose un journaliste à un animateur de radio : « *Vous faites aujourd'hui trois millions d'auditeurs, comment comptez-vous progresser ?* » Mais pourquoi faudrait-il faire davantage d'auditeurs ? C'est que, le progrès devant être mesuré, il est le plus souvent d'ordre quantitatif. Cette obsession est sans doute à l'origine de la savoureuse expression « croissance négative » ; un recul de la production économique étant impensable, on a voulu n'y voir qu'une forme subtile de croissance. Il faut croître.

En corrélation, la grande angoisse est d'être en retard : en retard d'une invention, en retard d'un pourcentage, en retard d'une consommation ! Écoutez ces nouvelles alarmantes : « *Par rapport aux autres nations industrielles, les ménages français sont en retard en matière d'équipement micro-informatique !* », « *La France est en retard en matière de publicité si l'on considère la part du PIB que nous y consacrons par tête d'habitant !* » Les médias adorent

↦ **a)** ***Qu'est-ce qu'une idéologie ? Citez quelques grandes idéologies. Quels sont les deux sens du mot « mythe » ? Que faut-il entendre par « mythe du progrès » ?***

↦ **b)** ***Trouvez d'autres exemples de l'idéologie du progrès dans l'entreprise, l'éducation, les arts.***

↦ **c)** ***Quelles réflexions vous inspirent ces caractéristiques de la langue française d'aujourd'hui ?***
– l'adoption de nombreux mots anglais,
– après le « nouveau roman » et le « nouveau théâtre » (années 60), les « nouveaux philosophes » (années 70), la « nouvelle cuisine » et les « nouveaux riches » (années 80), on a vu apparaître les « nouveaux pauvres » et un « nouveau Johnny » (Halliday).
• ***Trouvez d'autres expressions (en français et dans votre langue) qui correspondent au mythe du progrès.***

↦ **d)** ***Montrez que les situations suivantes sont révélatrices de ce que dit François Brune :*** les présentations de mode – les parents face à la scolarité de leurs enfants – les vitrines des magasins de vêtements – la célébration de l'an 2000 ou du centenaire de la naissance d'un grand écrivain – la préparation des vacances – l'annonce des résultats électoraux à la télévision.
• ***Trouvez d'autres exemples du même comportement.***

cultiver le chantage du retard, forme inversée de l'idéologie du progrès.
Proches du « progrès », les mots « évolution » ou « changement » bénéficient d'un *a priori* positif. Le changement est une réalité : c'est aussi une idéologie. *« Français, comme vous avez changé ! »*, titre un hebdomadaire pour accrocher les lecteurs.
Ce type d'analyse, issu de sondages artificiels, est l'exemple même du faux évènement sociologique : il faut du changement, il faut que notre société « bouge », il faut de l'évolution, qui est immanquablement amélioration. C'est cela, notre époque.

La religion de l'époque

L'époque, il est vrai, est une réalité. Elle est aussi un mythe commode, une divinité quotidienne qu'on invoque pour soumettre l'individu aux impératifs de la « modernité ». Les chantres du conformisme récitent la même litanie : il *faut* « s'adapter à l'évolution », « suivre son temps », « être de son époque ». Mais qui décide de ce qu'est l'époque ? Parmi les millions de faits qui se produisent à la même seconde, qui définit ceux qui sont des « faits d'époque » ? Les médias ? Les analystes ? Les élites dirigeantes ? La *vox populi* ?
À la vérité, l'époque est une construction scénographique. Ce qu'on appelle un « évènement » est le fruit d'une sélection et d'une dramatisation arbitraires, opérées par les « informateurs », en fonction de l'idée *a priori* qu'ils se font de l'époque. Ceux qu'on appelle les « acteurs » du monde contemporain sont eux-mêmes largement « inventés » par ceux qui les désignent : qui décide, par exemple, que telle personne sera la « personnalité » de la semaine, du mois, de l'année ? Quant au public, il ne joue qu'un rôle de chœur tragique, que les sondages font opiner ; il est alors manipulé.

François BRUNE, « Culture, idéologie et société », hors-série du *Monde diplomatique*, mars 1997.

↦ **e)** *Analysez l'évolution d'un objet (l'ordinateur, l'appareil photo, etc.), d'un comportement ou d'une pratique (les relations familiales, l'enfant et ses copains, etc.).*

↦ **f)** *Connaissez-vous des personnes ou des groupes qui s'opposent à cette idéologie du progrès (politiques, romanciers, artistes, religieux, etc.) ?*

- *Et vous, adhérez-vous ou résistez-vous ?*

↦ **g)** *Appliquez l'analyse que François Brune fait dans son dernier paragraphe :*

– aux couvertures de presse ci-dessus,
– à la célébration d'une fête.

↦ **h)** *Donnez votre opinion sur l'article de François Brune. Ce qu'il dit est-il spécifique :*

– à la France ?
– à notre époque ?

DÉBAT
QU'EST-CE QU'UN CONSERVATEUR ?

Dans les années 90, les gouvernements successifs qui ont voulu faire des réformes se sont heurtés au refus d'une majorité de Français. Le président de la République a alors dénoncé « le conservatisme des structures de la société française ».

Dans l'émission de radio « Le Grand Débat » *(France Culture)*, trois personnalités répondent à la question : « Qu'est-ce qu'un conservateur ? » : Alain Madelin (ancien ministre de l'Économie et des Finances), Jean-François Khan (journaliste et essayiste), Jean Kaspar (ancien secrétaire du syndicat CFDT).

■ **Préparation à l'écoute. Vérifiez votre compréhension des mots suivants :**

un sens péjoratif (dévalorisant) – **une remise en cause** (une critique et une demande de changement) – **nul doute que ...** (il n'y a pas de doute que ...) – **mettre un mot entre guillemets** (dans un discours oral : signale que le sens de ce mot demanderait une explication ou qu'il ne reflète pas exactement la pensée de son auteur) – **sur le fond** (pour revenir à l'essentiel du problème) – **percutant** (frappant).

■ **Écoutez les trois définitions.**

• À l'aide du vocabulaire suivant, caractérisez la façon de définir de chaque participant :
– *une explication courante, psychologique, sociologique, historique,*
– *illustrer, généraliser, replacer dans un contexte.*

• Notez les points essentiels de chaque développement.

• En vous appuyant sur ces définitions et sur vos connaissances, complétez cet article de dictionnaire :

CONSERVATEUR, TRICE, n. et adj. – 1361 : ***lat. conservator***

♦ **1. Personne préposée à la garde de qqch (gardien).** ***Conservateur d'une bibliothèque, d'un musée ; conservateur des eaux et forêts.***

♦ **2. Qui garde en bon état de conservation les aliments.** ***Agent conservateur – Un jus de fruit sans conservateur.***

♦ **3. ...**

♦ **4. ...**

4. SYNTHÈSE – DÉFINITION DE L'IDÉE DE PROGRÈS

Après avoir fait le travail d'écoute du document oral et lu les deux textes de la page 39, rédigez une réponse à la question :

« Qu'est-ce que le progrès pour vous aujourd'hui ? »

Vous mettrez à profit toutes les réflexions que vous avez menées sur les textes de cette leçon ainsi que ceux de la leçon 5. Vous y puiserez des idées, des points de vue et des exemples.
L'encadré ci-dessous vous donnera quelques formules utiles.

DÉFINIR UNE NOTION

■ Le mot progrès, l'idée de progrès, la notion de bonheur, le concept de liberté ... peut avoir (recouvrir) différent(e)s **sens** (significations, acceptions) – Il existe plusieurs définitions de ...
Ce mot s'emploie dans ... – Il peut être pris dans le sens de ... – Il peut être compris comme ...

■ La liberté **se définit**, se caractérise par ... – Les caractéristiques, les spécificités, les particularités, la marque de ... sont (est) ...

■ **L'essence** du bonheur c'est (réside dans ...) – L'essentiel pour être heureux, c'est ...

■ L'intelligence **apparaît** quand (se manifeste par ...) – La liberté existe quand ... – La technologie est une des manifestations du progrès.

■ La mémoire **fait partie** de ... entre (se classe) dans la catégorie des compétences intellectuelles.

■ Le bonheur **implique** (suppose) ... dépend de ... – Une des conditions du bonheur, c'est ...

Même les arts traditionnels comme la musique utilisent aujourd'hui les technologies modernes.

SCIENCE ET PROGRÈS HUMAIN

Toujours soucieux d'éthique scientifique, le célèbre biologiste Jacques Testart pose ici une question fondamentale sur le rôle des sciences et des technologies dans le progrès de l'humanité.

Au moment où l'énorme projet d'« autoroutes de la communication » va consacrer 300 milliards d'écus[1] pour aggraver la désinformation, via 250 chaînes de télévision, on serait trop pauvres ou trop ignorants pour résoudre les vraies difficultés. Porter un coup d'arrêt à la désertification du Sahel est-il un objectif technologique plus ambitieux que la dissection du génome humain[2] ? Lutter contre le paludisme, une des maladies qui frappent le plus grand nombre d'humains, est-il à ce point un faux problème pour que les organismes internationaux résistent à reconnaître efficace un vaccin qui semble bien pourtant avoir fait ses preuves ? Ce ne sont pas les capacités technologiques qui manquent pour nourrir, loger, soigner la grande masse des humains, mais la volonté politique. Dans ces conditions, en quoi un supplément de technologie peut-il apporter le bien de l'humanité ? En revanche, le développement inconsidéré des technologies conduit à la pollution des eaux et de l'atmosphère, à l'aggravation des conditions de survie du plus grand nombre, à la menace atomique et génétique sur les générations futures, à la prise du pouvoir des forces du marché au mépris des choix que pourraient exprimer les citoyens du monde.

Jacques TESTART, « Logique propre de la science et progrès humain », dans ***L'avenir d'aujourd'hui dépend-il de nous ?***, Le Monde Éditions, 1995.

1. monnaie européenne appelée « euro » depuis 1998. **2.** l'analyse des caractères génétiques de l'homme.

S'ADAPTER OU PÉRIR

L'américain Andy Grove, patron de la société Intel qui fabrique 80 % des puces électroniques équipant les ordinateurs du monde, est interrogé par le magazine *Le Nouvel Observateur*. Il s'inquiète du retard que les Européens avaient pris en 1997 dans le domaine des technologies de l'information.

N.O. : **Quels sont les risques associés à ce retard ?**

A. GROVE : Le bien-être économique est lié à l'utilisation des technologies de l'information. Prenez l'exemple américain : au cours des dix dernières années, la « machine à exporter » n'a tourné à plein régime que parce que nous sommes compétitifs. Et cela vient en grande partie des gains de productivité dus au travail en réseau au sein des entreprises ainsi qu'avec leurs fournisseurs, leurs partenaires et leurs clients. On peut même se demander si le niveau de chômage européen n'est pas, déjà, en partie imputable à son retard technologique. La communication en réseau permet la compression du temps. Vous pouvez joindre les gens instantanément, où qu'ils se trouvent sur la planète : en déplacement, au bureau, à domicile... Elle permet aussi la transmission de documents très volumineux en quelques minutes et une grande rapidité de réaction. Or, dans un monde où certaines entreprises mesurent le temps en minutes, vous ne pouvez plus compter en jours ou en semaines... et rester dans la course.

N.O. : **La technologie est censée être libératrice. Or les cadres les plus « branchés » sont de plus en plus stressés. Va-t-on vers une société d'esclaves de la technologie ?**

A. GROVE : La technologie ne sert pas à libérer, mais à travailler plus efficacement. Quant au stress professionnel, il n'est pas dû au progrès technologique, mais à l'émergence d'une économie mondiale beaucoup plus concurrentielle. Alors, de deux choses l'une : ou bien vous vous y adaptez, vous vous battez et vous gagnez ; ou bien vous encaissez de plein fouet la victoire de vos concurrents ! Eh oui, l'univers policé et non concurrentiel des années 50 et 60 appartient au passé. Le monde est rude. Mais quoi ? Vous préférez le chômage ?

Le Nouvel Observateur, 06/03/1997.

SIMULATION

7. Plaisir de raconter

Contes merveilleux, anecdotes quotidiennes, histoires drôles et histoires à dormir debout, témoignages, souvenirs, curriculum vitae, prétextes et excuses, explications, relations d'une soirée, d'un voyage... À tout moment, nous sommes amenés à raconter ou à écouter des récits. Pour faire face à ces situations, vous compléterez votre connaissance des temps du récit, vous apprendrez à jongler avec la chronologie et vous perfectionnerez votre capacité à demander et à donner des informations sur le moment et la durée.

Mes parents savaient mentir. D'ailleurs, ils adoraient ça. Avec eux, impossible de connaître la vérité. Papa a longtemps prétendu que son grand-père était maréchal-ferrant[1] avant que je ne découvre dans les mémoires du général Galliéni que Victor-Emmanuel Braban[2] (1812-1901) siégeait au Conseil d'État. Maman affirmait qu'elle était infirmière dans le corps expéditionnaire en Indochine[3] quand elle avait rencontré papa, version contestée par celui-ci, qui prétendait qu'ils s'étaient vus pour la première fois dans la gare de Chamonix, tous deux participant à l'animation de séjours en montagne pour le troisième âge. Quand papa avait une maîtresse et maman un amant, ce qui est beaucoup arrivé à une époque, ils étaient incapables de se prendre sur le fait, tant ils avaient fabriqué leurs alibis mutuels avec soin.

Patrick BESSON, ***Les Brabans***, Albin Michel, 1995.

---

1. artisan qui pose les fers aux chevaux. **2.** Braban est le nom de famille du narrateur. **3.** guerre coloniale que la France mena dans l'Asie du Sud-Est de 1946 à 1954.

1. HISTOIRES D'AUTREFOIS OU COMMENT...

– communiquer avec les générations précédentes,

– passer un bon moment avec un ancien camarade de collège,

– reconquérir celui (ou celle) qui vous a abandonné(e) en évoquant avec nostalgie des moments heureux,

– vous valoriser auprès de vos enfants en faisant revivre votre enfance merveilleuse (ou difficile),

– démarrer une psychanalyse.

a) Lisez l'extrait du roman de Patrick Besson (p. 40).

• Étudiez l'emploi des temps du passé. Justifiez les changements de temps.

Mes parents savaient ... → état permanent.

Papa a longtemps prétendu ... → ...

• Imaginez les conséquences de cette situation sur les quatre enfants de la famille.

b) Jeux de rôles. Choisissez une des cinq situations présentées plus haut. Avec un(e) partenaire, imaginez un dialogue où l'un de vous incitera l'autre à raconter un souvenir et lui demandera des précisions. Ce souvenir peut être réel ou imaginé.

Exemple :

LE PETIT-FILS : Dis-moi, grand-père, quand tu étais jeune, tu allais danser ?

LE GRAND-PÈRE : Et bien sûr que j'allais danser. Et je t'assure qu'à cette époque...

ÉVOCATION DES SITUATIONS PASSÉES

■ On avait l'habitude (pour habitude) de ... – On avait coutume de ... – L'habitude (la coutume) voulait que ...

On faisait souvent ... fréquemment ... régulièrement ... de temps en temps ... par périodes ... à intervalles réguliers – On a fait bien des fois ... plus d'une fois ...

■ Petit à petit ... progressivement ... jour après jour ... peu à peu les choses ont changé.

Au fur et à mesure que ... les choses sont devenues, se sont transformées, ont disparu, se sont compliquées, etc.

LES DEUX VISIONS DU PASSÉ

■ **L'évènement ou l'état passés sont considérés comme révolus.**

Les temps ci-dessous marquent les actions principales d'un récit, les moments de référence.

→ **passé composé / passé surcomposé** (pour les actions et les états antérieurs) – Voir conjugaisons p. 148

Pierre est parti en voyage quand il a eu fini ses études.

→ **passé simple / passé antérieur** (pour les actions et les états antérieurs).

■ **L'évènement ou l'état passés sont considérés comme en train de se dérouler dans le passé.**

Les temps ci-dessous marquent les actions qui se déroulent dans la périphérie des actions principales (circonstances, commentaires, sentiments et pensées des personnages, etc.). Ils servent aussi à marquer des états qui ont duré et des actions habituelles ou répétitives.

→ **imparfait / plus-que-parfait**

Pierre était heureux. Il avait invité Christine et elle avait accepté.

■ **La succession imparfait → passé composé (ou passé simple) peut marquer une idée de conséquence.**

Il était malade, il n'est pas allé travailler.

Elle marque aussi souvent une rupture signalée par une indication temporelle (adverbe, date, etc.).

Nous étions en vacances. – Un jour ... Le 25 juillet ... Soudain ... Tout à coup ... Brusquement ... .

■ **La succession passé composé (ou passé simple) → imparfait peut avoir une valeur explicative.**

Il n'est pas allé travailler. Il était malade.

■ **Un récit d'évènements peut être totalement transposé au présent.**

Le passé composé indique alors les évènements antérieurs. Mais dans un récit au passé, il est possible de ne mettre que certains évènements révolus au présent (effet de mise en relief, voir texte d'Umberto Eco, p. 42).

SIMULATION

2. Anecdotes quotidiennes ou comment...

– transformer une aventure banale en une page de roman,
– briser la glace quand les invités restent muets ou qu'un « ange passe » dans la conversation,
– gagner l'estime de votre concierge, de votre femme de ménage, de vos commerçants préférés, du chauffeur de taxi,
– conquérir celui (ou celle) dont vous rêvez,
– dérider votre psychanalyste.

a) Lisez ci-contre l'anecdote racontée par l'écrivain italien Umberto Eco.

• Trouvez les mots et les expressions qui signifient :

– réfléchir intensément,
– dans une situation inhabituelle,
– hésiter, être dans l'embarras,
– faire semblant de,
– se décider à offrir quelque chose, à faire quelque chose pour l'autre.

• Étudiez et justifiez les changements de temps.

Exemple :

J'étais à New York ... → exposé des circonstances.

J'aperçus ... → ...

b) À partir des notes ci-dessous et en variant l'emploi des temps à la manière d'Umberto Eco, rédigez le récit que Jean-Luc fait de son aventure. Imaginez d'autres circonstances ainsi que les pensées et le dialogue de Jean-Luc et de Marie.

c) Faites le travail d'écoute du document sonore.

d) Racontez une anecdote à votre voisin(e).

Choisissez une des situations énumérées après le titre de cette partie. Recherchez une anecdote qui pourrait convenir à cette situation et racontez-la.

Vous pouvez aussi vous inspirer des dessins des pages 41 et 43 pour imaginer une aventure dont vous auriez été témoin.

5 heures du matin. Jean-Luc et son épouse Marie quittent La Chartre (près de Tours) pour se rendre à Lyon. De La Chartre à Tours, petite route départementale.
5 h 20. Il fait encore nuit. Il pleut en abondance. Pas une voiture sur la route qui traverse des champs.
Sur la gauche, dans les champs, une lueur intense apparaît au ras du sol. Comme un immense disque lumineux.
Soudain, la vive lueur s'élève à la verticale pendant trois ou quatre secondes, puis change brusquement de direction et disparaît en quelques secondes selon une trajectoire horizontale.
Jean-Luc et Marie décident de s'arrêter au commissariat de police de Tours pour témoigner de ce qu'ils ont vu.

(D'après un témoignage authentique.)

Il y a quelques mois, j'étais à New York et je me baladais lorsque j'aperçus un type que je connaissais très bien qui se dirigeait vers moi. J'avais beau me creuser la cervelle, impossible de me souvenir de son nom ni d'où je le connaissais. Cette sensation est fréquente lorsqu'on croise à l'étranger quelqu'un qu'on connaît chez soi, ou vice versa. Un visage hors contexte crée une sorte de confusion. Pourtant, celui-ci m'était si familier qu'il me faudrait certainement m'arrêter, le saluer, bavarder, il allait sans doute me dire : « *Mon cher Umberto, comment vas-tu ?* » et peut-être même « *Finalement, tu l'as fait ce truc dont tu m'avais parlé ?* » et moi je ne saurais pas sur quel pied danser. Feindre de ne pas le voir ? Trop tard. Il regardait encore de l'autre côté de la rue mais il s'apprêtait à tourner la tête dans ma direction. Autant prendre les devants, le saluer et chercher à le resituer d'après la voix, les premiers échanges.
Nous étions à deux pas l'un de l'autre, j'allais me fendre d'un large et radieux sourire, tendre la main, quand tout à coup je l'ai reconnu. C'était Anthony Quinn. Naturellement, nous ne nous étions jamais rencontrés. Une fraction de seconde m'a suffi à suspendre mon geste, et je l'ai croisé, le regard perdu dans le vide.

Umberto Eco, ***Comment voyager avec un saumon***,
traduit de l'italien par Myriam Bouzaher,
Grasset et Fasquelle, 1997.

ANECDOTE
MÉPRISE SUR LE COUPABLE

■ Préparation à l'écoute

Situation : Rémi est agriculteur dans un village distant d'une dizaine de kilomètres d'une ville de province. Son épouse, Geneviève, est pharmacienne dans un village voisin. Rémi et Geneviève ont un compte à la banque du Crédit Agricole. Ils ont une voiture de marque BMW immatriculée dans le département de l'Hérault.

Vocabulaire : **un tracteur** (véhicule utilisé en particulier par les agriculteurs pour tirer une remorque ou un outil) – **un cardan** (pièce d'un véhicule située dans l'articulation des roues).

■ Écoute du document

Rémi raconte son aventure à quatre personnes. Vous n'entendez qu'un fragment de chacun de ces quatre récits. À partir de ces fragments, reconstituez la chronologie de l'aventure de Rémi

(1) Rémi quitte sa propriété. Il a ...

(2) ...

ANTÉRIORITÉ – POSTÉRIORITÉ – SIMULTANÉITÉ

■ 1. Introduction d'un évènement qui se produit avant une autre action.

a) Par une phrase introduite par : avant – au préalable – auparavant – la veille (l'avant-veille) – la semaine (le mois, etc.) précédente (d'avant) – un jour (un mois, etc.) plus tôt ...

→ Le plus-que-parfait marque l'antériorité.

Il est sorti à midi. Auparavant, il avait déjeuné.

b) Par une proposition introduite par : quand – lorsque – après que – dès que – aussitôt que – une fois que ...

→ L'antériorité se marque par les correspondances :

passé surcomposé	→ passé composé
passé antérieur	→ passé simple
plus-que-parfait	→ imparfait

Il est sorti quand il a eu déjeuné.
Il sortit quand il eut déjeuné.
Il sortait quand il avait déjeuné.

NB. Le passé surcomposé ne se construit plus avec les verbes utilisant l'auxiliaire « être » (*aller, venir*, etc.). On préfère alors une construction de type **c)**.

c) Par une des constructions suivantes :

– après (dès) + nom : *Après le déjeuner*...
– après + infinitif passé : *Après avoir déjeuné* ...
– proposition participe : *Ayant déjeuné* ...

■ 2. Introduction d'un évènement qui se produit après une autre action.

a) Par une phrase introduite par : après – puis – ensuite – par la suite – plus tard – ultérieurement ... le lendemain (le surlendemain) – la semaine suivante (d'après)...

→ Succession normale des temps.

Il a déjeuné. Après, il est sorti. Il était heureux.

→ Dans certains cas, le conditionnel peut exprimer la postériorité.

Il quitta la France en 1902. Il n'y retournerait que vingt ans plus tard.

b) Par une proposition introduite par :

– avant que + subjonctif
– avant + nom
– avant de + infinitif

Il est rentré { *avant qu'il (ne) fasse nuit.* / *avant la nuit.* / *avant d'avoir fini ses courses.* }

■ 3. Mise en relation de deux évènements simultanés.

a) Par une phrase indépendante introduite par : à ce moment-là – en même temps – au même moment – simultanément ...

b) Par une construction préposition + nom : pendant (lors de, au moment de, le jour de, durant, etc.) son voyage...

c) Par une proposition introduite par : quand – lorsque – au moment où – le jour où – pendant que – alors que – tandis que (on préférera ces trois dernières expressions pour introduire des évènements de longue durée).

Il est rentré pendant que je travaillais.

3. Itinéraires dans le temps ou comment...

– présenter oralement votre curriculum vitæ,

– donner une explication qui exige que vous « remontiez au déluge ». Par exemple : « Comment êtes-vous devenu commissaire de police après avoir fait des études de sociologie ? »,

– donner un bon alibi, trouver une bonne excuse,

– passionner votre interlocuteur quand vous racontez un voyage, un incident, etc.,

– éviter que votre psychanalyste ne s'endorme.

a) Lisez le tableau de grammaire de la page 43. Faites le travail d'écoute du document sonore.

b) Jeu de rôles (à faire par deux).

Patrick et Nathalie se retrouvent dix ans après s'être séparés, se posent des questions sur les évènements de leur vie, s'étonnent de certaines coïncidences, etc.

NB. En préparant ce jeu de rôles, vous pouvez modifier à votre guise les indications ci-dessous.

INTERVIEW
UN AMOUR À VENISE

■ **Préparation à l'écoute**

Un scénariste qui prépare un film sur la vie du poète Alfred de Musset (1810-1857) interroge un biographe de l'écrivain. Ses questions portent sur le séjour à Venise que Musset a fait à partir de décembre 1833 avec la femme écrivain George Sand.

Alfred de Musset : auteur de poèmes et de pièces de théâtre (*Lorenzaccio, On ne badine pas avec l'amour,* etc.).

George Sand (1804-1876). Elle s'appelait Aurore Dupin. George Sand était son pseudonyme d'écrivain. Auteur de romans : *La Mare au diable, La Petite Fadette,* etc.

■ **Écoute du document**

Reconstituez la chronologie des évènements qui sont évoqués par les deux interlocuteurs.

– 1804. Naissance d'Aurore Dupin.

...

L'ITINÉRAIRE DE PATRICK

1980 – Patrick a 20 ans. Il a fait de très sérieuses études de musique (violon) et poursuit des études de lettres à Bordeaux. Il sort avec Nathalie.

1981 – Il fait un gros héritage qu'il tient secret et part en voyage : Inde, Indonésie, îles du Pacifique. Pendant un mois, il voyage avec un autre routard : Paul Dubreuil.

1982 – Retour à Paris. Il habite à Montmartre et reprend la musique.

1983 – Engagé à l'orchestre de Toulouse.

1984 – Tournée de l'orchestre de Toulouse (Athènes, Delhi, Jakarta, Sydney, etc.).

1986 – Patrick est renvoyé de l'orchestre de Toulouse. Il entre dans l'orchestre qui accompagne une chanteuse célèbre. Tournées dans les grandes villes de France.

1987 – Déçu par cet emploi peu gratifiant, il part pour New York, voyage beaucoup et dilapide progressivement sa petite fortune. Il obtient de temps en temps des contrats temporaires de musicien. Un de ses amis étant devenu chef du service étranger d'un grand quotidien parisien, il lui envoie des articles qu'il signe James Bronx.

1990 – Ruiné, il rentre à Paris. Il réussit à trouver un emploi à l'école de musique « Arpèges » du 12e arrondissement.

LE PARCOURS DE NATHALIE

1980 – Nathalie est étudiante en lettres à Bordeaux. Elle sort avec Patrick.

1981 – Elle reçoit une lettre de rupture de Patrick. Elle réussit au concours de l'enseignement et devient professeur de français.

1982 – Elle enseigne dans une banlieue du nord de Paris mais habite chez une parente à Montmartre.

1983 – Elle enseigne le français à l'université de Sydney.

1984 – Elle rencontre Paul Dubreuil, responsable d'une filiale d'entreprise française installée à Sydney. Elle l'épouse à la fin de l'année.

1985 – Naissance de sa fille Mathilde.

1986 – Le couple se sépare. Nathalie rentre en France avec sa fille. Elle vit pendant un an chez ses parents à Marseille.

1987 – Elle est nommée assistante de français à l'université de Boston. Elle est souvent invitée chez des amis dans le Vermont où elle fait du ski.

1990 – Elle rentre à Paris pour terminer sa thèse sur « l'image de la France aux États-Unis ». Elle trouve un appartement près du bois de Vincennes (12e) et décide d'inscrire sa fille au cours d'initiation musicale de l'école « Arpèges ».

4. Drôles d'histoires et histoires drôles ou comment...

– ne jamais « être en reste quand quelqu'un en raconte une "entre la poire et le fromage" »,
– ne jamais avoir besoin d'une psychanalyse.

a) Faites le travail d'écoute du document sonore.

b) Lisez les histoires drôles ci-contre. Feraient-elles rire si elles étaient racontées dans votre langue maternelle ?

c) Développez une des deux dernières histoires.

d) Si vous en connaissez, racontez une histoire vraie amusante ou une histoire drôle.

RÉCIT
UNE ESCROQUERIE

■ **Préparation à l'écoute**

un escroc (personne qui tire profit de quelqu'un par le mensonge et la fraude) – **escroquer** – **une escroquerie** – **un ferrailleur** (commerçant spécialisé dans la ferraille : morceaux de fer inutilisés).

■ **Écoute du document**

• Résumez les principales étapes de cette histoire vraie.

• Relevez les moyens utilisés pour intéresser l'interlocuteur.

Les plus courtes sont les meilleures

• Réunion au ministère de la Santé pour le financement de la Sécurité sociale. Le ministre demande au directeur de la Sécu :
– Combien avez-vous de fonctionnaires qui travaillent dans votre organisme ?
– Un sur cinq, répond l'autre.

• Un chef d'État élu depuis un an s'adresse au pays :
« Chers concitoyens ! Il y a un an notre pays était au bord de l'abîme. Mais depuis nous avons fait un grand pas en avant ! »

• Un important fabricant de produits cosmétiques fait un sondage auprès de la population masculine en posant la question : « Que mettez-vous après vous être rasé ? »
85 % des hommes interrogés ont répondu :« Ma chemise ».

Histoires qui mériteraient d'être développées

• Un jeune fils de famille rencontre un copain :
– Comment ça va ? lui demande ce dernier.
– Mal, très mal, répond l'autre. Il y a quinze jours, j'ai perdu mon grand-père qui m'a laissé en héritage une banque et deux compagnies d'assurances.
La semaine dernière, ma grand-mère est morte de chagrin en me léguant cinq immeubles et dix millions de bijoux. Et cette semaine... rien !

• Sentant en lui une vocation religieuse, un jeune homme entre dans un couvent où la règle est particulièrement sévère. Les moines sont tenus au silence absolu. Ils n'ont le droit de ne prononcer que trois mots tous les cinq ans.
Cinq ans après, le jeune moine va trouver le supérieur du couvent et dit :
– Lit trop dur...
Cinq ans plus tard, il revient chez le père supérieur :
– Nourriture pas bonne...
Cinq autres années passent. Il revient chez le père supérieur et lui dit :
– Je quitte couvent.
– Ça ne m'étonne pas, répond le père supérieur, vous râlez tout le temps !

D'après Jean Peigné, ***La Grande Encyclopédie des histoires drôles,*** Éditions de Fallois, 1996.

PROJET

8. Notes au jour le jour

Tout au long de cette leçon, vous tiendrez un journal dans lequel vous rédigerez vos réflexions, vos commentaires, vos opinions sur des événements de l'actualité, des faits quotidiens, des choses vues ou entendues au hasard d'une émission de radio, d'un spectacle ou de la visite d'un musée.
Vous apprendrez à passer des faits aux idées qu'ils suggèrent, des idées aux faits qui les illustrent, ainsi qu'à noter vos réflexions sur une œuvre artistique.

Voir ? Voire...

Il y a quelques mois, me dirigeant vers la Maison des sciences de l'homme, je m'apprêtais à traverser la rue d'Assas, au carrefour Raspail/Cherche-Midi/Assas, lorsque je vis une deux-chevaux, passant au feu rouge, renverser un motoriste[1] qui traversait tranquillement au vert. La voiture s'arrête, le conducteur sort, je me précipite pour témoigner en faveur de la victime, qui se relève péniblement. Mais le voituriste me dit que c'est le motard qui est passé au feu rouge, et lui est rentré dedans. Comment ? En ce qui concerne la couleur du feu, je me rends compte que je ne suis plus si sûr, mais en ce qui concerne le choc, j'ai bien vu la Citroën rentrer dans le deux-roues. L'homme de la voiture me montre son aile arrière gauche légèrement enfoncée sous le choc. C'est bien lui qui avait été tamponné. Ce que n'a pas démenti le blessé.
J'ai, du coup, compris que ma perception avait été immédiatement ordonnée en fonction d'une apparente rationalité : le petit ayant été renversé, c'était le gros qui avait renversé le petit, donc lui était rentré dedans. J'étais sûr d'avoir bien vu, mais, quelques instants après, la preuve matérielle infirmait ma vision. Je vérifiais sur moi-même cette chose bien connue, et dont j'avais fait état dans un livre ancien : la composante hallucinatoire de la perception[2] [...]. Autrement dit, il nous faut nous méfier, dans notre perception, non seulement de ce qui nous semble absurde, mais aussi de ce qui nous semble évident, parce que logique et rationnel. Au premier regard, il est beaucoup plus logique et rationnel que le petit disque du Soleil tourne autour de la Terre, mais tout change dès que nous apprenons que le Soleil n'est pas un petit disque, mais un astre beaucoup plus gros que la Terre.

Edgar MORIN, ***Pour sortir du XXe siècle***, Nathan, 1981.

1. une personne à moto (peu courant). Edgar Morin utilise aussi le terme « voituriste » (peu courant) pour « automobiliste ». **2.** une hallucination est le fait de percevoir (voir, entendre, sentir) des choses qui n'existent pas.

Retour vers le rêve

Le 7 juillet 1997, la sonde Pathfinder se pose sur la planète Mars. Un robot (Sojourner) commence à explorer la planète inconnue.

Que Pathfinder devrait être un signal d'optimisme plus net encore qu'Apollo[1], c'est ce dont il faut convenir quand on se souvient de l'ombre portée de la mission américaine sur la Lune : rien moins que la guerre froide, la course aux armements poursuivie d'une façon à peine déguisée et romanesque sur fond d'équilibre de la terreur... Et si, cette fois encore, le maître de bal est américain, on sait que les perspectives d'exploration de l'espace ont changé du tout au tout : c'est essentiellement sous forme de collaboration internationale qu'on doit les envisager, symbole d'un monde pacifié et non plus instrument de ses querelles. Et nous avons bien besoin d'optimisme. Un quart de siècle de crise, ou presque, a raboté[2] les enthousiasmes et trop souvent ratatiné[3] l'horizon aux urgences de l'heure et à la litanie[4] répétitive des restrictions et des impuissances. L'alliance automatique entre progrès et prospérité n'a pas survécu aux remises en cause post-modernes. Pathfinder vient opportunément rappeler que l'humanité ne vit pas seulement de pain et de grands équilibres (fût-ce le principal et plus gravement menacé de ces équilibres, celui de l'emploi) ; mais aussi que l'envie d'aller de l'avant, la volonté de voir et de savoir ce qui avant n'a été ni vu ni su, cela est aussi une valeur en soi qui n'est pas contradictoire avec des préoccupations plus triviales. C'est sans doute la meilleure leçon du long voyage pacifique vers la planète dédiée au dieu de la guerre[5].

Gérard Dupuy,
Libération, 07/07/1997.

1. nom de la mission américaine d'exploration de la Lune en 1969. **2.** au sens propre : réduire l'épaisseur d'un objet. **3.** réduire de volume. **4.** ici, longue énumération. **5.** Mars était le dieu de la guerre dans la mythologie romaine.

1. Premier jour : réfléchir sur un fait quotidien

a) Lisez le texte d'Edgar Morin (sociologue et philosophe français). Représentez les deux versions de l'accident en vous aidant d'un schéma.

b) En utilisant les mots suivants, donnez plusieurs titres à chacune des deux parties du texte :

une conclusion – une déduction – une expérience – un fait – une idée – une observation – une réalité – une signification.

c) Appliquez l'idée d'Edgar Morin à des observations que vous avez pu faire sur un fait quotidien (première visite dans un lieu, première rencontre avec quelqu'un, lecture d'un gros titre de presse).

Inspirez-vous de ces réflexions ou d'une autre expérience quotidienne intéressante pour rédiger les premières lignes de votre journal. Les tableaux de vocabulaire de la page 48 vous donneront quelques formules utiles.

2. Deuxième jour : commenter un événement de l'actualité

a) Faites la liste des remarques que les débuts de l'exploration de Mars inspirent au journaliste Gérard Dupuy.

b) Rédigez en une dizaine de lignes le commentaire d'un événement de l'actualité qui vous a marqué(e).

PROJET

POUR PASSER DES FAITS AUX IDÉES QU'ILS SUGGÈRENT

■ **L'exemple de** ... – Le cas de ... – La situation de ... – Les observations qui ont été faites, à propos de ... – La nouvelle de ... – L'aventure vécue par ... montre ... révèle ...

■ **Démonstration.** Ce fait montre ... démontre ... prouve ... confirme / infirme l'idée que ... – C'est un argument en faveur de ... une preuve de ... la confirmation de ...

■ **Révélation.** Ce fait révèle ... met en lumière ... éclaire (d'un jour nouveau) le problème de ... – On peut y déceler la manifestation de ... – Il est symptomatique de ... – On peut y voir le symptôme de ... – Il nous permet de découvrir ...

■ **Signe.** Ces faits sont le signe de ... sont significatifs de ... – Ils reflètent (ils sont le reflet) des préoccupations de ... – Ces faits indiquent que ... (constituent des indications sur ...) – Ces faits sont d'une portée capitale ...

■ **Conclusion.** Ces faits nous permettent de conclure que ... à ... – On peut en tirer la conclusion que ... – On peut en déduire (que) ... – Ils nous permettent d'établir ...

■ **Interrogation.** Le cas de ... suscite des remarques (des réflexions) – Cette situation donne à réfléchir – Ces faits nous interpellent ... méritent réflexion.

■ **Poser un problème.** Ces observations posent le problème de ... (la question de savoir si ...). – Ces observations font problème ... font question *(jargon intellectuel).* – Elles mettent en cause (remettent en cause) l'idée de ... – Elles mettent en question (remettent en question) l'idée de ...

POUR PASSER DES IDÉES AUX FAITS QUI LES ILLUSTRENT

■ **L'idée** (le concept, la notion) de liberté (que les hommes sont libres) ... – La remarque à propos de ... – Les réflexions sur ... – Les propos sur ...

■ **Manifestation.** Cette idée se manifeste par ... – Elle s'incarne dans ... – Elle prend corps avec ... – Elle se matérialise dans ...

■ **Exemples.** Cette idée est illustrée par ... – Un exemple (une illustration, une preuve, etc.) de cette idée est (se trouve) ... – C'est le cas de ... – Pièce à porter au débat (à verser au dossier) ...

3. TROISIÈME JOUR : À PROPOS D'UNE IDÉE

a) Faites le travail d'écoute du document sonore.

b) Rédigez un paragraphe dans votre journal pour donner votre propre interprétation du bonheur ou de la violence. Vous pouvez également réfléchir sur une idée de votre choix ou sur l'une des pensées suivantes.

(Utilisez le vocabulaire des tableaux ci-contre et du tableau** « Définir une notion » **de la page 38.)

« On se prend souvent pour quelqu'un, alors qu'au fond on est plusieurs. » *Raymond Devos*

« La culture, c'est comme la confiture, moins on en a, plus on l'étale. » *Anonyme*

« Le monde entier est un spectacle et tous les hommes et les femmes n'en sont que les acteurs. » *Shakespeare*

« La poule n'est que le moyen pour l'œuf de faire un autre œuf. » *Samuel Butler*

INTERVIEW À LA RADIO PHILOSOPHIE DU BONHEUR ET DE LA PAIX

■ **Préparation à l'écoute**

Situation : dans *Radioscopie,* émission qu'il a longtemps animée à la radio, le journaliste Jacques Chancel bavarde avec Jacques-Yves Cousteau, célèbre explorateur des mers et des océans et défenseur de l'environnement.

Vocabulaire : **avoir la tête farcie** de ... (avoir la tête encombrée d'idées, d'informations que les médias ou l'éducation nous imposent) – **un ébéniste** (artisan qui fabrique des meubles) – **être malheureux comme les pierres** (expression imagée : être très malheureux) – **se comporter comme des moutons bêlants** (adopter les opinions de tout le monde).

■ **Écoute du document**

Complétez ce passage d'un compte rendu de presse de l'émission dont vous venez d'écouter un extrait :

« Jacques-Yves Cousteau nous livre sa propre définition du bonheur. Tout d'abord, il s'oppose à l'idée ... Bien au contraire ... le bonheur s'obtient sous deux conditions ...
Quant à la violence sous toutes ses formes qui règne dans le monde, c'est pour lui ... »

4. Quatrième jour : notes après un spectacle

a) Lisez ci-dessous des extraits d'une scène de la série télévisée « Palace ».

b) Par groupe de cinq étudiants :
– notez et expliquez les effets comiques ;
– à partir des indications entre crochets, imaginez et rédigez le passage qui a été coupé ainsi que la fin de la scène ;
– imaginez les attitudes, les mimiques, les mouvements et les déplacements des personnages.
Interprétez ou jouez la scène.

c) Énumérez les grands sujets de réflexion suscités par cette scène.

d) Rédigez en quelques lignes dans votre journal :
– soit un commentaire de cette scène,
– soit des réflexions à propos d'une scène que vous avez vue à la télévision, au théâtre ou au cinéma.

L'immortel

Dans l'une des chambres d'un palace de luxe, un membre de l'Académie française (M. Roquefort) est allongé sur le lit visiblement très malade. Il a son chapeau d'académicien sur la tête. Ses vêtements verts d'académicien et son épée d'académicien sont rangés sur une chaise. Sa secrétaire Zézette et un médecin sont à son chevet.

L'ACADÉMICIEN : Docteur, je sens que je vais mourir.
LE DOCTEUR *(dubitatif)* : Oui... C'est toujours possible.
L'ACADÉMICIEN : Le cœur, sans doute ?
LE DOCTEUR *(après avoir écouté au stéthoscope)* : Rien d'anormal...
L'ACADÉMICIEN : Je sens que je vais passer... d'une seconde à l'autre... Zézette ? Vous êtes là, Zézette ?
ZÉZETTE *(pleurant)* : Oui, monsieur.
L'ACADÉMICIEN : Allez chercher le directeur. Je ne veux pas qu'il rate mon mot de la fin.
LE DOCTEUR : Allons, allons... Il ne faut pas être pessimiste.
ZÉZETTE : J'y vais monsieur.

[Zézette sort et va chercher le directeur de l'hôtel. Celui-ci manifeste d'abord sa mauvaise humeur car il a déjà été appelé pour le même motif. Finalement, il s'exécute.]

LE DIRECTEUR *(à voix basse)* : Il est mort ?
LE DOCTEUR : Non, il se concentre.
L'ACADÉMICIEN *(sans ouvrir les yeux)* : Zézette, c'est vous ?
ZÉZETTE *(émue aux larmes)* : Oui, maître.
L'ACADÉMICIEN : Le directeur est là ?
LE DIRECTEUR : Oui, maître, je vous écoute.
L'ACADÉMICIEN : Zézette, vous avez votre calepin ?
ZÉZETTE *(le crayon en arrêt)* : Je suis prête.

L'académicien rassemble ses forces, arrive à relever légèrement la tête et prononce avec difficulté.

L'ACADÉMICIEN : J'ai gagné de nombreuses batailles mais j'ai perdu la guerre de la vie !

Il pousse un terrible râle mortel, sa tête retombe sur son oreiller. Il ne bouge plus. Zézette, qui a noté fébrilement, éclate en sanglots.

⇨

ZÉZETTE *(en pleurs)* : Ça y est, il est parti pour toujours ! Que c'était beau sa dernière parole...

LE DIRECTEUR : Pas mal. Bon je vous laisse... Je fais prévenir les pompes funèbres...

L'ACADÉMICIEN *(relevant soudain la tête)* : « Pas mal ? » Comment « pas mal » (*il répète sa dernière phrase en l'articulant exagérément*). J'AI GAGNÉ DE TRÈS NOMBREUSES BATAILLES MAIS J'AI PERDU LA GUERRE DE LA VIE.

LE DIRECTEUR : Oui, c'est ce que j'avais compris.

L'ACADÉMICIEN : Et vous trouvez ça « pas mal » ?

LE DIRECTEUR : Oui... C'est classique, ça sonne bien, mais enfin ce n'est pas du grand Roquefort...

LE DOCTEUR : C'est vrai, je ne sais pas, il y a quelque chose d'un peu « pompier » dans le style...

L'ACADÉMICIEN : « Pompier » ! Il faudrait savoir, hier je vous ai proposé « Dieu, mets un couvert de plus, j'arrive » et vous avez trouvé ça trop petit, trop bande dessinée pour un académicien...

LE DIRECTEUR *(impatient)* : Bon, maître, vous en essayez un autre parce qu'il faut que j'y aille moi...

[L'académicien va alors imaginer plusieurs « mots de la fin » qui seront commentés et jugés insatisfaisants par l'assistance.]

Roland TOPOR et Michel RIBES, *Palace*, Actes Sud, 1989.

5. CINQUIÈME JOUR : EN FLÂNANT DANS LES MUSÉES

a) Commentez l'œuvre du sculpteur Pagès et les deux opinions sur l'art moderne.

b) Comparez l'œuvre de Pagès et celle de Gauguin en vous posant les questions suivantes :

- Qu'ont-ils voulu représenter ?
- Quelle est la signification de leur démarche créatrice ?
- Quel est le sentiment qui les a motivés ?
- Quel est l'effet produit sur vous par ces deux œuvres ?

c) Rédigez dans votre journal quelques lignes de réflexion sur l'une de ces œuvres ou sur une autre œuvre d'art qui vous a frappé(e).

Dans une démarche qui s'apparente à celle de l'Art pauvre, Bernard Pagès juxtapose différents matériaux ou objets qu'il colore savamment créant des polyphonies incongrues et des univers hérissés et burlesques.
Artiste hybride et méditerranéen, il sait associer un travail des formes à un sens lyrique de la polychromie et de la symétrie qui n'est pas sans évoquer certaines formes anciennes de l'art.

D'après le ***Dictionnaire de l'art moderne et contemporain***, Hazan, 1992.

Bernard Pagès, ***Colonne en bois, marbre, crépi*** (1982), collection de l'artiste.

Paul Gauguin, *Ta Matete (1892),* Kunstmuseum de Bâle.

1er avril

L'art contemporain relevant de la farce, ce premier jour d'avril est bienvenu pour l'aveu d'une opinion.
L'art moderne ne retourne pas, comme on pourrait le croire, à la barbarie mais s'égale à la création divine. Comme le Bon Dieu, nos sculpteurs sculptent des pierres en forme de pierres et imitent le Créateur qui sculpta les Alpes et les rochers de Fontainebleau. Nos musiciens fabriquent des bruits et nos peintres peignent des couleurs. Comme à l'origine de la Création, il n'y a plus d'homme, mais de la nature inhumaine et pure. Lors, nos artistes se prennent sérieusement pour des dieux et se prétendent créateurs absolus. Leur orgueil est sans limites et, normalement, nous devrions les enfermer dans des asiles. Pourtant, non seulement ils circulent en liberté mais des visiteurs, dans galeries et musées, regardent respectueusement cailloux et taches de couleurs exposés. Au concert, écoutent des bruits. Tout est messe incompréhensible, donc manifestation du divin.

Jean Cau, ***Composition française,*** Plon, 1993.

COMMENTAIRE D'UNE ŒUVRE D'ART

Représentation

- Ce tableau représente ... dépeint ... met en scène ... illustre ... figure ... donne à voir ...
- Au premier / second plan ... En fond ... En gros plan ...

→ Le détail (un élément) / l'ensemble (l'environnement) – Les lignes (les traits) créent des espaces, des formes ...

→ Les couleurs (les tonalités de rouges) suscitent des harmonies, des oppositions ...

Expression

Ce tableau (ces formes, ces couleurs) exprime (est l'expression de) ... évoque un sentiment de joie ... donne (rend) une impression d'étrangeté – Le style (la manière) exalte un sentiment de ... Ce que l'artiste donne à voir invite à une réflexion sur ...

Traduction

L'artiste traduit ... interprète ... transpose ... transfigure le réel (la réalité), son vécu (ses sentiments) ... – Tel détail symbolise (est le symbole de ...)...

ANALYSES ET COMMENTAIRES

9. Enfants de Descartes

Quand les Français se disent « cartésiens », ils se réfèrent à des valeurs de clarté, de méthode, d'ordre mais aussi de scepticisme.
Nous repérerons ces valeurs dans leurs goûts et leurs habitudes, leur conception de l'État, leur humour, ainsi que dans leur façon d'organiser les textes.

Victor Vasarely, Créature-Zoeld *(1976), collection privée.*

René Descartes (1596-1650)

Né en Touraine, le jeune Descartes se passionne très tôt pour les mathématiques et rêve d'en étendre le champ d'application aux autres sciences. Bizarrement, ce philosophe français passera peu de temps en France. Il s'engagera dans les troupes du duc de Bavière, voyagera en Europe et finira par s'exiler en Hollande en apprenant la condamnation de Galilée par l'Inquisition.
Selon les règles qu'il fixe dans son Discours de la méthode, *la démarche scientifique est d'abord fondée sur un* ***doute*** *volontaire qui est une mise en question radicale des « préjugés des sens et de l'enfance ». L'expérience du doute est d'ailleurs la seule preuve de l'existence de la pensée et de celui qui pense (« Je pense donc je suis. »).*
L'accès à la connaissance et à la vérité se fera donc par la seule ***raison*** *dans un souci d'****ordre*** *et de* ***logique*** *: primauté des* ***idées claires et distinctes*** *;* ***analyse*** *et réduction de la complexité à des éléments simples ; démarche qui procède par* ***intuition*** *et par* ***déduction*** *;* ***dénombrements*** *et* ***inventaires*** *aussi exhaustifs que possible.*
Dans cette quête de la connaissance, les choses et les êtres vivants devront être considérés comme des ***assemblages d'éléments*** *régis par des* ***mécanismes*** *que l'homme de science aura pour tâche de décrire et d'expliquer.*

1. L'esprit cartésien

a) Lisez la présentation de la philosophie de René Descartes.

b) Faites le travail d'écoute du document sonore.

c) Recherchez d'autres exemples de l'esprit cartésien :

– dans les illustrations de cette double page,
– dans d'autres réalités françaises (les jardins publics, la façon de s'aborder, etc.).

Comparez avec les comportements dans votre pays.

MICRO-TROTTOIR « SPÉCIALITÉS » FRANÇAISES

Cinq personnes sont interrogées sur leurs goûts et leurs habitudes.

■ **Écoutez le document et complétez le tableau.**

	1	2	...
Sujet abordé	l'enseignement de la grammaire	...	...
Critère de qualité ou justification	connaissance des règles ...	...	...

■ **Regroupez les critères de qualité et les arguments pour dégager des traits de mentalité communs à ces personnes.**

■ **Faites des comparaisons avec les mentalités de votre pays.**

2. Le Nouveau Roman

a) Lisez la première page de Dans le labyrinthe. ***Relevez tout ce qui vous paraît étrange ou incohérent.***

b) Recherchez les manifestations de l'esprit cartésien :

– dans la présentation du décor et des personnages,
– dans la façon de décrire.

c) Comparez cette page avec le début d'un roman traditionnel (un roman de Balzac, de Dickens ou de Dostoïevski par exemple).

Dans les années 60, l'écrivain Alain Robbe-Grillet et quelques autres comme Michel Butor et Nathalie Sarraute proposèrent une nouvelle conception du roman choquante pour le grand public. Voici la première page d'une de ces œuvres appartenant au courant littéraire appelé le Nouveau Roman.

Je suis seul ici, maintenant, bien à l'abri. Dehors il pleut, dehors on marche sous la pluie en courbant la tête, s'abritant les yeux d'une main tout en regardant quand même devant soi, à quelques mètres devant soi, quelques mètres d'asphalte mouillé ; dehors il fait froid, le vent souffle entre les branches noires dénudées ; le vent souffle dans les feuilles, entraînant les rameaux entiers dans un balancement, dans un balancement, balancement qui projette son ombre sur le crépi blanc des murs. Dehors il y a du soleil, il n'y a pas un arbre, ni un arbuste, pour donner de l'ombre, et l'on marche en plein soleil, s'abritant les yeux d'une main tout en regardant devant soi, à quelques mètres seulement devant soi, quelques mètres d'asphalte poussiéreux où le vent dessine des parallèles, des fourches, des spirales.

Ici le soleil n'entre pas, ni le vent, ni la pluie, ni la poussière. La fine poussière qui ternit le brillant des surfaces horizontales, le bois verni de la table, le plancher ciré, le marbre de la cheminée, celui de la commode, le marbre fêlé de la commode, la seule poussière provient de la chambre elle-même : des raies du plancher peut-être, ou bien du lit, ou des rideaux, ou des cendres dans la cheminée.

Alain Robbe-Grillet, ***Dans le labyrinthe,*** Éditions de Minuit, 1959 et 1962.

Les nouveaux enjeux de la laïcité

Le principe est pourtant sans ambiguïté. En se définissant comme laïque dans le premier article de sa Constitution, l'État français signifie qu'il se situe en dehors de la sphère religieuse, qu'il reconnaît toutes les confessions et reste neutre à leur égard. Réciproquement, les différentes organisations religieuses ne s'autorisent aucune ingérence dans les institutions de la République. C'est ce contrat qui fonde la liberté du citoyen en matière de pensée religieuse.

Toutefois, la mise en pratique de l'idéal laïque ne se fait pas sans accroc. Régulièrement, la France se divise en deux camps qui s'affrontent dans des débats virulents. Je ne parlerai pas ici de ceux qui opposent depuis longtemps les défenseurs de l'école laïque et ceux de l'école privée[1] mais d'un nouveau clivage qui est apparu récemment à deux occasions : en 1989, lorsque quelques jeunes filles musulmanes se sont présentées à leur collège coiffées d'un foulard selon les préceptes de leur religion et en 1996 quand le pape Jean-Paul II a assisté aux cérémonies du 1 500e anniversaire du baptême de Clovis[2]. Là se sont opposés, d'un côté, les partisans d'une laïcité sans concession et, de l'autre, ceux d'une laïcité plus adaptée aux réalités d'aujourd'hui.

Je voudrais montrer que ces querelles me semblent d'un autre temps. Car les enjeux de la laïcité ne sont plus ce qu'ils étaient. Plus exactement, l'enjeu majeur de la laïcité – la liberté du citoyen – s'inscrit dans un contexte totalement nouveau.

De la Révolution jusqu'au milieu du XXe siècle, il s'est agi de déposséder l'Église catholique des pouvoirs, des monopoles, des influences qu'elle exerçait dans de nombreux domaines. C'est désormais chose faite. La justice, l'état civil, la santé et la quasi-totalité de l'éducation sont depuis longtemps du ressort de l'État. Toutes les religions ont droit de cité et Galilée ne serait plus inquiété pour avoir fait une découverte scientifique contraire à un dogme religieux. Ce qui est nouveau en revanche, c'est le paysage culturel et religieux de la France. L'Église catholique affaiblie n'affiche plus les mêmes prétentions. L'islam est devenu la deuxième religion de France. Le bouddhisme se développe avec l'immigration en provenance d'Asie du Sud-Est. La société française devient pluriethnique, pluriculturelle, plurireligieuse et l'école en est le reflet.

Et c'est bien là l'enjeu majeur de la laïcité d'aujourd'hui. Faire en sorte que les enfants de ces écoles se parlent, comprennent leurs différences et qu'au-delà de ces différences, ils se retrouvent dans des valeurs universelles. Faire en sorte qu'en dehors de l'école, les médias, les associations, les familles puissent participer à cet effort d'information et de compréhension mutuelles. Deux changements d'attitudes pourraient y aider.

Tout d'abord, les passions seraient sans doute moins exacerbées si ceux qui influent sur l'opinion consentaient à une meilleure appréciation des faits. Professeur à l'École pratique des hautes études (seule université française où l'on étudie laïquement et scientifiquement les phénomènes religieux), Jean Baubérot[3] a bien montré que dans l'affaire des foulards islamiques, ce qui n'était somme toute que le symbole d'une appartenance religieuse (au même titre que la kippa juive et la croix chrétienne) avait été perçu comme le premier acte d'un groupe cherchant à imposer une organisation sociale contraire aux lois de la République (l'inégalité des hommes et des femmes par exemple). C'était mal connaître la communauté musulmane française dans sa grande majorité. À confondre le symbole d'une identité avec une agression, la laïcité manque à sa mission d'objectivité et de neutralité.

Le deuxième changement d'attitude consisterait à prendre davantage en compte la dimension religieuse dans l'acquisition des connaissances scolaires. Professeur d'histoire et formatrice, Nicole Allieu[4] met en parallèle la profonde inculture religieuse de beaucoup de jeunes avec une demande lisible dans les médias et dans les sondages, qui « s'exprime en termes d'éducation à la tolérance et d'accoutumance au pluralisme culturel et religieux ». Répondre à cette demande consisterait par exemple à ne pas occulter le fait que de nombreuses œuvres artistiques et littéraires, de nombreux faits historiques ne peuvent se comprendre sans une culture religieuse. Il s'agirait aussi d'apprendre à écouter le point de vue de l'autre et à appréhender les connaissances certes selon une démarche scientifique mais aussi dans leurs dimensions religieuse et personnelle.

Certains répliqueront qu'on met le doigt dans un engrenage fatal. D'autres craindront que l'école ne falsifie la vérité de leur religion. C'est un risque à courir face à d'autres risques : l'incompréhension mutuelle et le repli sur soi des communautés.

J. G., avril 1998.

---

1. l'enseignement privé scolarise 10 % des élèves. Il reçoit des subventions de l'État qui contrôle la formation des enseignants et les programmes. **2.** Clovis (466-511) : roi des Francs qui avaient envahi le nord de la Gaule romaine. Grâce aux armes et à sa conversion au catholicisme, il conquiert un vaste territoire considéré comme le premier royaume de France (royaume des Francs). La commémoration de son baptême avait donc un caractère à la fois historique et religieux.
3. *Vers un nouveau pacte laïque*, Le Seuil, 1990. **4.** *Laïcité et culture religieuse à l'école*, ESF, 1996.

3. L'organisation du texte

a) Lisez le texte ci-dessus et définissez brièvement l'objectif de l'auteur.

b) Lisez le tableau ci-contre. Analysez l'organisation du texte. Faites un compte rendu de cette organisation en résumant chacune des parties.

« L'auteur pose le problème de … Il aborde cette question en …

Dans une première partie … »

4. Les « voix » du texte

Faites la liste des différentes personnes ou groupes qui expriment directement ou indirectement une opinion dans ce texte. Notez cette opinion.

Exemple :

L'État français → exclut toute ingérence du domaine religieux dans le domaine civil et vice versa. Ambiguïté, car dans les faits, il aide les écoles privées.

5. Comparaisons

Mettez en relation chaque partie de ce texte avec les réalités de votre pays ou d'autres pays que vous connaissez.

Exemple : Statuts de l'État et des confessions.

En Angleterre, le souverain est chef de l'Église anglicane qui est soumise à un contrôle du Parlement. Mais l'Église anglicane n'a pas de monopoles…

ORGANISATION GÉNÉRALE DES TEXTES D'INFORMATION, DE RÉFLEXION ET D'ARGUMENTATION

Nous donnerons seulement ici les moyens qui permettent de rendre compte de l'organisation d'un texte.

■ 1. L'introduction (voir p. 83)

L'auteur y justifie son futur développement. Il fixe son objectif, expose son projet ou pose un problème.

• En introduction … – En préambule … – En avant-propos …
L'auteur introduit son sujet par / en … – Il attire l'attention du lecteur sur … – Il aborde la question, le problème de …
Le texte s'ouvre sur … démarre sur …

■ 2. Le développement

Quel que soit le type de développement (description, présentation d'informations, explication, démonstration, etc.) il doit être clair, logique et cohérent.

• Un développement en deux parties (deux temps, deux moments).
Dans une première partie (un premier paragraphe), l'auteur expose … – La première partie est consacrée à un rappel historique … à l'examen de ...
L'auteur passe ensuite à … enchaîne avec …
Une explication succède à … fait suite à …
Une anecdote sert de transition.
L'auteur donne l'exemple de … cite … évoque un souvenir personnel.

■ 3. La conclusion

L'auteur résume son propos, trace des perspectives, évoque un problème annexe.

• Le texte se termine, se conclut, se clôt sur …
En conclusion … – Pour finir, l'auteur rappelle …

LA TOURAINE. IMAGE IDÉALE DE LA FRANCE

Dans *Les Hexagons*[1], le journaliste Alain Schifres fait avec humour l'inventaire des clichés, des idées reçues, des représentations héritées du passé qui composent l'imaginaire français. Il parle ici de la Touraine et des Tourangeaux.

On trouve toujours un Tourangeau pour vous persuader qu'il est au cœur du monde civilisé. Ce pays proportionné (l'Hexagone) serait taillé sur le patron d'une harmonie particulière : celle, forcément, de la région Centre. Un conservatoire de la modération, où les classes moyennes viennent acheter des vins frais à prix moyen. Où le vouvray[2] fut la boisson du juste milieu des jeunes cadres, entre champagne et petit blanc.
La région Centre marque le triomphe de l'esthétique *ni ni*. Ce curieux mimétisme s'observe tous les jours. Dans un dossier qu'il consacre à cette « vieille terre de radicalisme[3] », *Le Monde* nous apprend qu'il y a ici une tradition qui est de gauche et une majorité qui est de droite et que l'on décèle, par raffinement de symétrie, au sud-est de l'extrême gauche, au nord-ouest de l'extrême droite. Bref, le Centre comme maquette du pays : « *La région Centre, c'est la France, avec ses équilibres, ses problèmes* » (Jean-François Deniau, qui préside le conseil général du Cher). Le Centre comme carrefour de l'histoire : « *C'est la confluence entre l'héritage du passé et les acquis du progrès* » (Jack Lang, qui est maire de Blois). Le Centre comme paysage idéal : « *L'écologie telle que je la vois s'accorde au tempérament de la Touraine et du Val-de-Loire* » (Brice Lalonde, qui est conseiller régional de l'Indre-et-Loire). On est *art de vivre* ici comme on est *too much* au Texas.
Même les industries sont légères. C'est à Orléans qu'on trouve l'Institut français de l'environnement et à Tours l'Institut français du goût. « *Vous êtes au centre de la rose des vents* », m'a dit avec orgueil un citoyen de cette ville forcément moyenne, « *exactement à la limite de l'influence atlantique et du climat continental* ».
« *C'est dans notre ville que les communistes se sont séparés des socialistes en 1920*[4] », poursuivit mon guide, comme s'il y voyait une conséquence du climat. Suite à l'affrontement de l'« atlantique » et du « continental ». Son doigt pointa vers le sud : « *Nous recevons également les effluves du Midi, grâce à quoi l'ensoleillement est plus important qu'il n'y paraît.* » Pour faire bonne mesure, il m'indiqua d'un geste ferroviaire la direction de Saint-Pierre-des-Corps, « *qui est une plaque tournante* », et d'une main qui ondule, « *les coteaux qui succèdent aux plateaux* ».
Après l'averse, nous avons contemplé la « lumière de la Loire » : dans l'Hexagone, la qualité de la lumière annonce des mœurs éclairées. De même que la prétendue clarté du français plaide en faveur de sa présumée logique. En Touraine surtout, où l'on parle, comme il convient à cette espèce de point zéro, sans accent. Bref, on vient de loin examiner des êtres singuliers à force d'être normaux et qui, sans être sortis des écoles, parleraient un français venu de la Pléiade.

Alain SCHIFRES, ***Les Hexagons***, Robert Laffont, 1994.

1. mot inventé par l'auteur : les habitants de l'Hexagone (la France). 2. nom d'un vin de la région. 3. parti politique républicain et laïque créé au XIXe siècle et situé aujourd'hui au centre de l'échiquier politique. 4. c'est au congrès de Tours que les partisans d'une révolution sur le modèle soviétique quittèrent le parti socialiste.

Le château d'Azay-le-Rideau sur les bords de l'Indre.

La Touraine est une région de la vallée de la Loire qui comprend les villes de Tours, d'Amboise, de Chinon et de Blois. Du milieu du XVe siècle jusqu'au milieu du XVIe, les rois de France et leurs cours y résidèrent et y firent construire de magnifiques châteaux. Cette période de paix civile (la Renaissance) fut brillante dans tous les domaines culturels. L'aristocratie ainsi que des artistes et des écrivains comme Rabelais ou les poètes de la Pléiade (Ronsard, Du Bellay) cultivèrent un art de vivre où le goût du luxe, le culte de la beauté, le sens de la courtoisie et de la galanterie se mêlaient aux plaisirs de la table et des activités physiques. En 1539, le roi François Ier imposa l'usage du français parlé par la cour

6. Images et représentations

a) Situez la Touraine sur la carte (intérieur de la couverture à la fin du livre) et lisez la légende de la photo ci-dessus.

b) Lisez le texte d'Alain Schifres. Faites la liste des sujets évoqués à propos de la Touraine et des représentations (idées, images, etc.) qui y sont rattachées.

Exemple :

Situation → au cœur du monde civilisé
→ au centre de la France

Géographie → proportionnée
→ …

Production de vins (vouvray) → …

c) Relevez et classez les mots et expressions qui suggèrent les idées suivantes :

– le milieu : au cœur de …
– l'équilibre : proportionné …
– la clarté : …

d) Appliquez la démarche d'Alain Schifres à l'une des régions de votre pays. Regroupez les idées reçues et les représentations autour de deux ou trois mots clés.

7. Le vocabulaire de l'espace

En bons cartésiens, les Français cultivent un goût immodéré pour le vocabulaire de la géométrie et de l'espace.

a) Reformulez le texte suivant sans employer les mots qui appartiennent au vocabulaire de l'espace :

La conférence que l'économiste Pierrot Carré a faite hier à l'espace forum devant un cercle de chefs d'entreprise s'inscrivait dans le cadre du pôle industriel de Beaulieu à l'horizon 2010. Mettant en parallèle l'évolution de ce site avec celui de Montagnac, il a tracé de sombres perspectives pour l'avenir. Il a préconisé un recentrage des activités, la délocalisation de certaines unités de production ainsi qu'un rééquilibrage de la pyramide des âges des ouvriers (50 % ont plus de 50 ans).

b) Comment dire en utilisant le vocabulaire de l'espace ? Trouvez l'équivalent dans la colonne de droite.

• se présenter	• le triangle amoureux
• s'adapter	• un exclu, un marginal
• exagérer	• au niveau de …
• un clochard	• dépasser les bornes
• le mari, la femme, l'amant	• Il est un peu utopiste sur les bords.
• en ce qui concerne …	• se situer,
• Dans certaines situations il n'a pas le sens des réalités.	• s'insérer

DOSSIER - DÉBAT

10. Sociétés pluriculturelles

Dans une société, la cohabitation de communautés qui ont des modes de vie différents, des histoires différentes et qui ne parlent pas la même langue peut être source d'enrichissements mais aussi de conflits. Vous vous pencherez sur ce débat en travaillant plus particulièrement l'enchaînement des idées et des arguments.

New York, une ville où près de cent communautés culturelles cohabitent.

À trois heures de route de New York : la communauté des Amish

« *Tous mes ancêtres étaient paysans et mes enfants le seront !* » confie David Ash, trente-sept ans, l'œil bleu passé, cheveux blonds et barbe taillée à l'*amish way*. David est un Amish « *regular* » ou « *normal* » donc conservateur, comme la plupart des vingt-cinq mille âmes de sa communauté du comté de Lancaster.

D'autres sont qualifiés d'« ultras » ou de « mous » ! Sur sa ferme de 27 hectares à Gordonville, il cultive la terre sans machine agricole, avec ses mules[1] pour seule aide. Un cheval tracte le « *buggy* », étroite carriole grise fermée, qu'on utilise pour chaque déplacement. Ici, on ne se sert ni de voiture ni même de bicyclette, le caoutchouc et surtout les pneumatiques, synonymes de vitesse, étant interdits.

Comme tous les soirs à la tombée du jour, David avance, pieds nus, jusque dans l'étable, à la seule lueur d'une lampe à pétrole qui fait danser son ombre. Il est suivi de son fils aîné Alan, dix-sept ans, qui remplit les mangeoires de foin et de maïs concassé. Pour traire ses trente-cinq vaches, David pose à terre son obligatoire chapeau de paille. Ses vêtements, comme ceux de la communauté, viennent de chez Kaufmann ou de chez Zimmermann, à Intercourse, la ville la plus proche : chemise grossière, bretelles et pantalon de coutil[2] noir à braguette « soldat suisse »[3]. On ne verra jamais un Amish arborer une moustache ou bien une veste à boutons, des attributs réservés aux militaires. Car les Amish sont pacifistes. Toute leur existence s'articule encore autour de la Bible et de l'interprétation qu'en donna Jacob Amman, fondateur de la communauté. Un conseil d'évêques-paysans veille sur l'application de leurs sévères principes. D'une suspicion sans bornes à l'égard du progrès qui les éloigne de leur identité, ils ont donc décidé d'arrêter le cours du temps.

Dans le comté de Lancaster, le prix des terres agricoles est si exorbitant (100 000 F l'hectare, soit 3,5 fois plus que la moyenne en Pennsylvanie) que l'installation des jeunes pose problème ! Mais sans éducation autre que le strict nécessaire « pour faire un bon paysan et père de famille », les Amish n'ont guère d'autre choix. « *La Pennsylvanie a été le refuge de nos ancêtres persécutés en Europe jusque dans les années 1840 pour leur foi. Son relief en collines verdoyantes pouvait rappeler la Suisse, l'Allemagne et l'Alsace dont nous sommes tous originaires. Et puis, c'est la campagne ! Les grandes familles de paysans que nous sommes ne peuvent pas vivre en ville* », affirme David dans un large sourire. Grâce aux résultats des fermes amish, le comté de Lancaster bat tous les records de rendement et de qualité aux États-Unis pour le lait, les poulets, les œufs et le bétail. *« Nous n'utilisons pas l'électricité, nos évêques l'interdisent »*, explique David. Il faut cependant parfois trouver des arrangements et faire des entorses[4] aux stricts préceptes de la communauté. Ils emploient par exemple des générateurs Diesel pour réfrigérer les réservoirs de lait, une obligation sanitaire imposée par les laiteries. Autre concession à la modernité : une petite cabine téléphonique extérieure à la maison pour *« ne recevoir et donner que les appels indispensables aux activités de la ferme, pas pour papoter »*.

Les Amish prétendent vivre heureux, sans crime, sans électricité, sans photographie et sans machinisme agricole moderne. Tout prouve qu'ils le sont. Mais pour combien de temps encore ?

Michel LASSEUR,
Voyager Magazine, octobre 1997.

---

1. animal issu du croisement de l'âne et de la jument. **2.** toile grossière. **3.** ancien mode d'ouverture sur le devant d'un pantalon d'homme (pièce de tissu qui se boutonne). **4.** fait de ne pas respecter les préceptes.

1. La culture amish

Lisez le texte ci-dessus. Relevez et classez les particularités de la culture amish.

Religion et croyances : ...
Organisation de la société : ...
Population : ...
Économie : ...
Vêtements et vie quotidienne : ...

2. Définition du mot « culture »

(Travail en petits groupes)

a) Complétez la liste des différentes particularités qui permettent de caractériser une culture (au sens de culture européenne, chinoise, maori, etc.).

b) Rédigez une définition précise du mot « culture ».

3. Sociétés et groupes humains

Présentez les caractéristiques culturelles d'une société que vous connaissez bien :

– sociétés disparues (la société égyptienne dans l'Antiquité) ;

– minorités culturelles intégrées dans un pays (les Basques en France et en Espagne) ;

– sociétés ayant conservé leurs spécificités (les Dogons du Mali).

SOCIÉTÉS ET GROUPES HUMAINS

Les sociétés

Un groupe, un groupement, un peuple, une collectivité, une communauté – une ethnie (critère socio-culturel) – une civilisation (critère historique) – un clan, une tribu (critère de cohésion quasi familiale) – une race (critère biologique très contesté) – un membre du groupe – un individu.

Les particularités

Les particularités, les particularismes, les caractères distinctifs, les caractéristiques, la singularité de cette société ...
Cette société se distingue (se différencie) de ... par ...
Elle se caractérise par ... Les modes de vie contrastent avec ...

L'identité (ensemble des modes de vie, des croyances, etc., dans lesquels les individus d'une société se reconnaissent).
La culture commune aux membres du groupe.
La cohésion, l'unité d'une société.

Les minorités ethniques ou socioculturelles

Un pays peut respecter, protéger les minorités. Il peut chercher à les intégrer (l'intégration), à les assimiler (l'assimilation).
Un pays peut isoler, exclure ses minorités. Il peut pratiquer la ségrégation, la ghettoïsation (un ghetto).
Une minorité peut rester en marge, revendiquer son identité, son autonomie, son indépendance. Elle peut s'adapter, s'intégrer, se fondre dans le reste de la société.

L'ENCHAÎNEMENT DES IDÉES ET DES ARGUMENTS

1. Succession d'arguments convergents

• *Premier argument :* D'abord ... Premièrement ... Tout d'abord ... En premier lieu ... Pour commencer ... De prime abord, il est évident que ... Nous commencerons par remarquer que ...

• *Arguments suivants :* Ensuite ... Deuxièmement ... En second lieu ... Par ailleurs ... De même ... En outre ... Autre fait (information, etc.) ... On peut ajouter ...

• *Deux arguments :* D'une part ... D'autre part – D'un côté ... De l'autre (ces formes peuvent introduire une opposition) ...

• *Gradation :* En outre ... De plus ... On ne se contente pas de ... Il ne suffit pas de ...

• *Argument d'un ordre différent :* À propos de ... En ce qui concerne ... Quant à ... En matière de ...

• *Argument final :* Enfin ... En dernier lieu ... Pour finir ... Dernier point ... Une dernière remarque ... Enfin, argument sans appel ...

2. Introduction d'un argument divergent

En revanche ... Par contre ... Face à ce problème ... En contradiction avec cette idée ...
Inversement ... À l'inverse ... À l'opposé de cette idée ... Contrairement à ce que vous pensez ...

3. Idée de concession

a) Ordre : « Il pleut. Je sors. » (Le fait envisagé comme obstacle précède une conséquence inattendue.)

Obstacle	Conséquence contradictoire
Certes ... Sans doute ... Effectivement ... J'admets que ... Je vous accorde que ... Je reconnais que ... J'en conviens ... Je vous concède que ...	Pourtant ... Cependant ... Toutefois ... Malgré tout ... Néanmoins ... Il n'en reste (demeure) pas moins que ... Il n'empêche que ... Ça ne m'empêche pas de ...

b) Ordre : « Je sors. Il pleut. »

La deuxième phrase est introduite par :

Pourtant ... Et pourtant ... Et je vous fais remarquer que ... Et cependant ...

4. Autres mots de liaison

• « Or » donne une information complémentaire ou exprime une restriction dans un raisonnement en trois parties :
« Je lui dois 200 F. Or il me doit 100 F. Donc, je ne lui dois plus que 100 F. »

• « Encore que » exprime une idée de restriction à la fin d'un enchaînement.
« Mon fils est bon en maths. Il a eu de bonnes notes. Encore que sa dernière note n'a pas été brillante (n'ait pas été brillante). »

N.B. : les formes présentées ici concernent exclusivement l'enchaînement des phrases. Pour l'organisation des arguments dans la phrase, voir le niveau 3 de cette méthode.

4. Rédaction d'un texte d'informations : la situation des immigrés dans la ville de Los Angeles (États-Unis)

Un journaliste chargé de faire un article sur la situation des immigrés à Los Angeles a pris les notes ci-contre (pages 60 et 61). À partir de ces notes, vous devez rédiger un bref article.

a) Lisez les notes et repérez les idées principales que vous développerez dans votre article.

b) Lisez le tableau de grammaire ci-dessus.

c) Développez chacune des idées de votre article en portant une attention particulière à l'enchaînement des informations.

Exemple :

« La ville de Los Angeles accueille 20 % des émigrants des États-Unis. Certes, cela ne va pas sans problèmes. D'une part ... »

Interviews faites à Los Angeles.

Titre de l'article : **Une expérience de mélange des peuples**

Olivier Santos (originaire de Manille)

Arrivé à Los Angeles il y a 20 ans avec seulement 75 dollars en poche. Possède aujourd'hui une belle maison, deux grandes voitures. Ses enfants sont dans les meilleures écoles. Jamais il n'aurait pensé qu'il puisse en arriver là. Dans son quartier beaucoup d'étrangers. Dès son installation, son fils a été invité chez des voisins. Il y avait des enfants de toutes origines (Mexicains, Caraïbes, Asiatiques, etc.).

Juan (originaire du Salvador)

Clandestin. Sans papiers. Dès son arrivée, il a tout de suite trouvé du travail : petits boulots correctement payés. Il apprend l'anglais et il est logé chez sa sœur qui est en situation régulière. Il espère qu'un jour sa situation sera régularisée. Il affirme qu'à L.A. (Los Angeles), tout le monde a la volonté de s'intégrer. Il existe même une école où l'on prépare les étrangers à l'examen pour l'obtention de la citoyenneté américaine.

Une employée du service d'immigration

L.A. accueille 20 % de l'immigration des USA. 200 000 nouveaux résidents chaque année. Près de 100 nationalités différentes.
On ferme les yeux sur la présence de beaucoup de clandestins. L'économie, ici, a besoin de main-d'œuvre bon marché. On préfère mobiliser les personnels de contrôle sur la recherche des gros employeurs qui abusent de la situation des clandestins. Beaucoup d'entre eux seront régularisés.

Un sociologue

L'immigration pose des problèmes. Il y a des conflits entre les communautés. Des Américains de souche ont créé des « comités anti-immigration ». Certains immigrés doivent repartir dans leur pays.
L'afflux d'immigrés a redynamisé la ville. En 14 ans, le nombre d'entreprises créées par des étrangers a triplé. Par exemple, les entrepôts désaffectés du centre-ville ont retrouvé une nouvelle jeunesse avec les Asiatiques qui y ont développé des fabriques de jouets.

Un démographe

Les habitants de L.A. sont partagés : 49 % pensent qu'il y a ségrégation raciale et ethnique. Les autres sont optimistes.
Les divisions sociales disparaissent (mariages, rôle de l'école). Les divisions raciales s'accroissent.
Il y a un risque de balkanisation de l'Amérique : une Amérique jeune et multiculturelle – une Amérique traditionnelle et d'âge moyen (le comté d'Elbert au Colorado compte 96 % d'Américains de souche. Sa population s'est accrue de 60 % en 6 ans).

DÉBAT À LA RADIO
L'INTÉGRATION DES IMMIGRÉS EN FRANCE

■ Préparation à l'écoute

• *Situation :* La France compte 5 millions d'immigrés dont 1,5 million nés hors de France mais ayant la nationalité française et 1 million d'étrangers nés en France. 50 % des immigrés viennent du Maghreb ou des autres pays d'Afrique. Tout immigré rencontre des difficultés d'adaptation culturelle et d'insertion dans la société (emploi, relations, etc.). Ces difficultés se sont accrues pendant la crise économique des années 80 et 90.
Dans l'émission de radio « Le téléphone sonne », trois personnes répondent à la question d'une auditrice :
Éric Raoult : ministre délégué à la Ville et à l'Intégration.
Jean-Marie Bockel : maire de Mulhouse.
Souad Benani Schweizer : professeur de français.
Le débat est animé par *Alain Bédoué.*

• *Vocabulaire :* **au détriment de** (avec des désavantages pour ...) – **les racines** (ici, tout ce qui a constitué une culture d'origine) – **faire une croix sur** ... (décider d'oublier, d'abandonner quelque chose) – **un tronc commun** (ici, des connaissances, des règles, des valeurs communes) – **paupérisé** (rendu pauvre) – **un frein** (ici, un obstacle, un facteur de ralentissement) – **se leurrer** (se faire des illusions, se tromper) – **Jules Ferry** (homme politique de la IIIe République qui, en 1880, instaura l'école publique obligatoire, gratuite et laïque, facteur d'unification culturelle du territoire français et d'égalité des chances).

■ Écoutez le document

• En utilisant les formes d'expression de l'opposition et de la concession, donnez une définition contrastée de l'intégration et de l'assimilation.

• Faites la liste des différents facteurs d'intégration mentionnés par les participants.

Complétez éventuellement cette liste.

■ Opinion personnelle

On vous pose la question : « Si vous deviez émigrer en France, pensez-vous que vous vous adapteriez ? »

Faites une réponse argumentée en employant les formes du tableau de la page 60.

« Il y aurait d'abord le problème de la langue. Je reconnais que ... Malgré tout ... »

La fête du Têt à Paris.

La Belgique : laboratoire des identités

La Belgique est un État (monarchie constitutionnelle) indépendant depuis 1830. Il compte environ 10,5 millions d'habitants réunissant trois groupes linguistiques. La constitution belge distingue trois structures politiques :

Le niveau fédéral *(le roi, le gouvernement, le Parlement) chargé de la défense nationale, des affaires étrangères, de la justice, de l'ordre public, de la santé et de la Sécurité sociale.*

Le niveau communautaire *(linguistique). Il y a quatre communautés : flamande (néerlandais), francophone, germanophone et la commission communautaire commune (français et flamand). Chaque communauté est dotée d'un gouvernement et d'un parlement qui gèrent l'éducation, la culture, les sports, la politique familiale, la jeunesse, le troisième âge et les handicapés.*

Le niveau régional. *Il y a trois régions : la Flandre, la Wallonie et Bruxelles. La région est compétente en matière d'aménagement du territoire, d'environnement, de logement et de travaux publics.*

Pour les habitants francophones de la Belgique, il est aujourd'hui devenu habituel de se définir de manière plurielle : citoyens de leur commune, de leur province, ils le sont aussi de leur région (wallonne ou bruxelloise), de leur communauté (française), de la Belgique, de l'Europe, de la francophonie... Il ne s'agit pas simplement d'une énumération administrative, mais d'une conscience intuitive que notre espace est composite.

La communauté française de Belgique, qui incarne l'union de deux entités francophones de Bruxelles et de Wallonie, est un véritable laboratoire politique, culturel et audiovisuel.

Laboratoire politique, par la construction d'un fédéralisme sans cesse remis sur le métier. Fédéralisme qui a permis aux communautés culturelles d'être reconnues, y compris la petite communauté germanophone ; fédéralisme qui amène régulièrement la confrontation idéologique entre régions riches et régions plus pauvres, avec, à chaque échéance électorale, de nouveaux questionnements sur l'exercice de la solidarité nationale.

Laboratoire culturel, puisque la communauté française de Belgique, immergée dans le bain international et abritant la capitale européenne, mène aussi une politique de décentralisation ou encore une politique « des centralisations » qui s'appuie sur les provinces wallonnes. L'hégémonie d'une capitale où l'offre culturelle s'est démultipliée – une quarantaine de scènes bruxelloises francophones proposent leurs spectacles au public belge et international – s'est accompagnée de la volonté d'intellectuels wallons de ne pas être absorbés par le pôle bruxellois. Elle est matérialisée par une décentralisation de centres dramatiques dans les principales villes de Wallonie et par l'implantation des grandes institutions musicales comme l'Orchestre philharmonique ou l'Opéra à Liège et la danse contemporaine à Charleroi.

Laboratoire audiovisuel, puisque la Belgique est câblée à plus de 90 % depuis les années 60. Depuis lors, nous captons des dizaines de chaînes de télévision étrangères. La communauté française est donc confrontée à la nécessité de maintenir son expression propre face à des chaînes, par exemple françaises, nettement plus puissantes. Fort heureusement, l'ancrage identitaire subsiste, avec pour preuve les audiences des chaînes publiques de la RTBF, de RTL-TVI (chaîne privée) et de Canal Plus Belgique (chaîne à péage), qui cumulent plus de 50 % du total. L'existence du câble et l'apport financier de la communauté française ont aussi permis d'aller plus avant dans la télévision de proximité, puisque douze télévisions locales couvrent, depuis plus de vingt ans, Bruxelles et la Wallonie, avec un public qui ne cesse de croître.

À l'image de la France, la communauté française de Belgique est soucieuse du débat identitaire. Sur ce terrain, les positions défendues sur le plan international et européen, en particulier, sont les mêmes pour les trois communautés belges. Pour la communauté française (et de manière assez similaire pour la communauté germanophone), parce qu'elle veut exister, même et surtout parce qu'elle utilise une langue majoritaire en Europe. Pour la communauté flamande, parce que le fait d'utiliser une langue minoritaire à l'échelle européenne la met en situation de revendication de la pratique de sa culture.

Henry INGSBERG (secrétaire général du ministère de la Communauté française de Belgique), ***Le Monde***, 20/09/97.

L'identité française face à la construction de l'Europe

La construction de l'Union européenne est en marche. Elle est déjà réalisée aux plans économique et monétaire. Certains Français, à droite comme à gauche, craignent que leur identité nationale et culturelle ne se dissolve dans l'ensemble européen.

Quand je regarde l'évolution de l'Europe depuis mille ans, apparaissent deux phénomènes concomitants : le tissage permanent – qui commence avec les abbayes cisterciennes – de liens de plus en plus nombreux entre les différentes parties de l'Europe, et, par ce biais, la création d'une civilisation européenne. L'Europe a été essentiellement construite « sur » et « contre » l'idée de chrétienté – cette chrétienté qui, par la suite, fut divisée en plusieurs courants.

Le deuxième phénomène est le développement des nations, par le biais des mariages, des échanges universitaires et commerciaux, mais aussi des guerres, qui sont des facteurs de compénétration.

Or, il me semble que chaque fois que l'on a voulu faire l'économie de cette dualité qui définit l'Europe – une civilisation commune et des nations spécifiques –, chaque fois que l'on a voulu prétendre qu'il n'y avait « que » la civilisation européenne et que les nations relevaient du passé, on est allé, en fait, vers le triomphe d'une nation sur les autres – que ce soit la France ou l'Allemagne –, et les choses ont explosé. De même, lorsque l'on a voulu dire qu'il n'y avait pas de civilisation européenne, mais des civilisations allemande, française, etc., on est allé vers une domination impériale de l'une de ces nations.

Toute construction européenne, qui ne tient pas compte, d'une manière très précise et scrupuleuse, de ces deux réalités qui vont de pair, connaît donc, ou connaîtra à un moment donné, un effet *boomerang*.

Pour ma part, je reste viscéralement attaché – peut-être parce que je suis d'ascendance italienne et que les Français de fraîche date sont souvent plus sensibles que les autres à cette réalité – d'abord, à une histoire, ensuite, à une langue. Ce qui m'amène à être choqué lorsque j'entends Claude Allègre prétendre que « l'anglais ne doit plus être considéré comme une langue étrangère » – je comprends par ailleurs bien son propos qui est de montrer que l'anglais est une clé d'accès à la technique et à la modernité, ce qui est une évidence. Je reste viscéralement attaché, enfin, à un modèle de construction politique dans lequel la laïcité joue un très grand rôle. Dans ce modèle, un pacte républicain est refondé, à chaque élection, par des citoyens qui renouvellent leur adhésion à la nation qui se développe, quant à elle, par des agrégations de gens venus d'ailleurs. Bref, c'est cet ensemble, qui peut se définir par le terme de « République », qui me paraît spécifique et, d'une certaine manière, exceptionnel. Cette exception trouve deux explications profondes dans le fait, d'abord, que la France a été le premier État centralisé d'Europe, avec les incidences que cela comporte sur la langue – ordonnance de Villers-Cotterêts – ce qui laisse des traces difficiles à effacer, ensuite, que la Révolution française, prolongeant cette centralisation et l'accentuant, à tort ou à raison, a coupé les racines avec Dieu et a reversé sur le sol national ce sens qui était un sens divin.

Max Gallo (historien, romancier, homme politique),
Le Figaro magazine, 22/11/1997.

5. Identités belges et organisation politique

a) Les identités belges. ***Lisez la présentation de la Belgique et le premier paragraphe du texte. Comment un Belge francophone perçoit-il son identité ? Cette perception est-elle différente de celle d'un Français ? de la vôtre ?***

b) L'organisation politique. ***D'après ce que vous connaissez de la Belgique, faites la liste des difficultés que ce pays peut rencontrer.***

Lisez la suite du texte. Montrez que l'organisation politique et administrative est conçue de façon à éviter ces problèmes.

6. Identité française et construction de l'Europe

a) Lisez la première moitié de l'article de Max Gallo. Notez les mouvements historiques qui sont évoqués. À quel mouvement de l'histoire se rattachent les évènements suivants ?

– les guerres napoléoniennes ;
– les croisades ;
– la politique de Cavour en Italie ;
– la politique d'Hitler en Allemagne.

b) Lisez la deuxième partie du texte. Quelles sont les caractéristiques de l'identité culturelle française auxquelles Max Gallo est le plus attaché.

c) Le « modèle belge » peut-il constituer une réponse aux craintes de Max Gallo ?

7. Débat : une société multiculturelle est-elle possible ?

« Quels sont les risques d'une telle société et comment les éviter ? Quels sont ses avantages ? »

Avant de mener ce débat collectivement, vous pourrez constituer des groupes de travail sur des sujets précis :

– la vie quotidienne (présence de personnes de cultures différentes dans l'immeuble et le quartier) ;
– l'éducation (comment organiser une école pluriculturelle ?) ;
– les médias (peut-on éviter que chaque communauté ait son journal et sa chaîne de télévision ?), etc.

SIMULATION

11. La tentation du départ

Décider de partir à l'étranger parce qu'on y a trouvé un emploi, parce qu'on veut travailler dans l'action humanitaire ou dans la protection de l'environnement ; se renseigner ; faire les demandes nécessaires ; présenter un projet ; faire enfin le bilan de son expérience.
C'est le parcours que vous suivrez dans cette leçon.

Le temps des routards

J'ai commencé à parcourir le monde dans une cuve pleine de roses trémières[1] au fond d'un jardin à la Birochère, Vendée. Les fesses sur les pierres chaudes, je descendais le superbe Orénoque à grands coups de pagaie avec mon ami Gérard, le fils du voisin, pendant que des autruches fabuleuses cavalaient sur les berges, que mon grand-père pointait sa boule sur le cochonnet[2] et que ma grand-mère lisait *L'Écho de la mode* sous les hortensias. [...]
Aller se balader du côté de la Grande Muraille de Chine ou de la mer de Java, je l'avais déjà fait cent fois. Il s'agissait seulement de vérifier. J'étais là pour ça, assise dans le hall du Bourget le 1er juin 1970, en attente d'un problématique charter pour Bombay, trois cents dollars en poche et sans jules[3] – espérant quand même que Gérard n'était pas devenu docteur comme son père dans le Jura – mais avec Rita, l'indispensable copine de classe qui partageait avec moi le coin fenêtre-radiateur du lycée Lamartine. Rita, pourvue comme moi d'un visa pour l'Inde et d'un billet d'Arab Airlines avec Néfertiti dessus, Paris-Bombay-Paris, dont elle avait bien l'intention de vendre le retour aussitôt arrivée.

Muriel CERF, *L'Antivoyage*, Mercure de France, 1974.

1. variété de fleurs de jardin à hautes tiges. 2. le jeu de boules consiste à lancer la boule (pointer) de façon à la placer le plus près possible du cochonnet (petite boule en bois). 3. terme familier pour « petit ami ».

Jean-Christophe Novelli, p'tit gars des quartiers pauvres d'Arras, ex-cancre, ex-plongeur, ex-éplucheur de patates, ex-apprenti boulanger, est devenu, à 37 ans, la coqueluche[1] de Londres. *« Mais, attention, ça ne s'est pas fait tout seul ! J'ai ramé[2] des années avant d'en arriver là »*, se défend ce *french lover* qui déteste qu'on le prenne pour un enfant gâté au physique de play-boy.
Côté succès, l'histoire commence il y a deux ans. Avec 500 livres en poche et quatre copains, le jeune immigré ouvre son premier restaurant, Maison Novelli : *« On n'avait même pas les moyens de se payer une enseigne, alors les gens passaient devant le restaurant et ne nous trouvaient pas... »*, rit aujourd'hui le prospère chef d'entreprise. Malgré l'absence de pancarte, trois mois plus tard, Maison Novelli conquiert une étoile au Michelin[3]. Et *The Times* lui décerne le titre de « restaurant de l'année ».

Le Magazine de l'Express, 24/04/1998.

1. être la coqueluche de ... : être admiré par ... 2. *(fam.)* : rencontrer de nombreuses difficultés. 3. célèbre guide qui décerne des étoiles aux meilleurs restaurants.

JOINDRE L'UTILE À L'AGRÉABLE

« Le chantier se déroulait à 2 000 m d'altitude, dans les montagnes des Carpates, et rassemblait une quinzaine de jeunes volontaires français et roumains. Notre boulot ? Débroussailler[1] un pan de montagne afin de permettre la croissance de jeunes sapins qui menaçaient d'étouffer. Nous étions logés dans un petit chalet rudimentaire, sans eau ni électricité. Au saut du lit, c'était à tour de rôle la corvée d'eau jusqu'au petit ruisseau gelé qui dévalait en contrebas. Et tous les soirs, des feux de camp à n'en plus finir ! Nous avions une heure et demie de marche en pleine montagne jusqu'au lieu de débroussaillage. Le site était magnifique.
Nous devions travailler environ quatre heures tous les matins... enfin presque. J'avoue qu'il nous est arrivé de pousser notre balade jusqu'à l'autre versant de la montagne, dans le simple but de nous régaler de framboises sauvages ! Les après-midi étaient consacrés à la découverte de la région, telle la visite de Bresov, une ville superbe qui a su conserver un centre historique intact. La seconde semaine a eu pour cadre un vieux monastère. Nous étions chargés de participer aux travaux d'entretien. Je me suis inscrite un peu par hasard à ce chantier, j'en suis revenue enthousiasmée. L'aspect interculturalité prime largement sur le côté travaux, qui sont d'ailleurs loin d'être pénibles. Ils contribuent même à souder le groupe. Et c'est un moyen vraiment économique (700 F hors transport) de découvrir un autre pays. »

Témoignage de Bérengère (28 ans) dans *Le Guide du voyage utile,* Dakota Éditions, 1997.

1. couper les arbustes et les herbes inutiles.

Chantier de restauration d'un site archéologique.

1. MOTIVATIONS ET DÉCISIONS

a) Lisez les trois textes ci-dessus. Comparez les motivations que ces trois personnes avaient au départ. Imaginez le bilan qu'elles font de leur expérience.

b) Faites le travail d'écoute du document sonore.

c) Jeu de rôles (à faire par deux).

Vous avez la tentation de partir pour une destination ou des buts aventureux. Un(e) ami(e) essaie de vous en dissuader. Inspirez-vous du dialogue du document sonore et du vocabulaire ci-contre.

fRE957 Cassette 2 side A Unit 3 Espaces.

category PCC

CONVERSATION CAS DE CONSCIENCE

■ Situation

Manon vient de terminer ses études de médecine. Elle songe à entrer dans l'organisation *Médecins sans frontières.* Son ami Romain tente de l'en dissuader.

■ Écoute du document

Relevez :
- les arguments de Manon,
- ceux de Romain,
- les formules utilisées par chacun pour réfuter les arguments de l'autre.

Exemple : « Je m'inscris en faux... »

songer à

DE LA TENTATION À LA DÉCISION

■ Tentation

Je suis tenté de ... (par ...), attiré par ... – J'éprouve le besoin, l'envie de ... – J'ai une attirance pour ... – Partir ... me fait envie, me tente, m'attire – Je meurs d'envie de ..., crève *(fam.)* d'envie de ... – L'envie de partir me démange *(fam.)* – Je rêve de ...

■ Motivation

Mon but, mon objectif, ma motivation principale, c'est ...
Ce qui me motive ... – Ce qui m'a déterminé c'est ...

■ Engagement / non-engagement

Agir – s'engager dans ... – faire quelque chose d'utile – se jeter (se lancer, s'embarquer) dans l'aventure / ne rien faire, rester passif face à ... – rester les bras croisés – fermer les yeux sur ... – rester indifférent – se voiler la face devant ...

■ Hésitation

Je me demande si ... – Je pèse le pour et le contre – Je suis perplexe, embarrassé, indécis, réticent – Il n'arrive pas à se décider – Il tourne autour du pot *(fam.)* – Il tergiverse.

■ Décision

Je suis déterminé à ..., (fermement) résolu à ...
J'ai pris ma décision – J'ai fait mon choix – Il sait ce qu'il veut – Il a des idées bien arrêtées – Il n'en démord pas.

2. LETTRES DE DEMANDES

Vous avez pris votre décision et vous passez à l'action. Vous vous informez sur les opportunités qui vous sont offertes en consultant le Minitel, l'Internet, les guides proposés dans les librairies, les petites annonces des journaux ou en vous adressant aux ambassades ou aux ONG (organisations non gouvernementales). Vous allez ensuite rédiger un certain nombre de lettres.

Partagez-vous celles qui sont suggérées dans les trois situations suivantes. Rédigez ces lettres en utilisant les formules du tableau de la page 67.

NB. Les documents suivants sont proposés à titre d'exemple. Vous concevrez votre lettre en fonction d'un projet personnel en accord avec vos compétences, le pays où vous souhaitez travailler et le type d'activité que vous voulez exercer.

Travailler pour une ONG

Votre objectif n'est pas de gagner de l'argent mais d'aider les autres. Vous êtes intéressé(e) par l'action humanitaire, l'aide au développement (éducation, formation) ou la protection de l'environnement. Vous avez trouvé une association ou une ONG qui vous convient.

- **Demandez des renseignements complémentaires** (rémunération, dates, disponibilité, etc.).
- **Posez votre candidature.**

Enfants et développement

Activités

Cette association fondée en 1984 conçoit et réalise, en liaison avec les partenaires locaux, des programmes de santé et de développement (formation, éducation, soutien aux enfants de la rue...) en Asie du Sud-Est. Elle lutte également contre la violence parmi les jeunes d'une banlieue de Vaulx-en-Velin (Lyon).

Postes

Une vingtaine de volontaires sont répartis au Cambodge, au Laos, au Vietnam et aux Philippines, pour des missions qui peuvent durer plus d'un an, puisque les projets sont conçus sur le long terme.

Profil

Médecins, professions paramédicales, instituteurs, éducateurs de jeunes enfants, etc., qui forment des équipes locales.

Candidature

Envoyez une lettre de motivation et CV. L'association ne recrute que des volontaires ayant déjà une bonne expérience pratique du terrain.

Réaliser votre propre projet

Vous souhaitez restaurer un édifice que vous aimez, aider les habitants d'un village d'Afrique francophone (alphabétisation, santé, agriculture), etc. Vous rédigez une lettre :

- **pour solliciter l'aide d'une fondation ou d'une ONG ;**
- **pour faire parrainer votre projet par des entreprises ;**
- **pour trouver des collaborateurs (petites annonces).**

Fondation Nicolas Hulot pour la nature et l'homme

Nature

Projets d'actions concrètes et d'intérêt général en faveur de l'environnement urbain, rural ou naturel, en France et à l'étranger. Ils doivent sensibiliser le public au respect et à une meilleure gestion des milieux (sauvegarde, chantier...). Soutien financier, médiatique, scientifique... La bourse de la Fondation ne peut pas constituer l'intégralité du financement. Une vingtaine de projets soutenus par an environ.

Procédure

– Retrait du dossier de présentation sur simple demande.
– Date limite de remise du dossier : 2 sessions par an, 31 mars et 31 octobre.
– Contenu : tout projet est recevable à l'exclusion des voyages de découverte, des exploits sportifs, des stages de mémoire ou de thèse et, plus généralement, ceux relevant de fonds publics.

Exemples :

Contribuer au développement d'un collectif féminin au Sénégal, participer à l'amélioration du cadre de vie dans son quartier, sa ville ou son village, etc.

Décrocher un emploi rémunérateur

Une offre d'emploi à l'étranger vous paraît intéressante.

- **Demandez des renseignements complémentaires.**
- **Posez votre candidature dans une lettre de motivation.**

3615 ETRANJOB

- Buenos Aires (Argentine)
- Ingénieur des télécommunications. Poste de chef de projet. Maîtrise parfaite de l'espagnol. Sens du contact et de la direction d'équipe.
- Contact : TELECABLE – Nicole RICHARD, 27, avenue des Italiens, TOULOUSE.

FORMULES POUR LES LETTRES DE DEMANDES

Vous demandez quelque chose à l'autre

- Je sollicite …
- J'ai l'honneur de solliciter … (de votre attention, de votre bienveillance, de votre gentillesse…)

{ le poste de … un emploi de/à … l'examen de mon dossier de candidature à …
l'obtention, l'octroi de …
les renseignements suivants : …
l'examen du projet ci-joint
une aide, une participation à ..., le financement de ..., une bourse

Vous demandez à l'autre de faire quelque chose pour vous

- Je vous serais très reconnaissant de bien vouloir …
- Je souhaiterais que vous puissiez …
- Vous serait-il possible de …
- Je vous remercie par avance de bien vouloir …

{ examiner ma candidature … mon projet de …
me renseigner sur … m'indiquer … m'apporter des renseignements complémentaires sur …
me faire parvenir une documentation, un dossier …
m'accorder (m'octroyer) une aide, une subvention …

Vous demandez la possibilité de faire ou d'avoir quelque chose

- Je souhaiterais (vivement) …
- Je serais très heureux de (pouvoir) …

{ obtenir … participer à … bénéficier de …

- Je serais très heureux …

{ que ma candidature (mon dossier, le projet de…) soit examinée
qu'une aide me soit accordée
qu'il me soit possible de travailler … mettre mes compétences à votre service

- Je vous serais très reconnaissant …

{ s'il m'était possible d'obtenir ..., de participer …

Remerciements anticipés

- Je vous remercie par avance (de) …

{ l'aide que vous voudrez bien m'octroyer
l'attention que vous voudrez bien porter à ma requête, à mon projet
des renseignements … la confiance … l'intérêt …

- En vous remerciant par avance, je vous prie (+ formule de politesse)

Formules de politesse finales

- Je vous prie d'agréer, Madame (Monsieur), l'expression de …
- Veuillez agréer, Madame (Monsieur),

{ mes sincères salutations, mes salutations distinguées *(à quelqu'un avec qui on a été en contact)*
mes meilleurs sentiments, mes sentiments les meilleurs *(neutre)*
mes sentiments dévoués … respectueux … dévoués et respectueux *(à un supérieur)*
ma considération respectueuse *(à une personnalité : ambassadeur, ministre, etc.)*

La récolte du coton
au Burkina Faso.

3. Bilan d'une expérience

a) Lisez l'interview de Théodore Monod (p. 69). Au fur et à mesure de votre lecture, notez les principales constatations faites par ce scientifique.

Exemple :

– agacement face aux collaborateurs africains,

– différences de mentalités et de conception du travail,

– etc.

b) Faites la synthèse des constatations positives et négatives de Théodore Monod dans une note de 15 lignes. Cette note doit servir d'introduction à la présentation d'un colloque auquel participeront des responsables africains et européens. Nuancez et modérez certaines constatations en utilisant les procédés du tableau ci-contre.

c) Faites le travail d'écoute du document sonore.

DIALOGUE
SATISFACTIONS ET INSATISFACTIONS

■ **Situation**

Manon (voir document oral, p. 65) vient de passer deux ans dans un hôpital de brousse en Afrique. Elle retrouve Romain et fait le bilan de son expérience.

■ **Écoute du document**

• Relevez les points positifs et les points négatifs de son bilan.

• Réécoutez attentivement les passages critiques. Notez les phrases que la passion et l'indignation rendent choquantes (généralisations excessives, formules abruptes, etc.).

• Réécrivez ces phrases en atténuant la brutalité des propos (utilisez les procédés du tableau).

d) Jeu de rôles (suite du jeu de rôles **1c**) p. 65).

Vous avez réalisé votre projet et vous retrouvez votre confident(e). Il (elle) vous interroge et vous faites le bilan de votre séjour à l'étranger.

NUANCER, MODÉRER, ATTÉNUER DES OPINIONS ET DES CRITIQUES

Plusieurs procédés permettent de présenter des faits et des opinions d'une manière « diplomatique ».

■ **1. Le choix d'un mot moins brutal ou moins concret**

Un pays démuni, en voie de développement (≃ dans la misère).

■ **2. La négation du contraire**

Il n'y a pas de concertation véritable (≃ un manque total de communication).

Ce n'est pas que je sois totalement opposé à (≃ je suis opposé à 90 %).

■ **3. La concession (une information positive précède une critique)**

Bien qu'on ait pu enregistrer quelques cas de réussite, le projet n'en a pas moins échoué.

■ **4. Le conditionnel modérateur**

Il conviendrait de ... (≃ il est impératif de ...).

Il serait possible de ... (≃ c'est ce qu'il faut faire).

■ **5. Les adverbes de faible quantité**

C'est un peu de ma faute (≃ je suis totalement responsable).

■ **6. Présentation du fait comme probable, improbable, possible, impossible**

Il est probable (il n'est pas impossible) que la responsabilité de l'échec doit (doive) être imputée à ...

■ **7. L'interrogation**

Est-ce que ce n'est pas dans l'absence d'études préalables qu'il faudrait rechercher les raisons de l'échec ?

■ **8. L'effacement des acteurs** (voir discours objectif, p. 75)

Des erreurs ont été commises (les responsables ne sont pas nommés).

L'aide au développement : efficace ou illusoire ?

Naturaliste, directeur de l'Institut d'Afrique et professeur au Muséum d'histoire naturelle, Théodore Monod a fait de longs séjours en Afrique. Interrogé par un journaliste, il fait le bilan de ces actions de coopération ou d'aide au développement que la France et les ONG ont menées en Afrique après la décolonisation.

Était-il facile pour vous de travailler sur ce continent ?

Pas toujours. Il m'est arrivé d'être agacé, et même découragé, devant le faible rendement obtenu de mes collaborateurs africains durant ces années de travail à la tête de l'IFAN[1]. Mais il faut fournir l'effort mental suffisant pour comprendre que nous exigeons souvent des Africains un comportement et des gestes totalement étrangers à leur tradition.

Considérer l'Afrique comme un *no man's land*, comme un continent où il n'y a rien qui vaille la peine d'être retenu est, bien entendu, la tentation pour un Occidental. Mais la réalité africaine est autrement plus complexe. Sait-on seulement si, dans les domaines qui comptent vraiment, ceux de la vie mentale, morale, religieuse, spirituelle, nous sommes parvenus aussi loin qu'eux ?

Qu'est-ce qui vous impressionne le plus chez les nomades ?

Ces gens-là possèdent un sens de l'orientation et un sens de l'appréciation des formes et des couleurs du terrain véritablement prodigieux. Un Bédouin peut raconter à un autre un itinéraire de plusieurs centaines de kilomètres. Grâce aux différentes descriptions du terrain données, ce dernier parviendra à suivre, de mémoire, ce même itinéraire. C'est très remarquable. [...]

Le développement tel qu'on le conçoit en Occident est-il adapté à l'Afrique ?

Pas toujours. Tous ces pays dépendent d'institutions internationales qui appuient souvent des projets absurdes. Il existe en Mauritanie une usine à sucre qui n'a jamais produit un seul kilo de cette denrée. Il y a une raffinerie de pétrole à Port-Étienne qui n'a jamais extrait un litre de pétrole. Mais le marchand d'usine a, lui, gagné beaucoup d'argent. D'énormes projets de culture de l'arachide avec des charrues ont également été mis en place en Afrique de l'Ouest, par des Anglais. Ils ont totalement échoué, ce qui signifie qu'avant de décider quelque chose qui a des implications si profondes, si nombreuses, il faudrait commencer par étudier la population locale. Ces gens, depuis des siècles et peut-être même des millénaires, cultivent la terre avec une houe[2]. Ils ne vont pas du jour au lendemain utiliser une charrue. Ne serait-il pas préférable de partir de la pratique locale et de l'adapter ? Les Africains ne sont pas tombés d'un arbre il y a trois semaines. Ils possèdent une très grande expérience de la culture, même si bien sûr ils commettent des erreurs. La déforestation prend ainsi une ampleur considérable. Les forêts primaires sont désormais quasiment inexistantes en Côte-d'Ivoire, par exemple, à l'exception des parcs nationaux. On brûle les arbres, on les abat. Puis on cultive sur les brûlis. C'est le type classique de culture de l'Afrique de l'Ouest non aride. Elle aboutit à l'apparition d'une savane qui est beaucoup moins fertile que le sol d'origine. Il faudrait pouvoir traiter et étudier le problème à long terme. C'est difficile car on veut toujours avoir des profits rapides, qui sont parfois nécessaires bien entendu, mais nous sommes pris dans des exigences qui ne coïncident pas avec ce qui serait indispensable d'un point de vue scientifique. Ce sont des problèmes gigantesques que l'on ne va pas résoudre dans les bureaux d'un ministère.

Pour les sociétés qui apportent des projets de développement, l'Afrique est une manne[3] bien entendu. Car ces projets se payent cher. Alors on en propose sans trop savoir ce qu'ils produiront comme résultat. Plus c'est grand, plus c'est beau. Et cela plaît aux chefs d'État. La grandeur fascine toujours les gens au pouvoir. Et il faudrait que ces chefs d'État soient très éclairés pour savoir distinguer, dans le nombre, les projets qui méritent d'être réalisés de ceux qui doivent être écartés.

Théodore Monod, *Terre et ciel*, entretiens avec Sylvain Estibal, Actes Sud, 1997.

1. Institut français d'Afrique noire. **2.** sorte de pioche à large lame. **3.** source de bénéfices et d'avantages inespérés.

PROJET

12. Culture import-export

Tout au long de cette leçon, vous mènerez à bien l'un des deux projets suivants :
- *Concevoir et justifier l'importation dans votre pays d'un produit étranger.*
- *Concevoir et justifier la création d'un nouveau produit pour faire concurrence à un produit importé qui s'est imposé sur le marché de votre pays.*

Ce produit pourra être un objet de consommation, mais aussi un produit culturel (une fête, une coutume, un spectacle, l'œuvre d'un écrivain, etc.). En petit groupe, vous choisirez votre « produit », travaillerez sur son image et rédigerez le compte rendu de vos propositions.

La mode Halloween

HALLOWEEN nous envahit. Les vitrines sont habillées d'orange et noir et décorées de citrouilles. Impossible de lever l'œil sans tomber sur la nouvelle campagne de publicité de France Télécom pour son mobile[1] Ola « Olaween » ou sur celle de Disneyland Paris pour son « week-end spécial revenants[2] » qui débute au jour J, le 31 octobre. Il y a dix ans, Halloween n'était célébrée que par quelques Anglo-Saxons retranchés dans des pubs irlandais ou des bars américains. Aujourd'hui, à Nantes, un quartier entier s'apprête à fêter Halloween jusqu'à l'aube. On attend au moins 40 000 personnes. On vous donne des tuyaux[3] sur les fermes où cueillir l'indispensable potiron. Mais elles sont en rupture de stock...

Halloween, c'est la déformation de « All Hallows Eve », veille de tous les saints. Une tradition qui remonte aux Celtes[4] et qui marquait la fin des récoltes et le début de la nouvelle année. On allumait de grands feux et on se déguisait en créatures terrifiantes afin de tromper malins et démons. Les immigrants irlandais ont exporté le rite aux États-Unis. Chez nous, les commerçants ont eu vite fait d'adopter la fête dans cette période creuse d'avant Noël. Les médias ont suivi, les enseignants aussi : enfin un thème qui éveillait l'intérêt de leurs élèves...

Et puis, Halloween coupe agréablement l'automne, avec tout son cortège de sorcières, fantômes et lutins sortis d'un autre monde. Quelques voix se sont bien élevées pour dénoncer l'américanisation croissante de la société française et pour craindre que la célébration de la Toussaint ne soit balayée par Halloween. Mais après tout, c'est une fête celte !

Le Nouvel Observateur (30/10/1997).

1. téléphone portable. 2. fantôme. 3. ici, un renseignement. 4. civilisation qui s'est imposée dans l'Europe de l'Ouest pendant le premier millénaire avant J.-C. Après la conquête romaine (IIe siècle av. J.-C.), elle perdure en Irlande et dans certaines régions (Galice, pays de Galles).

« Pomme de pain » : le fast food à la française

C'est « le » fast food à la française. À mi-chemin entre McDonald's et le bistrot du coin de la rue, « Pomme de Pain » est l'enseigne du compromis. On y mange rapidement sur place ou on achète pour emporter. Mais en lieu et place du traditionnel hamburger-frites, le chaland pressé y avale un sandwich bien de chez nous dans du pain tiède, une tarte normande et un petit noir.

Face à la poussée des McDonald's, Burger King et autres Pizza Hut, l'enseigne franco-française fait de la résistance. Un duel à la David et Goliath dont elle se tire plutôt bien.

Un succès qui doit beaucoup à l'intuition de Bernard Vaillant, aujourd'hui directeur général de la chaîne. C'est lui qui, à la fin des années 80, impressionné par le succès des chaînes de fast food aux États-Unis, pressent que la France viendra à son tour à la restauration rapide et convainc trois associés de fonder une enseigne. Si le succès a été au rendez-vous, c'est que « Pomme de Pain » s'est bâtie sur un concept simple et clair : une chaîne de restauration rapide proposant des sandwiches français. Pour agrémenter la carte, « Pomme de Pain » s'est adjoint un deuxième volet, la viennoiserie, un créneau en plein essor au début des années 80.

Deuxième caractéristique de « Pomme de Pain » : « *Nous avons été très attentifs dès le départ à la qualité des produits* », rappelle Pierre Truchet, associé et administrateur de l'enseigne depuis 1979 et président depuis 1989. Ce qui se traduit en premier lieu par le choix des ingrédients. Au placard, les jambons phosphatés ! Place au jambon cuit au torchon, à la rosette de Lyon et au comté. Mais surtout, les sandwiches sont frais. La preuve ? Ils sont préparés sous les yeux du client au fur et à mesure des commandes. Le pain, cuit sur place, sort chaud du four, ce qui lui confère un aspect moelleux ; idem pour les viennoiseries, servies tièdes. Sans parler de ces petits riens qui font souvent la différence entre deux enseignes : un pot à cornichons, une fontaine à eau gratuite et surtout un percolateur offrant du café cent pour cent arabica.

L'avantage, c'est une présentation claire et percutante, avec photos à la clé, sur un tableau d'affichage lumineux. « *De ce fait, les gens retiennent bien les noms de nos sandwiches.* » D'ailleurs, chaque mois, la carte est agrémentée par une animation autour du produit du mois, comme le périgourdin en décembre ou la galette en janvier.

Le nom de l'enseigne qui joue sur les mots ainsi que le logo en forme de pomme de pin sont de nature à être facilement retenus. C'est sur ces bases que le premier point de vente ouvre ses portes en janvier 1980 dans les murs de feu la boulangerie de l'hôtel de Ville, un site classé. « *Les premiers mois ont été difficiles, car les Français n'avaient pas encore le réflexe sandwich à l'époque* », rappelle Pierre Truchet. Au bout de deux ans, la chaîne compte cinq emplacements, toujours en centre-ville ou dans des centres commerciaux.

Caroline De Malet, ***Le Figaro Économie***, 03/02/1997.

1. Une fête importée

a) Lisez l'article de la page 70. Relevez tout ce que vous apprenez sur la fête d'Halloween (origine, significations, traditions, etc.).

b) Recherchez dans le texte et grâce à votre réflexion les raisons pour lesquelles cette fête a réussi à s'imposer en France.

2. Un concept commercial modifié

a) Faites une première lecture de l'article ci-dessus. Présentez brièvement le sujet traité.

b) Faites des hypothèses sur la signification des mots qui vous sont inconnus en recherchant et en classant les mots qui appartiennent aux thèmes suivants :

– vocabulaire de la nourriture et des produits alimentaires (types de produits et marques) ;
– vocabulaire du commerce (lieux et enseignes – actes commerciaux – création et développement d'une entreprise).

***c) Relevez toutes les raisons du succès de la* « Pomme de Pain ».**

3. Choix du projet et du produit

Chaque groupe d'étudiant(e)s choisit un type de projet et un produit à importer ou à créer (voir l'introduction page 70).

4. Les motivations à la consommation

a) Prenez connaissance des documents de la page 73.

b) Étudiez le texte « Le désir d'évasion ». *Analysez les causes et les conséquences de cette motivation.*

c) Partagez-vous les 30 autres motivations. Recherchez les causes de chacune d'elles et ses conséquences.
État de la société et état d'esprit des gens → manques → aspirations et motivations → types de produits et qualités de ces produits.

Relevez les motivations qui vous semblent correspondre à celles des consommateurs de votre pays.

d) Observez chaque publicité. Quelle image a-t-on voulu donner au produit importé ?

e) Faites le travail d'écoute du document sonore.

5. Argumentez votre choix de produit

(Travail en petits groupes)

Continuez le travail que vous avez commencé en 3. Faites une séance de recherche d'idées en petits groupes pour définir :

– les composantes de l'imaginaire collectif qui justifient l'importation du produit ou la création d'un nouveau produit ;
– l'image du produit ;
– ses caractéristiques ;
– le public susceptible d'être intéressé et les perspectives de succès ;
– les opérations publicitaires que vous comptez organiser.

ÉMISSION DE RADIO PROPOS SUR LE PARC DISNEYLAND PARIS

Le 12 avril 1997, le parc de loisirs Disneyland Paris fêtait le cinquième anniversaire de son inauguration. L'animateur de radio Daniel Mermet consacrait une de ses émissions « Là-bas si j'y suis » à cet évènement. Vous entendrez successivement :
– l'introduction de l'émission par Daniel Mermet ;
et, interrogés par la journaliste Zoé Varier :
– un guide du parc commentant l'inauguration de la statue du cinquième anniversaire ;
– le directeur commercial du parc ;
– un groupe de visiteurs.

■ Vocabulaire

La Brie (région à vocation agricole située à l'est de Paris et où se trouve le parc Disneyland Paris) – **C'est du toc** (c'est une imitation, c'est artificiel).

■ Écoute du document

• Dans les quatre interventions, recherchez les différentes composantes de l'image de Disneyland Paris en France.

• Caractérisez le parti pris de Daniel Mermet et de Zoé Varier dans cette émission.

DE L'ANALYSE DES BESOINS À L'IMAGE DU PRODUIT

■ L'état des choses

L'état de la société. Il règne dans la société une ambiance ... une atmosphère ... un climat ... – La société baigne dans une ambiance ... – L'époque (la décennie) est à l'optimisme.

L'état d'esprit des gens. Il est dans un état d'esprit pessimiste ... d'humeur pessimiste.

■ Le manque

La société, les gens manque(nt) de ... souffre(nt) d'un manque de ... d'une insuffisance de ... d'un défaut de ... d'une absence de ... – Ils sont privés de ...
Les occasions de s'évader manquent (font défaut).
– Les frustrations, les besoins sont ...
Faute de ... Par manque de ... on éprouve le besoin de s'évader.

■ Besoins et aspirations

Les gens aspirent à ... éprouvent le besoin de ... (le désir de ..., l'envie de ..., un attrait pour) – Ils ont tendance à vouloir s'évader – Ils revendiquent davantage de ... – Ils sont motivés par ...

■ L'imaginaire collectif

Les désirs, les besoins construisent (nourrissent) un imaginaire d'évasion (un rêve, un idéal d'évasion).
Les désirs sont transposés (sublimés) dans l'imaginaire.
Les représentations – les fantasmes – les utopies imaginaires.

■ L'image du produit

L'image du produit vise à satisfaire les besoins, à combler les manques, les frustrations.
On donne à un produit une image jeune (un aspect, un look, une apparence).
Ce produit a (reflète, véhicule) une image jeune. Les composantes de l'image du produit sont ...

Les grandes revendications des Français en matière de consommation

Une analyse effectuée sur les différents postes de consommation des ménages français fait apparaître 31 motivations et aspirations majeures. Ces désirs s'appliquent aux types de produits, à leurs qualités, à leurs effets sur le consommateur mais également dans certains cas à l'acte d'achat lui-même.

Le désir d'évasion

La dureté des temps et la difficulté de vivre ici et maintenant entraînent un besoin d'évasion à la fois dans le temps et dans l'espace. Le premier se traduit par le goût de la nostalgie ou le culte du rétro. Il est sensible dans la mode des « retours » aux années passées (musique, vêtements, produits, etc.) ou dans l'intérêt porté à l'histoire, qui se manifeste notamment par le recours croissant aux images d'archives à la télévision.
Le besoin d'évasion dans l'espace conduit à l'exotisme. En même temps qu'ils retrouvent les produits alimentaires du terroir, les Français se tournent vers ceux de pays éloignés comme la Chine, l'Inde ou le Mexique. Ils s'intéressent à l'astrologie chinoise et recourent aux médecines venues d'ailleurs. Ils rêvent de voyages lointains et s'initient aux autres cultures par les reportages des médias. La décoration et l'ameublement empruntent de plus en plus à des pays éloignés (tissus sud-américains, tapis du Pakistan ou du Népal, etc.).

Gérard Mermet, ***Tendances 1996, le nouveau consommateur***, Larousse, 1996.

Les autres revendications

1. L'efficacité	16. Les qualités pratiques
2. La pérennité	17. La proximité
3. Le temps (gagné)	18. L'authenticité
4. La santé	19. La vertu
5. Le plaisir	20. La transparence
6. La diversité	21. La discrétion
7. L'autonomie	22. La pédagogie
8. La personnalisation	23. La synthèse
9. La considération	24. L'aspect positif
10. La participation	25. La convivialité
11. L'optimisation	26. La culture
12. La continuité	27. Le sens
13. Le confort	28. La transcendance
14. La sécurité	29. Le développement personnel
15. L'innocuité	30. L'harmonie

Gérard Mermet, ***Tendances 1996, le nouveau consommateur***, Larousse, 1996.

PROJET

Transcription d'une séance de travail dans une entreprise de construction d'automobiles

PDG : Je vous ai réunis parce que nous avons enregistré ces dernières années une sérieuse baisse dans les ventes de nos véhicules 4x4. Je laisse Annie Salman vous donner les chiffres.

A.S. : C'est simple. Entre 1988 et 1992 nous avons vendu en moyenne 7 500 4x4 par an. C'est à partir de 1993 que la baisse commence : 5 400 véhicules. Puis, 4 200 en 1994. Pour cette année, j'ai fait une projection à partir des commandes des cinq premiers mois. Nous ne dépasserons pas les 3 500. Comme vous voyez, c'est loin d'être une baisse conjoncturelle.

PDG : Une seule consolation. Nos concurrents sont logés à la même enseigne. D'après vous, qu'est-ce qui explique cette désaffection du public pour ce type de produit ?

A.S. : D'abord notre monospace. Beaucoup de gens achetaient des 4x4 parce que c'est spacieux, pratique, robuste. On peut y caser la famille, les valises, les vélos. Aujourd'hui, le monospace a tous ces avantages. En plus, il est en continuité avec la voiture traditionnelle.

D.R. : C'est ça. C'est le cocon familial. En revanche, le 4x4 a un côté baroudeur, explorateur. Cette image de force, d'agressivité n'est plus dans l'air du temps. Ce sont des valeurs des années 80.

P.-A.C. : Sans compter que les écologistes, tous les randonneurs sont anti 4x4. Je connais des gens qui se sont fait insulter parce qu'ils roulaient en 4x4 sur des routes forestières pourtant autorisées à la circulation. On leur disait que leur voiture polluait l'environnement.

A.S. : Et pourtant l'argument ne tient pas. J'ai là des statistiques du ministère de l'Environnement sur les types de véhicules qu'on rencontre sur les routes forestières. La proportion de 4x4 ne dépasse pas 15 %.

PDG : Même si elle n'est pas fondée, la critique est réelle. Il faut en tenir compte si nous voulons modifier l'image de ce produit ou bien faire évoluer le produit.

D.R. : À mon avis, le concept est dépassé. Avec les 4x4, on a laissé croire aux gens qu'il existait encore en France des espaces à explorer. C'était une illusion. Aujourd'hui, quand vous êtes en pleine nature, dans un parc national par exemple, ou bien vous vous trouvez sur une route en bon état où tout le monde peut passer, ou bien c'est interdit à la circulation.

P.-A.C. : Je ne serai pas aussi définitif. Le 4x4 a une image qui évoque l'évasion, l'aventure, la jeunesse, l'originalité et un petit côté provocateur. Je ne crois pas que ces valeurs soient dépassées.

A.S. : Je suis d'accord. J'ai plusieurs enquêtes sur les valeurs des jeunes qui vont dans ce sens. En fait, il n'y a pas aujourd'hui de voiture pour les jeunes et pour ceux qui veulent le paraître. Ils sont obligés de rouler dans la voiture de Monsieur tout le monde.

P.-A.C. : Si on cible les jeunes, il faut que ce soit pas cher, donc léger. On est aux antipodes du 4x4.

A.S. : Oui et non. Je crois qu'il y a un créneau. Il va y avoir une demande pour un véhicule dont l'image se démarquerait nettement de ce qui existe et qui intégrerait toutes ces images positives.

PDG : J'en suis convaincue moi aussi. Didier Roland, vous allez mettre une équipe sur ce projet. On en reparle dans un mois.

6. Initiation aux techniques du compte rendu

a) Lisez cette transcription d'une séance de travail qui s'est tenue dans une entreprise de construction automobile.

b) Étudiez, page 75, le début du compte rendu de cette séance. Relevez les formes et les constructions qui permettent d'exposer des idées et des opinions sans mentionner les personnes qui les ont formulées.

c) Complétez ces informations grammaticales en lisant le tableau « Expression neutre des idées ... ».

d) Rédigez la suite du compte rendu de la séance.

7. Rédaction du compte rendu de votre séance de travail (activité 5)

Rédigé à partir des notes que vous avez prises au cours de l'activité 5, ce compte rendu devra justifier le choix de votre produit et démontrer ses chances de succès.

Compte rendu de la réunion du 18 mai 1995

Objet : Relance du concept 4x4

Participants : Ségolène Chambrun (PDG), Didier Roland (directeur des projets), Annie Salman (directeur du marketing), Pierre-Antoine Clément (chef de produit).

Une sérieuse baisse des ventes des véhicules 4x4 a été enregistrée ces dernières années. Il convient de remarquer que cette baisse est loin d'être conjoncturelle. Alors que les commandes avaient porté sur une moyenne de 7 500 véhicules entre 1988 et 1992, il ne s'en est vendu que 5 400 en 1993, 4 200 en 1994 et les projections sur les commandes de cette année ne laissent pas espérer un chiffre supérieur à 3 500. Il est à noter que le phénomène affecte également la concurrence.

Plusieurs explications ont été recherchées pour comprendre la désaffection du public à l'égard de ce produit. La première réside dans la concurrence faite par les monospaces. Pratique, spacieux, robuste, le monospace possède une image qui recouvre en partie celle de la 4x4. La seconde explication tient au fait que les arguments de force et d'agressivité qui sont des composantes de l'image des 4x4 ne s'apprécient plus aujourd'hui comme dans les années 80.

En revanche, certaines critiques selon lesquelles les 4x4 seraient perçus comme des facteurs de pollution de l'environnement naturel ont été déclarées non pertinentes. Une étude faite par le ministère de l'Environnement a démontré que sur les routes forestières les 4x4 ne se rencontrent pas plus souvent que les autres types de véhicules. Il importe toutefois de prendre en compte ces critiques dans la conception d'un nouveau produit.

EXPRESSION NEUTRE DES IDÉES ET DES OPINIONS DANS LES COMPTES RENDUS, RAPPORTS, ETC.

■ Les idées, les sentiments, les opinions formulés par des personnes peuvent être rapportés

• directement, sous forme de citations :

Le PDG a déclaré : « Nous devons renforcer l'image d'efficacité de nos produits ... »
« Nous devons ... », a affirmé le PDG.

• indirectement grâce aux constructions :

Le PDG a dit (affirmé, suggéré, ...) que ...
Le PDG a demandé si ...
Le PDG a demandé à ses employés de ...

• de façon neutre et objective, sans aucune référence à la personne qui a parlé :

Il importe de renforcer l'image d'efficacité ...
C'est en général cette dernière forme qui prédomine dans les rapports et les comptes rendus.

■ Les procédés suivants permettent d'effacer non seulement les personnes qui parlent mais aussi les acteurs (sujets) d'un évènement.

1. La forme passive

Les concurrents ont lancé un nouveau produit.
→ Un nouveau produit a été lancé sur le marché.

2. La forme pronominale

En regardant cette publicité, je ressens une impression de tristesse.

→ Une impression de tristesse se dégage de cette publicité.

3. La forme impersonnelle

Un participant a dit que nous devions changer le logo.
→ Il a été dit que le logo devait être changé.

4. Le sentiment ou l'opinion peuvent devenir une caractéristique de l'objet

J'ai des critiques à formuler à propos du projet.
→ Le projet est critiquable.
→ C'est un projet qui suscite des critiques.

5. Le nom des personnes qui parlent ou qui agissent peut être remplacé par un terme général ou par un pronom indéfini :

Pierre Durand a dit que ... Jacques Legrand et Nicole Alzieu ont répondu que ...

→ L'un des participants a dit que ... Certains ont répondu que ...

ANALYSES ET COMMENTAIRES

13. Tout s'explique

Découvrir le pourquoi des choses est une de nos activités intellectuelles préférées... Tout au long de cette leçon, vous exercerez votre capacité à comprendre et à formuler des explications dans les domaines scientifiques, mythologiques et psychologiques.

Une légende de l'Inde explique ainsi la création du monde. Au début des temps étaient les eaux du chaos originel. Puis, par un « accroissement de l'ardeur interne » de ces eaux, l'œuf primordial apparut. Il donna naissance à Purusha créateur du monde. Dans une autre légende (ci-contre), Vishnu le dieu suprême repose sur un serpent cosmique sans fin qui flotte sur les eaux primordiales. De son nombril sort un lotus d'où émerge Brahma, le dieu créateur du monde.

1. Une explication contestée

a) Lisez le texte de la page 77. Vérifiez votre compréhension du vocabulaire de la géographie (végétaux, animaux, etc.) et de l'ethnologie.

b) Présentez l'organisation du texte.

c) Notez (en utilisant des phrases nominales) les principales étapes :

– de l'explication donnée dans la première partie.

Changement climatique en Afrique orientale → ...

– de l'argumentation de la deuxième partie.

d) À quels mythes ou récits sacrés vous fait penser la remarque finale ?

2. Sciences et mythologies

Recherchez des correspondances entre des découvertes ou des théories scientifiques actuelles et des mythes anciens. À quoi vous font penser :

– le mythe de Frankenstein ; le mythe de Faust (l'homme qui voulait redevenir jeune) ; le mythe du Soleil (roi des dieux de l'Égypte antique) ; le mythe hindou de la création du monde (voir gravure ci-dessus).

La théorie de l'apparition de l'homme : une explication fragile

Wictor Stoczkowski, maître de conférences en ethnologie à l'université de Lille-III, examine ici la théorie la plus récente de l'apparition de l'homme sur la Terre. Cette théorie a été popularisée par le scientifique Yves Coppens, l'un de ceux qui, dans une vallée d'Éthiopie, ont découvert Lucy, notre plus lointaine ancêtre.

Selon cette conception, le déclenchement du processus qui façonna les singularités de la famille humaine fut un changement drastique[1] de l'environnement naturel où vivaient nos premiers ancêtres, il y a plusieurs millions d'années. Cette mutation climatique aurait alors provoqué, en Afrique orientale, le remplacement de riches forêts tropicales par une savane aride. Le nouveau milieu aurait fait connaître à nos ancêtres une disette[2] et des dangers dont ils étaient auparavant à l'abri : insuffisance de nourriture, pénurie d'eau, attaques fréquentes des carnassiers. Pour survivre, ils durent abandonner l'ancien mode de vie forestier : il était désormais nécessaire de manger de la viande puisque les végétaux faisaient défaut ; chasser du gibier au lieu de cueillir des fruits ; se redresser sur deux pieds pour poursuivre la proie ou pour guetter l'arrivée des fauves dans un terrain ouvert ; confectionner des outils et coopérer pour mieux se défendre ou pour chasser ; répartir le travail, partager la nourriture et communiquer, pour s'approvisionner plus facilement dans un milieu hostile.

La popularité de cette conception est censée être proportionnelle à l'appui que lui apporteraient les données d'observation. En réalité, il n'en est rien. Si les témoignages des données fossiles s'accordent pour indiquer que l'Afrique de l'Est, patrie présumée des premiers hominidés, a subi au pliopléistocène[3] d'importants changements climatiques et écologiques, marqués à long terme par l'expansion des milieux ouverts qui se développaient localement au détriment des forêts, il est difficile d'en dire autant du tableau bucolique de la forêt tropicale ou de l'image de la savane, peinte quant à elle en noir. La savane, même la plus sèche, n'est pas totalement dépourvue de nourriture végétale appropriée à des primates, et certains d'entre eux arrivent à s'y procurer suffisamment de graines, tubercules et fruits, pour que la viande ne soit qu'un complément de leur régime essentiellement végétarien. De même, il est loin d'être certain que le passage de la vie dans les forêts à la vie dans les savanes implique inévitablement une plus grande menace de la part des carnassiers[4] : les observations de chimpanzés au parc national du Niocolo Koba (Sénégal), où les forêts constituent seulement 3 % de la couverture végétale, n'ont signalé aucun cas d'agression de la part des carnassiers, pourtant présents dans la région.

Il n'est pas en revanche inintéressant de remarquer que la vision du passage d'une « nature mère » à une « nature marâtre[5] », présentée comme la cause première de l'anthropogenèse[6], précède de longue date non seulement les découvertes paléontologiques en Afrique orientale, mais aussi l'apparition des sciences de la Préhistoire au XIXe siècle. Les traits de la première époque correspondent à ceux que la tradition prête à l'âge d'or et au paradis terrestre, tandis que dans la période suivante, les attributs paradisiaques sont remplacés par leurs contraires.

Wictor Stoczkowski, ***Sciences et Avenir*** (hors série 111), août 1997.

1. radical. **2.** une famine. **3.** période de la fin de l'ère tertiaire (3 millions d'années) où l'homme est apparu. **4.** animaux qui se nourrissent de chair. **5.** mauvaise mère. **6.** histoire du développement de l'homme.

Grotte de Lascaux : peinture rupestre.

EXPOSÉ
ORIGINE DE LA SOCIÉTÉ DE LA COMMUNICATION

■ **Préparation à l'écoute**

Biologiste de formation, Joël de Rosnay est l'un des responsables de la Cité des Sciences et de l'Industrie à Paris. C'est aussi un penseur de la modernité que ses talents de vulgarisateur ont rendu célèbre.
Dans cet extrait d'un entretien à la radio, il donne une explication du développement intense des systèmes de communication à l'époque actuelle.

Vocabulaire : **une phase** (une étape) – **la bio-énergie** (l'énergie produite par les êtres vivants) – **troquer** (échanger) – **un combustible fossile** (le charbon, le pétrole, etc.) – **le mazout** (le fioul : l'un des dérivés du pétrole utilisé pour le chauffage) – **un support** (terme général ; objet considéré du point de vue de sa fonction : le livre est un support d'apprentissage) – **un réseau**, adj. **réticulé, réticulaire** (organisation d'éléments qui sont reliés les uns aux autres ; traduction des mots anglais *net* et *network*) – **un capillaire** (un petit vaisseau sanguin).

■ **Écoute du document**

• Relevez les différentes étapes qui ont conduit à la société de la communication. Notez leurs caractéristiques dans le tableau.

	1	...
Étape/phase	agricole	
Organisation sociale	installation des hommes dans les vallées fertiles	
Activités humaines et savoir-faire	utilisation de l'énergie naturelle	
Objets caractéristiques	...	

• Quelle est la spécificité de la société de la communication par rapport aux étapes sociales précédentes ?

• Donnez une conclusion générale à l'exposé de Joël de Rosnay.

3. JEU : SAVEZ-VOUS POURQUOI ?

a) Lisez le tableau « Expliquer », *p. 79. Repérez les marques de l'explication dans les curiosités ci-dessous. Résumez le texte de la page 79 en utilisant les formes du tableau.*

b) Constituez des équipes de trois ou quatre étudiant(e)s. Chaque équipe prépare des questions (et leurs réponses) sur des sujets variés (histoire – sciences – coutumes – langage...). Les questions portent sur des explications (« Savez-vous pourquoi... ? »).

c) Les équipes s'affrontent deux à deux en se posant dix questions. L'équipe perdante est éliminée. Les équipes gagnantes s'affrontent jusqu'à la finale.

Curiosités

Savez-vous pourquoi...

... on ne voit jamais la face cachée de la Lune ?
C'est dû au fait que la Terre et la Lune ont la même vitesse de rotation. Cette synchronisation, qui n'existait pas à l'origine, provient d'un équilibre entre la forme des deux astres et leur force d'attraction.

... les partis conservateurs ont pris le nom de « droite » et les progressistes le nom de « gauche » ?
En raison de la place qu'ils ont dans l'hémicycle de l'Assemblée nationale. Cette place a été déterminée en 1789 (à la veille de la Révolution) quand le roi a fait asseoir à sa droite, selon l'étiquette, les députés de la noblesse et du clergé.

... on jette des pièces dans l'eau des fontaines ?
Cette coutume s'explique par le fait que les Anciens croyaient que les fontaines étaient habitées par des esprits (ou des saints) auxquels il convenait de faire des offrandes. Aujourd'hui encore, pour les superstitieux, jeter une pièce dans une fontaine doit permettre la réalisation d'un vœu.

Fontaine de Trevi (Rome) : selon la coutume, on fait un vœu et on jette une pièce dans l'eau pour que celui-ci soit exaucé.

Pourquoi dit-on qu'il y a du fer dans les épinards ?

POPEYE

Pendant longtemps, les épinards, surnommés le « balai de l'estomac », durent leur célébrité à leurs propriétés digestives. Louis XIV en était toqué et le Roi-Soleil aurait, paraît-il, congédié son docteur qui, sous prétexte de guérir son arthrose, lui avait interdit ce légume. Puis vint le temps des dosages biochimiques. Au cours des années 1890, un chercheur américain fit l'autopsie d'une feuille d'épinard, mais, c'est du moins ce que dit la légende, sa secrétaire eut le malheur de commettre une erreur de frappe à la ligne *iron* : le velours de l'estomac fut, d'un trait de machine, crédité d'une dose exceptionnelle de fer.

Cette simple erreur de virgule (30 milligrammes au lieu de 3) a fait l'objet d'une correction. Dans les années 30, des scientifiques allemands ont rétabli la vérité. Mais ce fut en vain. Dès 1933, les dessinateurs Dave et Max Fleischer (les pères de Betty Boop) s'étaient emparés de ce légume et l'avaient transformé en potion magique pour leur nouveau héros : Popeye, le mangeur d'épinards. La propagande nationaliste durant les jours maigres de la Seconde Guerre mondiale a fait le reste. L'Amérique était « assez forte pour finir la guerre parce qu'elle mangeait des épinards », pouvait-on entendre à l'époque.

François FÉRON, ***Du fer dans les épinards et d'autres idées reçues*** (ouvrage col., dir. : J.-F. Bouvet), Seuil, 1997.

EXPLIQUER

1. Mise en relation générale

Ce phénomène s'explique (se justifie) par ... – On peut le comprendre dans la mesure où ...

Ces faits expliquent ... (que ...), éclairent ... permettent de comprendre ... (que ...).

Ce phénomène peut être mis en relation avec ... – Il est lié à ... (voir la mise en relation, p. 36).

2. Explication par la cause et l'origine

- La cause, la raison, le pourquoi de ce phénomène se trouve dans ... réside dans le fait que ...

À l'origine, au point de départ, à la source de ce problème, il y a ... – Le facteur principal de cette évolution est ...

- Ce phénomène a été déterminé (causé, provoqué) par ... – Il est dû à ... – Il provient (résulte) de ... – Il y a une relation de cause à effet entre ... et ...

NB : *La cause peut être exprimée par un verbe de conséquence mis à la forme passive.*

Ce phénomène a été provoqué par ...

3. Explication par la conséquence et le but

- La conséquence, l'effet, le résultat, l'aboutissement, la suite de cette transformation a été ...

L'impact, la portée, le contrecoup de cet évènement ...

Le but, la finalité, l'objet de cette décision ...

Ce phénomène a eu pour conséquence ... – Cette décision avait pour but ...

- Ces faits ont causé (provoqué, déclenché, occasionné) ... – Ils ont créé (fait naître, engendré) ... – Ils ont conduit à ... (amené à ...) – Ils ont entraîné ... – Ils ont déterminé (suscité) ... – Ils ont permis *(cause positive)* ... – Il s'est ensuivi ... – Il en a résulté ... – Il en a découlé ...

NB : *Les expressions grammaticales de cause* (parce que, du fait de, puisque, comme, etc.) *et de conséquence* (donc, par conséquent, c'est pourquoi, c'est la raison pour laquelle, etc.) *ont été étudiées au niveau 3 de cette méthode.*

Peut-on expliquer la chance et la malchance ?

Pour un psychiatre, la malchance et donc la chance sont de passionnants sujets d'étude. « *Les gens font souvent état d'accumulations d'échecs, d'accidents, de mésaventures qui laissent à penser qu'ils sont particulièrement doués pour le malheur,* explique le Dr Caillon. *En réalité, assez souvent, on s'aperçoit qu'ils répètent ce que nous appelons des "conduites d'échecs". Le cas typique est la femme qui a la "malchance" de ne rencontrer que des hommes mariés. C'est, pour elle, une façon d'avoir un homme sans le posséder vraiment. C'est un refus de sa condition de femme à part entière et cela peut renvoyer à un complexe d'Œdipe[1] mal résolu.* »

Tout n'est pas aussi compliqué que cela. Les médecins de l'âme nous aident en effet à comprendre pourquoi nous avons, selon les circonstances, la scoumoune ou la baraka. Le Dr Samuel Lepastier, psychiatre à la Salpêtrière, à Paris, va même plus loin. « *La réussite, pour un homme, suppose qu'il dépasse son père. S'il n'y parvient pas, il se mettra en situation d'échec, et analysera cela comme étant de la malchance. Or, quand on commence à perdre, on devient à ses propres yeux un* "loser", *un perdant. La spirale d'échecs s'enclenche et aggrave encore la situation.* »

La chance serait donc un pur produit de notre esprit, la preuve éclatante de la toute-puissance de notre inconscient, la partie cachée de nous-même qui tire les ficelles.

Philippe Duport et *al.*, ***Quo***, août 1997.

1. admiration excessive de l'enfant de trois ans pour le parent du sexe opposé. C'est en « sortant » de ce complexe que l'enfant acquiert son indépendance et sa personnalité propre.

4. La chance et la malchance

a) Dans le texte ci-dessus, relevez les deux exemples de situations malchanceuses. Commentez les explications données par les psychologues.

b) Développez les situations dans lesquelles les phrases ci-contre ont été prononcées. Imaginez une explication rationnelle pour chaque situation.

NB : Dans chaque groupe les expressions sont synonymes.

Exemple :

Un jour, Myriam monte dans un train et s'assied à côté d'une femme bien habillée. La conversation s'engage. La voisine de Myriam est directrice d'une agence de mannequins...

→ Inconsciemment, Myriam s'est assise à côté d'une personne qui avait une certaine classe et qui correspondait donc à son idéal. Myriam est belle, elle rêve d'une carrière de top model...

c) Racontez un coup de chance ou un mauvais coup du sort. Recherchez en groupe des explications rationnelles à ce qui vous est arrivé.

d) Connaissez-vous :
– des situations quotidiennes,
– des événements historiques,
– des faits d'actualité,
– des décisions prises par des gens que vous connaissez,
– des faits mystérieux
qui restent pour vous inexplicables ?

- *Myriam a été engagée comme mannequin.*

  « Ça s'est fait par pur hasard. »

- *Jean, lors de la 5e épreuve d'un examen.*

  « C'est la poisse *(fam.)*. C'est la guigne *(fam.)*. C'est la scoumoune *(fam.)*. »

- *Tout le monde envie François.*

  « Il a la baraka *(fam.)*. Tout lui sourit. »

- *Florence a eu un accident.*

  « J'ai eu un coup de bol *(fam.)*. J'ai eu de la chance. Ça a été un coup de chance. J'ai eu du pot *(fam.)*. J'ai eu de la veine *(fam.)*. »

- *André a perdu son emploi. Sa femme l'a quitté. Ses amis s'éloignent de lui.*

  « J'ai le mauvais œil. Je ne suis pas né sous une bonne étoile. »

- *Cette fois encore, Manon n'a pas réussi à garder son petit ami...*

  « C'était fatal. »

- *Florent est ruiné.*

  « C'est un coup du sort. »

- *Au marché aux Puces, Corinne a trouvé le cadeau qu'elle va offrir à son amie Martine.*

  « J'ai sauté sur l'occasion. Ça tombait à pic. »

- *Le projet présenté par Rémi à un appel d'offres pour une réalisation architecturale a été refusé.*

  « J'ai joué de malchance. »

5. Les raisons de la guerre

a) Lisez cette scène de la pièce de Jean Giraudoux « La guerre de Troie n'aura pas lieu ».

Quelles sont, d'après Ulysse, les véritables causes de la guerre ? Donnez votre opinion sur ces idées. Recherchez les différentes causes possibles des guerres. Quelles sont celles qui sont déterminantes ?

b) Giraudoux a écrit cette pièce en 1935. Pourquoi peut-on dire qu'elle reflète le climat de l'époque ?

c) Trouvez des adjectifs qui caractérisent cette scène et justifiez-les.

Exemple : Cette scène est **belle** par l'évocation du paysage où se déroule la rencontre et de l'atmosphère d'harmonie qui règne entre les deux peuples. Elle est **poignante**...

LES CAUSES D'UNE GUERRE

La scène se déroule dans l'Antiquité. Les Grecs, furieux que Pâris (frère du Troyen Hector) ait enlevé Hélène (femme du Grec Ménélas), sont prêts à venir la reprendre par la force. La guerre aura-t-elle lieu ou pas ? Les chefs des deux armées se rencontrent dans une ultime tentative de réconciliation.

HECTOR

Nos peuples nous ont délégués tous deux ici pour la conjurer. Notre seule réunion signifie que rien n'est perdu...

ULYSSE

Vous êtes jeune, Hector !... À la veille de toute guerre, il est courant que deux chefs des peuples en conflit se rencontrent seuls dans quelque innocent village, sur la terrasse au bord d'un lac, dans l'angle d'un jardin. Et ils conviennent que la guerre est le pire fléau du monde, et tous deux, à suivre du regard ces reflets et ces rides sur les eaux, à recevoir sur l'épaule ces pétales de magnolias, ils sont pacifistes, modestes, loyaux. Et ils s'étudient. Ils se regardent. Et tiédis par le soleil, attendris par un vin clairet[1], ils ne trouvent dans le visage d'en face aucun trait qui justifie la haine, aucun trait qui n'appelle l'amour humain, et rien d'incompatible non plus dans leurs langages, dans leur façon de se gratter le nez ou de boire. Et ils sont vraiment combles[2] de paix, de désirs de paix. Et ils se quittent en se serrant les mains, en se sentant des frères. Et ils se retournent de leur calèche[3] pour se sourire... Et le lendemain pourtant éclate la guerre [...].

HECTOR

Et nous sommes prêts pour la guerre grecque ?

ULYSSE

À un point incroyable. Comme la nature munit les insectes dont elle prévoit la lutte, de faiblesses et d'armes qui se correspondent, à distance, sans que nous nous connaissions, sans que nous nous en doutions, nous nous sommes élevés tous deux au niveau de notre guerre. Tout correspond de nos armes et de nos habitudes comme des roues à pignon[4]. Et le regard de vos femmes, et le teint de vos filles sont les seuls qui ne suscitent en nous ni la brutalité ni le désir mais cette angoisse du cœur et de la joie qui est l'horizon de la guerre. Frontons et leurs soutaches[5] d'ombre et de feu, hennissements des chevaux, péplums disparaissant à l'angle d'une colonnade, le sort a tout passé chez vous, à cette couleur d'orage qui m'impose pour la première fois le relief de l'avenir. Il n'y a rien à faire. Vous êtes dans la lumière de la guerre grecque.

HECTOR

Et c'est ce que pensent aussi les Grecs ?

ULYSSE

Ce qu'ils pensent n'est pas plus rassurant. Les autres Grecs pensent que Troie est riche, ses entrepôts magnifiques, sa banlieue fertile. Ils pensent qu'ils sont à l'étroit sur du roc. L'or de vos temples, celui de vos blés et de votre colza, ont fait à chacun de nos navires, de nos promontoires, un signe qu'il n'oublie pas. Il n'est pas très prudent d'avoir des dieux et des légumes trop dorés.

Jean GIRAUDOUX, ***La guerre de Troie n'aura pas lieu,*** Grasset, 1935.

1. vin léger et peu coloré. 2. (ici) rempli de... 3. voiture à cheval. 4. roues dentées dont l'une entraîne le mouvement de l'autre. 5. ornement en relief sur le fronton des bâtiments.

Dossier - Débat

14. Sommes-nous déterminés par nos origines ?

Différents documents portant sur la génétique, les parasciences (astrologie, etc.), la psychologie et la sociologie vous permettront de nourrir le débat annoncé dans le titre de cette leçon.
Vous y apprendrez également à introduire un sujet et à faire une démonstration.

Nos comportements, y compris les plus intimes, sont-ils déterminés à notre insu par notre nature génétique ? Sont-ils, par là même, transmissibles de génération en génération, comme le sont la couleur de nos yeux ou celle de nos cheveux ? Se pourrait-il que la part de l'inné en nous soit plus décisive encore que celle de l'acquis ? Ces questions, encore taboues il y a peu, reprennent aujourd'hui une étonnante actualité.

Luc Ferry, ***Le Point***, 05/07/1997.

D'après un sondage Sofres, 50 % des Français croiraient à l'astrologie.

Intuition féminine, brutalité masculine, une affaire de gènes ?

Un groupe de scientifiques de l'Institut de la santé de l'enfant, à Londres, a découvert un gène qui atténue la tendance antisociale des gens et leur permet d'être plus aimables. Il est intriguant de constater que ce gène est généralement inactif chez l'homme, ce qui sous-entend que la sélection naturelle, à un moment donné, a véritablement récompensé l'homme pour s'être montré plus réfractaire au milieu social. Les garçons sont différents des filles aussi bien dans leur tête que dans leur corps, et ces différences sont autant innées qu'acquises. Mince alors ! Y avait-il quelqu'un pour en douter ?

Matt Riddley, « The Daily Telegraph », *Courrier International*, 26/06/1997.

Les qualificatifs qu'on attribue aux chiens ne parlent que de nous-mêmes. Dire : « *J'aime les setters parce qu'ils sont gentils et distingués* » revient à dire : « *J'aime ce qui est gentil et distingué.* » Dire : « *Les boxers sont braves et joueurs malgré leur gueule aplatie* » signifie : « *Les boxers sont comme moi, pas très beau mais tellement sympathique qu'on peut quand même m'aimer.* »
Un fort déterminant psychosocial gouverne le choix des quartiers et structure le milieu où se développe le chien. C'est ainsi que les bergers allemands auront à se développer dans des milieux très différents de ceux des lévriers afghans. L'espace de leur maison, les rencontres et les interactions façonneront des chiens aux comportements différents. Les promesses génétiques ne peuvent se développer que dans un milieu structuré par la pensée des hommes. L'idée qu'on se fait de notre relation avec l'animal, le besoin qu'on en a, organisent des structures architecturales, comportementales et affectives qui façonnent certains comportements du chien et gouvernent son destin.

Boris Cyrulnik, *L'Ensorcellement du monde*, Éditions Odile Jacob, 1997.

Éduqué par un groupe de psychologues de l'université de Géorgie, le chimpanzé Kanzi sait reconnaître environ 200 mots. Il a l'âge mental d'un enfant de deux ans.

INTRODUIRE UN DÉVELOPPEMENT ÉCRIT

Fonctions de l'introduction

- Justifier le développement qu'on va faire.
- Annoncer le type de développement. Le lecteur doit savoir s'il va lire un exposé d'informations, un commentaire de faits ou de documents, une argumentation sur une question controversée, etc.
- Capter l'attention du lecteur.

Contenu de l'introduction

On peut introduire un sujet :

- par une idée générale qui pose directement le problème ;
- par une citation d'auteur que l'on commente rapidement avant de poser le problème ;
- par un exemple ou une série de faits qui justifient le développement ;
- par une anecdote qui crée un effet de surprise tout en servant d'introduction à la question.

Formes

- Les formules qui servent à introduire un développement oral *(Je parlerai de … Je traiterai de … Nous allons aborder le problème de …)* sont rarement utilisées à l'écrit.
- À la fin de l'introduction, on peut annoncer les grandes étapes du développement *(Dans une première partie nous aborderons … Dans un deuxième temps …)*.

1. Introduction au débat

a) Lisez le tableau ci-contre puis les trois documents écrits de cette double page. Analysez chaque texte et montrez comment il introduit au débat annoncé dans le titre du dossier.

b) Imaginez d'autres introductions possibles à ce débat :

– en utilisant les informations des photos,
– en vous appuyant sur des exemples personnels.

2. Recherche d'idées

(Travail en petits groupes)

Faites la liste des facteurs qui, selon vous, conditionnent votre caractère et vos comportements ainsi que ceux des personnes que vous connaissez. Appuyez-vous sur des exemples précis.

Exemple :

Pourquoi est-ce que j'aime me lever tôt (ou tard) le matin ? C'est ainsi depuis toujours ? Ce sont mes parents qui m'y obligeaient ? C'est depuis que j'ai passé quatre ans dans un pensionnat ? Etc.

La recherche en génétique : un problème d'éthique

Qu'est-ce que la génétique ?

Chaque individu possède environ 100 000 gènes. Ils se situent sur les chromosomes et sont portés par une structure, qui ressemble à un très long et mince fil, l'ADN ou acide désoxyribonucléique. Isoler, étudier ces gènes, s'en servir, voire les modifier, pour infléchir les mécanismes qu'ils dirigent, c'est cela le génie génétique. On peut ainsi modifier certains caractères héréditaires (ces derniers étant portés et définis par les gènes) de cellules ou d'organismes vivants comme des bactéries, par exemple. On peut aussi « programmer » des êtres nouveaux, qui n'existent pas dans la nature, en modifiant la distribution des gènes sur des fragments d'ADN.

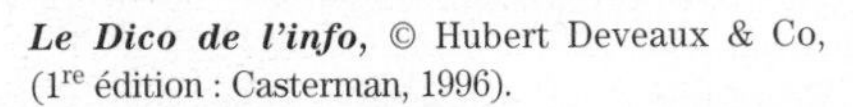

Le Dico de l'info, © Hubert Deveaux & Co, (1re édition : Casterman, 1996).

Les applications de la génétique commencent à être nombreuses dans le domaine de l'agronomie et de la fabrication des médicaments. Mais les généticiens ont aussi établi des relations de cause à effet entre les gènes et certains comportements pathologiques (l'anxiété névrotique) voire simplement excessifs (l'agressivité). Le philosophe Luc Ferry s'inquiète de ces recherches.

C'est donc souvent à l'abri des regards indiscrets que se développe une nouvelle discipline, la « génétique des comportements », qui entend dévoiler d'éventuels déterminismes dissimulés derrière nos modes de vie. De vastes entreprises de recherche, qui eussent semblé farfelues[1] ou sacrilèges il y a vingt ans encore, sont ainsi consacrées, hors de tout battage médiatique, aux origines de l'homosexualité, de l'intelligence, de l'agressivité, de l'alcoolisme, de la schizophrénie ou de la dépression.

Dire qu'un comportement, quel qu'il soit, est « déterminé » par une origine héréditaire, n'est-ce pas se défausser[2] sur la nature de ce que l'on considérait jadis appartenir à la sphère de la responsabilité humaine ? La question, d'ailleurs, n'est pas simplement théorique. On se souvient peut-être qu'en 1965 des recherches menées sur une éventuelle origine génétique de l'agressivité avaient conduit certains chercheurs à émettre l'hypothèse (farfelue en vérité) d'un « chromosome du crime ». On avait de fait trouvé, chez certains débiles mentaux ayant fait preuve de violence, une anomalie des chromosomes sexuels – XYY au lieu de XY... Des avocats s'empressèrent de demander l'acquittement des criminels porteurs de cette particularité au motif qu'ils n'étaient pas responsables de leur lourde hérédité ! On perçoit comment l'argument de ces plaidoiries pourrait s'étendre à toutes nos actions si l'on devait considérer, comme nous y invitent certains biologistes, qu'elles sont de part en part commandées, voire « programmées », par notre code génétique...

C'est bien, en effet, sur le plan éthique et philosophique que ce type de recherche fait d'abord problème : la schizophrénie, l'alcoolisme ou la dépression ne sont-ils pas, comme tout ce qui appartient à la vie de l'esprit, avant tout déterminés par l'histoire individuelle et familiale ? Dire qu'ils seraient innés, naturels, n'est-ce pas revenir à l'idée ancienne qu'il existerait des « déviants[3] » par nature et, lâchons le mot, des familles de « tarés[4] » ? Au reste, que veut-on montrer au juste ? Que les alcooliques, les violents, les anxieux ou les homosexuels constituent une « catégorie à part », que leur comportement n'est pas l'effet d'une histoire, mais d'un destin génétique irréversible ? De là à réaffirmer qu'ils sont des pervers[5], comme on disait jadis, il n'y a qu'un pas, singulièrement régressif et réactionnaire. Sans compter les risques politiques de telles assertions : ne va-t-on pas se mettre à examiner l'ADN d'un individu avant de le recruter, voire se mettre à tester les embryons pour éliminer ceux qui seraient « marqués » ? On le voit : ici encore, une certaine appréhension semble *a priori* justifiée.

Luc Ferry, ***Le Point***, 05/07/1997.

1. à la fois bizarre et fou. 2. se décharger d'une responsabilité sur quelqu'un d'autre. 3. du verbe « dévier » : qui ne va pas dans la bonne direction. 4. personne atteinte d'un défaut héréditaire (mot péjoratif). 5. qui est naturellement poussé au mal.

L'ASTROLOGIE, LA CHIROMANCIE, LA NUMÉROLOGIE SONT-ELLES DES SCIENCES ?

À l'origine, ces trois disciplines participent du même esprit que la science. Il s'agit de donner un sens à l'homme et à l'univers, d'établir un lien de causalité entre d'une part les astres (astrologie), les lignes de la main (chiromancie), un ordre chiffré des événements (la numérologie) et d'autre part l'homme, son caractère, son comportement, son devenir. À écouter les spécialistes de ces disciplines, les lois qu'elles ont élaborées seraient le résultat d'observations maintes fois recoupées.
Il reste que la science actuelle est incapable de donner une explication de ces liens de causalité. Mais rien ne prouve qu'elle ne sera pas un jour en mesure de prouver que les astres et leurs positions influent sur notre comportement.

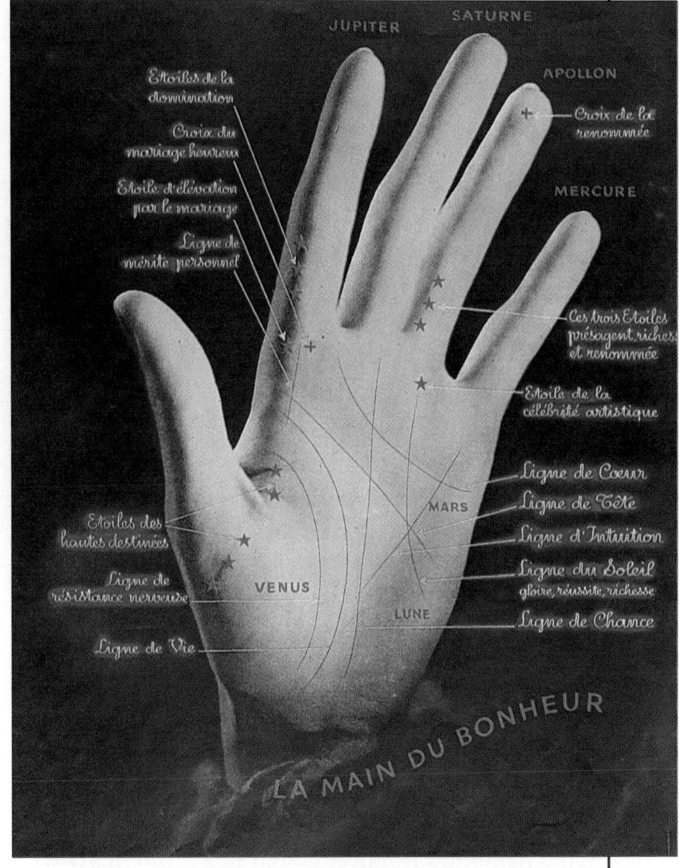

Quelques observations de la chiromancie

• Les principales lignes

La ligne de cœur nous informe sur notre affectivité et sur les événements heureux ou malheureux.
La ligne de tête indique les caractéristiques intellectuelles et mentales.
La ligne de vie donne des indications sur les événements de notre vie (événements importants, maladie, mort).

NB : Les lignes doivent être interprétées en relation les unes avec les autres. Celles de votre main principale (la main droite pour les droitiers) révèlent votre capacité de réalisation. Celles de l'autre main vos potentialités.

• La forme générale des lignes

– *profondes* (force de caractère, courage, énergie, caractère expansif) – *peu marquées* (tendances contraires).
– *longues/courtes* indique la force et la durée de la caractéristique considérée (ligne de cœur longue : vie affective et sentimentale forte et durable).
– *courbures et intersections* marquent les influences entre les différentes lignes.
Si la ligne de cœur se rapproche de la ligne de tête : indécision et timidité. Si elle s'en éloigne : indépendance du cœur et de l'esprit. Si au départ, la ligne de tête est unie à la ligne de vie, l'individu sera prisonnier de son corps et des événements de la vie (difficulté de concentration, réactions primaires, etc.). Si le départ des lignes est séparé : confiance en soi, audace.

3. Avantages et risques de la génétique

a) Lisez** « Qu'est-ce que la génétique », **p. 84. Mettez en commun vos connaissances pour faire un inventaire des avantages de cette science dans différents domaines (agronomie, écologie, médecine, etc.).

b) Lisez l'article de Luc Ferry. Notez les différents problèmes posés par les recherches en génétique des comportements. Imaginez d'autres conséquences dans chacun des autres domaines.

4. Réflexion en petit groupe et démonstration

Doit-on limiter ou interdire les recherches en génétique des comportements ? Débattez de cette question en petit groupe. Justifiez votre opinion personnelle par une démonstration que vous rédigerez ou exposerez oralement.

5. Les influences irrationnelles

a) Appliquez et commentez les informations du document ci-dessus.

b) Croyez-vous à ces disciplines ? Comment expliquez-vous qu'elles suscitent aujourd'hui un intérêt croissant ?

FAIRE UNE DÉMONSTRATION

■ **1. Une démonstration peut partir d'un constat de faits ou d'idées ...**

On constate ... – On observe ... – On a découvert ... – On a fait l'expérience de ... – Si l'on examine ... on se rend compte (on s'aperçoit) de ... / que ...

... pour aller vers une conclusion.

De ce cas (de ces faits, de ces exemples) on peut induire ... *(raisonnement par induction).*

De cette idée (de cette règle, de ce principe) on peut déduire ... *(raisonnement par déduction).*

Pour passer des faits aux idées ou des idées aux faits, on reverra le vocabulaire du tableau de la page 48.

■ **2. Une démonstration peut aussi s'appuyer sur une confrontation de faits ou d'idées pour aller également vers une conclusion.**

Si on compare (met en parallèle, confronte) ... avec ... – Si on rapproche ... de ...

On peut faire un parallèle entre ... et ...

Il existe (on peut établir) des points communs, des similitudes, des analogies, des ressemblances entre ... et ...

Le cas des enfants sauvages peut éclairer celui de ...

■ **3. Le point de départ ou la conclusion d'une démonstration peuvent être présentés**

a) comme des certitudes :

On a démontré (prouvé, établi) que ... – On est fondé à dire que ... – Il va de soi que ...

Ces faits témoignent (nous donnent la preuve) de ...

Ils attestent (permettent d'affirmer) que ...

Ces exemples permettent de conclure que ...

De ces cas, on peut tirer la conclusion suivante ...

Il est certain (il est évident, il va sans dire) que ...

b) comme des hypothèses :

À partir de ces faits, on peut penser (supposer, imaginer) que ...

Ces faits laissent supposer que ...

Ces constatations étant faites, on peut faire l'hypothèse de ... (que ...).

Si on part du principe (de l'idée) selon lequel (laquelle) ... on peut admettre (poser, présupposer) – Il est possible (probable, imaginable) que ...

• *emploi de l'interrogation et du conditionnel :*

Notre comportement est-il (serait-il) déterminé par ... ?
Se pourrait-il que nous soyons sous l'influence de ... ?

6. Les effets de l'éducation sur les enfants sauvages

Lisez le texte de la page 87.

a) Le comportement initial de Victor. ***Recherchez une explication pour chaque caractéristique de ce comportement.***

Exemple : visage dévoré de mouvements nerveux → Victor est transporté dans un environnement qui lui est totalement étranger. Son visage reflète la panique et l'angoisse.

b) Les progrès de Victor. ***Faites la synthèse de ces progrès et de leurs limites. Faites des hypothèses sur les raisons de ces limites. Quels arguments le cas de Victor apporte-t-il au débat annoncé dans le titre du dossier ?***

7. Plan détaillé d'une question contradictoire

a) Reprenez les notes que vous avez prises au cours de l'activité 2. Enrichissez-les des réflexions suscitées par les différentes parties de ce dossier.

b) Après avoir relu le tableau de la page 55, rédigez le plan détaillé d'une démonstration répondant à la question titre du dossier.

L'environnement détermine souvent la personnalité des peuples et leurs institutions. Les sociétés anciennes qui connaissaient des alternances de périodes d'abondance et de pénurie développaient une anxiété collective qui débouchait sur une organisation rigoureuse de l'agriculture et du stockage ainsi que sur des rites d'offrande de nourriture aux dieux et aux morts.

Tombe de noble à Thèbes : l'offrande au défunt.

L'Enfant sauvage
de François Truffaut.

Le cas des enfants sauvages

En 1797, dans l'Aveyron, des chasseurs capturent un enfant d'une douzaine d'années qui se comporte comme un animal sauvage. Il cherche à s'enfuir, se déplace avec une grande agilité, pousse des cris incompréhensibles et ne réagit pas au langage des humains. On lui donne le nom de Victor et il est confié au docteur Itard, médecin-chef de l'Institution des sourds-muets, rue Saint-Jacques à Paris.

À son arrivée à Paris et rue Saint-Jacques, l'enfant de l'Aveyron, le visage dévoré de mouvements nerveux, écrasant ses yeux de ses poings, les mâchoires serrées, dansant sur place, et souvent convulsionnaire, cherche sempiternellement à s'enfuir. Passant de l'effervescence gestuelle à la plus totale prostration, excité par la neige où il se vautre, il est calmé – nouveau Narcisse – par la vue de l'eau tranquille du bassin au bord duquel volontiers il rêve, ou encore par la lune brillante que, figé, il admire le soir. Incapable d'imiter, les jeux des enfants le laissent indifférent, il voue bientôt à l'autodafé les quelques quilles qu'on lui a offertes.

En deux mémoires, l'un de 1801, l'autre de 1806, le Dr Itard a raconté comment l'enfant, au bout d'un an, au bout de six ans, avait perdu ses allures sauvages. Ouvrons le rapport de 1801. Victor s'habille désormais lui-même, évite de salir sa couche, met le couvert, tend son assiette pour être servi, va tirer de l'eau pour boire quand le cruchon est vide, éconduit les visiteurs désagréables en leur indiquant la sortie, convie les curieux bonasses à le véhiculer dans un petit tombereau à main, apporte un peigne au médecin quand celui-ci a volontairement embrouillé sa chevelure. [...]

Le second rapport d'Itard, en 1806, fait état de progrès nouveaux. Six ans ont passé. [...] De longs exercices le conduisent à un relatif équilibre et à l'emploi juste des mots à travers le conflit des ressemblances et des différences. Itard veille à ce que Victor apprenne à manipuler par étiquettes non seulement les termes désignant les êtres, mais ceux indiquant les rapports – dans l'ordre par exemple des quantités – et ceux, encore, incarnant les actions – la méthode pédagogique consistant, dès lors, essentiellement, à faire agir l'enfant lui-même. Celui-ci demeure muet mais il sait, peu à peu, écrire. Le médecin l'invite à imiter des gestes simples, à faire courir une baguette sur des arabesques, puis un crayon sur les méandres des mots. Au bout de quelques mois Victor perd le statut de l'idiot : il sait saisir le sens des mots, les reproduire sans exemple et indiquer par l'écriture l'essentiel de ses désirs et de ses vœux.

Lucien Malson, *Les Enfants sauvages*,
Union Générale d'Éditions, 1964.

ENTRETIEN
DUALITÉ DE LA NATURE ET DE LA CULTURE CHEZ L'HOMME

■ Préparation à l'écoute

Le biologiste Jacques Testart (premier intervenant) et le philosophe André Comte-Sponville dialoguent à propos de la part respective de la nature et de la culture chez l'homme.

Vocabulaire : **prendre une tournure objective** (devenir un domaine scientifique) – **le sort** (le devenir imprévisible) – **Sartre** (pour Sartre, l'homme n'existe que dans sa relation avec l'environnement) – **qui fait froid dans le dos** (qui fait peur) – **une tarte à la crème** (ici, emploi figuré et familier : un sujet à la mode, traité par tout le monde) – **les cellules germinales** (cellules reproductrices) – **dériver** (aller dans une direction qui n'est pas souhaitée) – **la socio-biologie** (science qui explique les comportements sociaux des animaux et des humains par des éléments biologiques [hormones, gènes, etc.]).

■ Écoute du document

• Résumez en une phrase chacun des développements suivants :
– le constat dressé par Jacques Testart,
– l'interrogation suscitée par ce constat,
– l'historique fait par André Comte-Sponville,
– la position d'André Comte-Sponville.

• Relevez les mots associés aux notions de :
– nature : animalité, ...
– culture : éducation, ...

SIMULATION

15. Trois défis pour l'entreprise

En adoptant les points de vue des différents partenaires d'une entreprise, vous examinerez trois défis auxquels les entreprises d'aujourd'hui doivent faire face :
– la nécessaire communication interne,
– la mondialisation de l'économie,
– la participation à la lutte contre le chômage.
Vous apprendrez à formuler les conséquences d'un fait et à négocier.

Un nouvel outil de communication pour l'entreprise : la salle de réunion « tout informatique » pour produire des idées en évitant les bavardages, les conflits personnels et les problèmes linguistiques. Utilisée par l'Aérospatiale et La Poste.

1. Constituez des groupes de travail

Chaque groupe travaillera sur un type d'entreprise particulier (construction automobile, presse, agence de voyages ou tour-opérateur, etc.).

Vous pouvez aussi considérer comme des entreprises :
- votre école ou votre université,
- une association (culturelle, humanitaire, etc.) ou une coopérative.

2. Premier défi : améliorer la communication dans l'entreprise

a) Lisez le texte de la page 89. Notez :

- les obstacles qu'une entreprise moderne rencontre dans le développement de sa communication interne ;
- les raisons pour lesquelles cette communication doit être développée.

b) Faites la liste des raisons pour lesquelles votre entreprise doit développer sa communication interne. Donnez des exemples.

Exemple :

- Éviter les conflits de personnes : deux cadres qui travaillent sur le même projet ont des caractères différents, des méthodes de travail difficilement compatibles.
- Etc.

c) Recherchez et classez les différentes façons de communiquer dans votre entreprise.

Exemple : Personnes concernées : l'ensemble du personnel.

- objectif professionnel précis : réunion générale (pour une petite entreprise),
- objectif professionnel et social : le journal interne,
- objectif social : cocktail à l'occasion des vœux de Nouvel An.

L'importance de la communication dans L'ENTREPRISE

Par son importance, la communication dans l'entreprise est devenue un élément de stratégie que doit adopter toute organisation. Le problème à résoudre est cependant redoutable pour au moins trois raisons :

– Pendant longtemps, et en périodes de croissance notamment, ce besoin de communication n'apparaissait par comme un impératif. En ère de vaches grasses, on sait que les problèmes psychologiques sont plus facilement refoulés. Il y a une dynamique de la croissance et de la réussite qui balaie tout ce qui peut apparaître comme des obstacles ou des réflexions inutiles. Actuellement, cette époque a vécu. Les difficultés à résoudre ont mis en évidence la nécessaire collaboration des hommes, laquelle passe inévitablement par une communication de qualité qui, elle-même, sous-tend la motivation ambiante.

– La deuxième raison vient du fait que tout ce qui touche l'humain est très difficile à résoudre. Les cadres français ont été plus habitués à résoudre des problèmes techniques précis que de s'occuper de « psychologie » longtemps apparue, non pas comme une technique, mais comme une « philosophie » avec le côté « rêveur » que ce mot revêt pour le profane.

– L'entreprise est à la recherche d'un nouveau modèle d'organisation. Celui d'hier a vécu. Celui de demain est en voie d'apparition. Pendant longtemps, on a vécu sur un modèle de l'entreprise 1880 modifié 1925, c'est-à-dire sur un schéma de l'entreprise industrielle modifiée par le taylorisme[1]. C'était un modèle rationnel, héritier du XVIIIe siècle et de la philosophie des Lumières associée au culte de la raison. On se désintéressait donc naturellement de l'irrationnel. Notons que le taylorisme n'a pas seulement pénétré l'industrie, mais également les services et les administrations. Ce système a répondu avec beaucoup d'efficacité à l'attente de l'époque : il a créé des emplois par dizaines de millions, a modernisé la société, a créé des richesses au point que l'on est arrivé à critiquer les sociétés de consommation, et a permis, après la Seconde Guerre mondiale, de faire redémarrer les économies nationales.

Cependant, depuis cinq à dix ans, ce système d'organisation s'efface (*cf.* l'industrie automobile, la sidérurgie, ...). La culture taylorienne cède de plus en plus la place à la société de l'information. Le grave problème à résoudre est que cette mutation se fait très vite. Il fallait jadis une à deux générations pour passer d'un système à un autre. Actuellement, quelques années seulement sont laissées aux entreprises pour passer d'un modèle industriel à un modèle de communication.

J.-P. LEHNISCH, ***La Communication dans l'entreprise***, PUF, 1985.

1. voir légende de la photo ci-dessous.

Le film de Charlie Chaplin Les Temps modernes *faisait la satire du taylorisme. L'ingénieur et économiste américain Taylor fut, au début du XXe siècle, le promoteur d'une organisation rationnelle des entreprises fondée sur la mécanisation, la spécialisation des tâches, la suppression des gestes inutiles, et l'intéressement des ouvriers au rendement. Cette conception du travail a bien sûr évolué au cours du siècle mais l'organisation « pyramidale » perdure encore dans beaucoup d'entreprises avec comme corollaire l'absence de concertations et le cloisonnement des services.*

3. ÉTUDES DE CAS

a) Faites le travail d'écoute du document oral.

b) Voici des problèmes qui peuvent se résoudre grâce à une meilleure communication. Expliquez comment vous les traiteriez dans le cas particulier de votre entreprise. Jouez l'une des scènes.

1) **La rumeur.** Le bruit court que certains services de l'entreprise seraient délocalisés dans une autre région. Cette rumeur n'est pas fondée...

2) **Problème de hiérarchie.** Un employé a trouvé le moyen d'améliorer le rendement du service dans lequel il travaille. Mais il ne s'entend pas avec son chef...

3) **Mobilisation.** L'entreprise est en difficulté. Mais, coup de chance, une grosse commande vient d'arriver qui doit être exécutée dans de très brefs délais. Il serait trop risqué d'engager du personnel...

4) **Différend entre personnes.** Deux cadres qui travaillent sur le même projet se haïssent et « se mettent des bâtons dans les roues » (se créent mutuellement des difficultés)...

5) **Isolement.** Plusieurs services de l'entreprise sont dispersés dans la ville. Quand on doit faire appel à eux, on n'obtient pas toujours un collaborateur efficace.

6) **Morosité.** L'entreprise est créative. Les commerciaux dynamiques et efficaces. Mais l'intendance ne suit pas. Les employés ne semblent se réveiller que lors des pauses café et à l'heure du déjeuner...

RÉUNION DANS UNE ENTREPRISE
PRISE DE DÉCISION

■ Situation

Une maison d'édition envisage de lancer une nouvelle collection « Vie pratique » destinée à aider les personnes dans leurs démarches administratives. À cet effet, le directeur réunit ses collaborateurs. Vous entendrez, dans le désordre, huit moments de cette réunion.

■ Écoute du document

• Identifiez les huit moments suivants :
– le lancement de la réunion,
– un tour de table,
– un *brain-storming* (ou « remue-méninges »),
– un moment de recentrage sur l'objectif de la réunion,
– la prise de décision,
– la mise en œuvre de la décision,
– un moment d'information hors objectif,
– un moment de détente.

• Pour chacun de ces moments, précisez :
– la forme de la communication (intervention directive, échange improvisé, etc.),
– la fonction du moment.

• Notez les formules grâce auxquelles l'animateur signale les moments de la réunion.

Exemple : « À l'ordre du jour... »

CONSÉQUENCES ET CONDITIONS

■ Conséquences

Recherher, examiner, tirer les conséquences d'un fait. Une conséquence à court/moyen/long terme.

Conséquences positives ou négatives. Cette décision aura pour conséquences ... comme résultat ... comme répercussions ... comme suite ...
Ces faits auront pour corollaire ...

Conséquences négatives. Cette décision aura comme contrecoup ... – Elle laissera des séquelles dans ...

Conséquences positives. Elle aura un impact sur ... des retombées sur ... – Ce sera une décision d'une grande portée.

■ Implications

Cet état de fait implique ... suppose ... sous-entend ... signifie que ...
Compte tenu de cette évolution, il y aura ...

■ Conditions

L'objectif sera atteint à condition que *(+ subjonctif)* ... pourvu que *(+ subj.)* ... du moment que *(+ indicatif)* ... pour peu que *(+ subj. - condition minimale)* ... pour autant que *(+ indic.)* ... dans la mesure où *(+ indic.)* ...

Il sera atteint à une seule condition ... si plusieurs conditions sont réunies.

Les employés ont posé leurs conditions – Ils mettent des conditions à leur accord.

■ Dépendances

Le succès de l'opération dépend de ... est fonction de ... – Il passe par ... – Il est soumis à ... – Il est tributaire de ...

Selon que l'accord sera ou non signé ...

■ Restrictions et réserves

Le projet aboutira sauf si ... excepté si ... à moins que *(+ subj.)* ... hormis dans le cas où *(+ conditionnel).*

J'approuve les décisions à l'exception de ... mis à part ...

Abstraction faite d'un événement imprévu, le projet devrait aboutir.

J'approuve le projet sous réserve d'un examen approfondi.

J'émets des réserves sur le succès de l'opération.

4. Deuxième défi. L'entreprise face au nouvel ordre du monde

a) Lisez ci-dessous une anticipation de l'entreprise du futur selon Jacques Attali. Complétez le tableau en indiquant toutes les évolutions suggérées par ce texte.

L'entreprise aujourd'hui	elle cherche à être stable et à durer	...
L'entreprise du futur	elle sera précaire	...

b) Organisez un débat dans votre petit groupe pour examiner l'avenir de votre entreprise à la lumière de ce texte. Vous dégagerez :

– les conséquences et les implications que de telles transformations auraient sur l'organisation de l'entreprise et sur les différentes catégories de personnels,

– les conditions de réussite de cette évolution (changement de mentalité, etc.).

c) Préparez un compte rendu de ce débat en utilisant le vocabulaire du tableau de la page 90.

L'ENTREPRISE DU XXIe SIÈCLE

Dans son Dictionnaire du XXIe siècle, *l'économiste Jacques Attali fait un tableau visionnaire de ce que deviendra le monde dans les décennies à venir. Voici l'article qu'il consacre à l'entreprise.*

Entreprise

Organisation productrice de richesses et d'innovations, elle deviendra précaire, mobile, nomade[1] rassemblement temporaire de compétences à l'instar d'une troupe théâtrale. Elle vivra dans l'urgence, le défi, la peur de disparaître. Elle sera en général petite, fluide, mais multinationale.
Les mutations des modes de transmission de données, la possibilité de simuler à l'infini les produits avant même de concevoir un prototype, changeront non seulement les modes de communication au sein et hors de l'entreprise, mais surtout la nature des processus de production et d'organisation. L'entreprise sera organisée en réseaux avec très peu de niveaux hiérarchiques, en petites structures, avec beaucoup de travail en équipes, d'initiatives décentralisées, de subentreprises internes (ou intrapreneurs[2]). Elle ne sera plus caractérisée par un métier ou un actionnariat, mais par un savoir-faire. Ses principaux actifs seront ses brevets[3], ses marques, la compétence de ses personnels et de ses partenaires. Elle aura des devoirs à l'égard de ses travailleurs, de ses consommateurs, de ses investisseurs et de l'ensemble des citoyens. Elle devra enrichir la compétence de ceux qui y travaillent, organiser leur formation permanente, leur faire partager une vision, même provisoire. Le pouvoir n'appartiendra plus aux détenteurs du capital, qui ne sera plus qu'un des moyens mis à la disposition des intelligences. L'autogestion se généralisera dans les entreprises de savoir.

Presque aucune entreprise telle qu'elle existe aujourd'hui ne traversera le siècle prochain. Une seule entreprise du *Dow Jones Index*[4] de la fin du XIXe siècle, General Electric, y figure encore à la fin du XXe, et elle a entre-temps complètement changé de métier. Les grandes entreprises ne perdureront que si elles sont capables d'imposer au consommateur une marque définie par une vision du futur dans laquelle le consommateur universel pourra se reconnaître : émerveillement (Disney), convivialité (Apple), mobilité (Sony), dépassement (Nike, Adidas), luxe (Vuitton, Hermès), pureté (Danone), beauté (Calvin Klein, Saint Laurent), etc.
L'entreprise efficace sera celle qui fournira au consommateur une façon nouvelle et meilleure de voyager plus avant dans l'utopie.

Jacques Attali, ***Dictionnaire du XXIe siècle,*** Fayard, 1998.

1. caractéristique principale de l'homme du futur selon J. Attali. Les riches se déplaceront par plaisir, les pauvres par nécessité. Les autres se contenteront d'un nomadisme virtuel grâce aux moyens technologiques. **2.** ces deux mots sont fabriqués par l'auteur pour désigner les formes futures de la sous-traitance (subentreprises) et le statut des cadres indépendants (intrapreneurs). **3.** titre légal de propriété d'une invention ou d'une innovation. **4.** liste des entreprises cotées en Bourse.

La réduction du temps de travail est-elle une solution au problème du chômage ?

Chaque fois que le chômage prend des proportions importantes en France, deux politiques s'affrontent. La première, qui a la faveur de la gauche, consiste à dire : « Il faut travailler moins. Il faut partager le travail. » *Ainsi, le temps de travail fut-il réduit à quarante heures hebdomadaires en 1936 avec le Front populaire. En 1982, il passa à trente-neuf heures avec le président Mitterrand et en 1998 un autre gouvernement de gauche aménage un passage à trente-cinq heures.*
L'autre politique, celle de la droite libérale, préconise au contraire de travailler plus afin de relancer l'économie créatrice d'emplois.
Alain Lebaube, journaliste au Monde, *analyse cette question dans le cadre du débat sur une réduction du temps de travail à trente-cinq heures.*

Dans la plupart des cas, les tenants de la réduction du temps de travail – ou du partage – raisonnent de façon mécanique et privilégient l'approche mathématique quand il faudrait, au contraire, aborder le sujet de manière sociétale. Peu ou prou, ils affirment donc qu'une baisse de la durée du travail dégage un volume supplémentaire d'emplois, les trente-deux heures hebdomadaires plus que les trente-cinq heures, et ainsi de suite. Or, malgré la validation de leurs recherches par des modèles économétriques, déjà beaucoup moins probants, cet enchaînement vertueux n'est pas totalement avéré. En faudrait-il une confirmation qu'on la trouverait dans le fameux précédent du passage aux trente-neuf heures payées quarante de 1982 qui a eu, en outre, pour fâcheuse conséquence de bloquer toute évolution à la baisse. Avec le recul, l'INSEE[1] estime que cette réduction d'une heure a généré de dix-sept mille à cinquante mille emplois supplémentaires pendant six mois avant que l'effet ne s'évanouisse. Un résultat somme toute modeste.

À poursuivre, et à supposer qu'une réduction importante soit malgré tout décidée, dans une logique de partage du travail, il est également manifeste que l'on s'engagerait alors dans une course sans fin. Si les trente-cinq heures ou les trente-deux heures permettent d'espérer le retour en masse de l'emploi – ce qui n'est pas démontré –, il faut en effet savoir que ce nouvel équilibre sera momentané. Sous la pression des gains de productivité, des organisations du travail et de l'introduction de nouvelles technologies, il faudra toujours aller plus loin, ou plus bas. Dès lors que le gâteau rétrécit, l'idée même de partage, même si elle est cohérente avec la remise en cause de la valeur travail, revient à une stratégie du renoncement et empêche d'envisager l'alternative du redéploiement.

Mais d'autres problèmes surgissent également. Imaginer la réduction du temps de travail comme une solution idéale, alors que nous assistons à l'éclatement des temps de travail, voire à la dilution du temps comme instrument de mesure du travail, n'est jamais qu'une difficulté de plus. Qu'il convient, de surcroît, de mettre en rapport avec le développement du temps partiel, moyen de gestion extrêmement flexible des effectifs et avec lequel il sera de plus en plus délicat de faire la différence. Si l'on ajoute à cela, ensuite, ainsi que le reconnaît Dominique Taddei[2] lui-même, pourtant ardent propagandiste de la formule, que la réduction du temps de travail suppose que soient remplies deux conditions pour être applicable, le fait qu'il doive s'agir d'un travail prescrit et qu'il concerne un poste de travail interchangeable, n'arrange rien à l'affaire.

Il ne faudrait pourtant pas déduire de tout ce qui précède que le principe même de la réduction du temps de travail est dangereux ou inopérant. Au contraire, sachant cela, mesurant les obstacles et les limites, il s'agit de l'aborder différemment et avec des intentions mieux ajustées. Ainsi, plutôt que de se préoccuper du seul impact sur l'emploi, considérons qu'elle répond à des aspirations profondes, extrêmement présentes dans la société, et qu'elle est en outre compatible avec la remise en cause de la valeur travail, devenue nécessaire pour trouver de nouveaux équilibres.

Pour le dire, on peut s'appuyer sur les travaux de Jacques Rigaudiat, lui aussi partisan invétéré de la réduction du temps de travail[3]. Dans son livre, et c'est ce qui nous importe ici, il met en évidence que « nous travaillons à mi-temps par rapport à nos trisaïeuls », la tendance à la diminution n'ayant pas cessé, sauf après 1982, depuis un siècle et demi.

L'objectif est alors d'aboutir à d'autres compromis de vie qui feraient la part belle, non pas au temps libre, mais au temps libéré. C'est-à-dire à un temps que l'on peut utiliser pour se réaliser ailleurs que dans le travail. Une conception d'autant plus nécessaire que, on l'a vu, la déqualification de l'emploi par rapport au niveau de diplôme conduit à moins investir de temps dans son travail, peu valorisant mais indispensable, pour mieux réussir sa vie d'être humain, de citoyen, d'honnête homme. Ce qui suppose de ne pas raisonner exclusivement en fonction d'une réduction du temps de travail hebdomadaire mais, au contraire, de l'englober dans un temps annuel, pluriannuel avec les congés sabbatiques par exemple, ou, encore, de la concevoir sur toute la vie, entre la retraite, les moments de formation, et, pourquoi pas, les périodes consacrées à l'intérêt général.

Alain Lebaube, ***Le Travail, toujours moins et autrement,***
Le Monde Éditions, 1997.

1. Institut national des statistiques. **2.** auteur qui préconise une semaine de quatre jours de travail. **3.** auteur de *Réduire le temps de travail,* Syros, coll. « Alternatives économiques », 1996.

5. Compréhension et synthèse

a) Lisez le texte de la page 92 en recherchant ci-dessous la définition des mots difficiles. Relevez les idées et arguments développés par l'auteur.

- *Premier paragraphe :* les défenseurs – à partir d'une analyse sociale – plus ou moins (grosso modo) – mesure des paramètres de l'économie – convaincant – fait qui s'est déjà produit avant – en somme.
- *Deuxième paragraphe :* évident – emploi figuré pour « la quantité de travail disponible » – réorganisation.
- *Troisième paragraphe :* de plus – un emploi bien délimité et imposé.
- *Quatrième paragraphe :* sans efficacité.
- *Cinquième paragraphe :* qui est ainsi depuis longtemps.
- *Sixième paragraphe :* le fait qu'avec le même diplôme on ne trouve plus aujourd'hui un travail aussi valorisant que dans le passé.

b) Résumez en quelques lignes l'essentiel de l'argumentation d'Alain Lebaube.

6. Jeu de rôles – Négociation

- *Situation.* Votre entreprise équilibre son budget mais ne fait pas de profits considérables. Le gouvernement vous demande de participer à la lutte contre le chômage en réduisant le temps de travail de chaque salarié.
- *Rôles.* Personnel de direction. Représentants des cadres. Représentants des non-cadres (employés, etc.). Représentants de l'État. Autres personnes (à introduire éventuellement).
- *Déroulement.*

– Avant la négociation : chacun fait la liste des avantages et des inconvénients de la demande.

– Pendant la négociation : chacun défend ses intérêts et essaie d'obtenir des compensations.

NÉGOCIER

■ Faire une proposition

Nous proposons … Nous suggérons … Nous voudrions faire la proposition suivante … – On pourrait envisager de … – Il existe une possibilité qui n'est pas à négliger, c'est …

■ De l'accord à la réticence

J'accepte … – Je suis favorable à … – J'adhère pleinement à vos vues – Je partage votre opinion – Nous sommes sur la même longueur d'onde *(fam.)*. – Il me semble qu'on peut s'entendre sur … (tomber d'accord sur …) – On peut dégager un consensus en faveur de … – Je ne suis pas défavorable à … mais … – Cette proposition ne me laisse pas indifférent mais … – Je pourrais peut-être m'accommoder de cette décision si …

Je reste sceptique sur ce point – J'ai certaines réticences à envisager…

■ De la réticence au désaccord

Je serais d'un avis plus nuancé.
Je voudrais émettre une objection – Nous divergeons sur un point …
Je suis en total désaccord avec vous – Je m'oppose à cette décision.

■ Faire une ouverture

Il est possible qu'il y ait un malentendu sur …
Revoyons … – Rediscutons …
On pourrait trouver un terrain d'entente si …
J'accepte de revoir ce point …
Prenons l'avis de … – J'accepte l'arbitrage de …

■ Faire un compromis

Je suis prêt à faire une concession sur un point …
Je veux bien transiger sur … (céder sur … composer avec …).
Je vous propose un compromis (un arrangement).
Faisons chacun un pas l'un vers l'autre.
Coupons la poire en deux *(fam.)*.

La ministre de l'Emploi, Martine Aubry, et le Premier ministre, Lionel Jospin, lors d'un débat sur les 35 heures à l'Assemblée nationale.

PROJET

16. Cocktail pour un polar

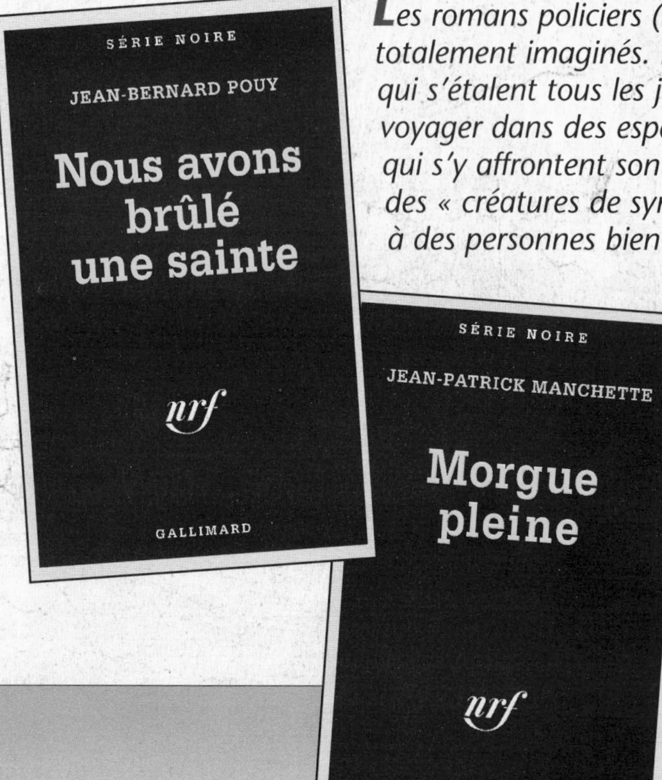

Les romans policiers (en argot « polars ») ne sont jamais totalement imaginés. Ils ont comme toile de fond des conflits qui s'étalent tous les jours dans les journaux. Ils nous font voyager dans des espaces bien précis et les héros qui s'y affrontent sont souvent, au dire de leurs auteurs, des « créatures de synthèse » qui doivent beaucoup à des personnes bien réelles.

Tout au long de cette leçon, vous imaginerez, en vous inspirant de la réalité quotidienne, les différents ingrédients d'un roman policier que vous pourriez un jour écrire.
Vous y apprendrez à exposer un conflit, à décrire des lieux et des personnes et à faire le récit d'un fait divers.

1. Un conflit en toile de fond

Le roman policier a toujours comme toile de fond un conflit qui justifie le délit (meurtre, vol, enlèvement, etc.) : conflit sentimental (jalousie, haine), conflit d'intérêt (héritage, argent) ou conflit idéologique.

a) Lisez l'article de la page 95.

• ***Présentez sous forme d'un schéma les différents groupes d'intérêt qui agissent dans ce conflit.***

Indiquez : *les leaders – les idées qu'ils défendent – les arguments qu'ils avancent.*

Montrez les oppositions et les solidarités entre ces groupes.

• ***Relevez :***
– tout ce que vous apprenez sur la forêt de Fontainebleau,
– le vocabulaire en relation avec les idées
d'opposition : au banc des accusés …
de solidarité : rassembler des adhérents …

b) Choisissez le conflit qui servira de toile de fond à votre roman policier.

Exposez ce conflit dans un paragraphe d'une dizaine de lignes en utilisant le vocabulaire de la page 97.

Guerre des tranchées
dans la forêt de Fontainebleau

Samuel Baunée est le président fondateur du Comité pour un parc national à Fontainebleau, une structure qui, en deux ans d'existence, a réussi à rassembler un millier d'adhérents dont une belle brochette de personnalités et de scientifiques : le prix Nobel de physiologie-médecine François Jacob, l'astrophysicien Hubert Reeves, l'explorateur Jean-Louis Étienne, le Pr Théodore Monod, le volcanologue Haroun Tazieff, Mgr Decourtray, le navigateur Éric Tabarly, le chanteur Yves Duteil, l'académicien Jean Dutourd...

Objectif : obtenir le classement des 21 562 hectares de la forêt de Fontainebleau en parc national à l'instar de la Vanoise, du Mercantour ou des Pyrénées occidentales. « *Une urgence,* explique Samuel Baunée. *L'exploitation forestière et les infrastructures routières sont en train de tuer la forêt.* » Au banc des accusés, l'ONF[1] qui assure la gestion du domaine. « *Chaque année, ils coupent près de 60 000 mètres cubes de bois,* reprend Baunée. *Ce qui dépasse largement les capacités de régénération, 30 000 mètres cubes au maximum.* »

Des chiffres que les forestiers contestent. « *Nos coupes ne dépassent pas 70 % de l'accroissement naturel de la forêt,* explique le directeur régional de l'Office, Xavier Laverne. *Elles sont indispensables au bon équilibre de la forêt. Car, sans nous, celle-ci vieillirait et ne serait plus aussi attrayante pour les 12 millions de visiteurs qui fréquentent le massif chaque année.* » Querelle difficile à arbitrer, chacun invoquant à l'appui de ses dires un lot de cautions scientifiques aussi éminentes que divergentes...

Le vrai débat tourne en fait autour de ce que doit être une forêt. Pour Baunée et ses amis, « *la forêt est parfaitement capable de vivre sans intervention humaine. Les 415 hectares de réserve biologique – des zones laissées volontairement à l'abandon –, tracés par l'Office lui-même le prouvent.* »

Xavier Laverne récuse l'argument. « *La forêt actuelle est le produit de l'intervention de l'homme au cours des siècles. Les 3 500 hectares de chêne massif ont pour la plupart été plantés entre 1720 et 1830. Il en va de même pour les résineux*[2]*. La forêt primitive est un mythe.* »

À son tour, l'affirmation fait bondir Baunée. « *La vérité, c'est que l'ONF tire ses ressources de l'exploitation du bois. Si demain Fontainebleau devient un parc national, les coupes seront interdites et l'ONF ne pourra plus payer ses agents. Voilà pourquoi ils sont tellement hostiles à la création d'un parc national.* »

L'Office a pourtant fait un pas en direction des écologistes. À son initiative, une procédure de classement du massif de Fontainebleau en « forêt de protection » vient d'être lancée. Elle concerne non seulement le périmètre de la forêt domaniale[3], mais encore 6 000 hectares situés en lisière du massif et qui appartiennent à des propriétaires privés. Ces derniers ne pourront plus déboiser ou vendre leurs terrains sans l'aval de l'ONF.

Mais pas question pour autant de dialoguer avec le Comité pour un parc national. « *Baunée est un extrémiste* », tempête Laverne.

Il est vrai que l'ONF a déjà ses écolos, Les Amis de la forêt de Fontainebleau, une association fondée voilà quatre-vingt-sept ans. « *Nous recherchons systématiquement le consensus avec l'ONF,* déclare sans détour son président, René-Pierre Robin. *Ce qui ne veut pas dire que nous n'ayons jamais de désaccords avec l'Office. Par exemple, sur l'organisation des chasses ou sur le volume des coupes.* »

[Récemment, on s'est aperçu qu'un groupe de rochers menaçait de s'écrouler...]

Pour y remédier, l'ONF, en concertation avec le Comité de défense des sites et des rochers d'escalade (Cosiroc) – qui regroupe la plupart des clubs et associations d'escalade ou d'alpinisme –, a proposé plusieurs mesures : l'installation dans la pente de banquettes en rondins de bois imputrescible[4], la mise en défense (autrement dit, la clôture) de certaines zones et le basculement des blocs instables à la lance à incendie.

C'est ce dernier projet qui a déclenché la polémique. La presse spécialisée *(Vertical, Grimper, Alpinisme et randonnée...)* y a consacré pas moins d'une dizaine d'articles. Les grimpeurs sont en effet très sensibles aux questions d'éthique sportive. Pour la plupart d'entre eux, les rochers branlants[5] sont à inscrire au catalogue des risques naturels (chute de pierres, avalanches, foudre...) inhérents à la pratique de leur sport. Pas question donc, comme l'écrit un opposant dans la revue *Vertical,* de transformer Fontainebleau en « jardin public » totalement sécurisé.

Serge Faubert et Sébastien Fontenelle, ***L'Évènement du Jeudi,*** 15/06/1995.

---

1. Office national des forêts. **2.** espèce d'arbres regroupant les sapins, les pins, les cèdres, etc. **3.** forêt qui appartient au domaine public et où les constructions ne sont pas autorisées. **4.** il s'agit de fixer l'amoncellement de rochers par des pièces de bois (rondins) qui ne pourrit pas (imputrescible). **5.** instable.

PROJET

2. L'ESPACE DE LA TRAGÉDIE

Comme dans les tragédies antiques, le roman policier se déroule dans un espace délimité d'où les personnages s'échappent rarement. Le maître du genre est Agatha Christie qui cloître ses héros dans un vieux manoir, un train ou un bateau en croisière sur le Nil.

a) Lisez ci-dessous des extraits d'un guide touristique sur la forêt de Fontainebleau. Imaginez des scènes de roman policier qui pourraient se situer dans ces lieux.

Exemple : Barbizon → C'est à l'Hostellerie Les Pléiades que le commissaire Ronsard, collectionneur de toiles impressionnistes à ses heures, a décidé de s'installer pour mener son enquête.

b) Choisissez le cadre de votre roman policier. Faites un inventaire des lieux qui pourraient servir de cadre à certaines scènes (meurtre, découverte de cadavre, cachette du coupable, lieu de rencontre, itinéraire d'une filature, etc.).

Caractérisez ces lieux en quelques mots.

La forêt de Fontainebleau

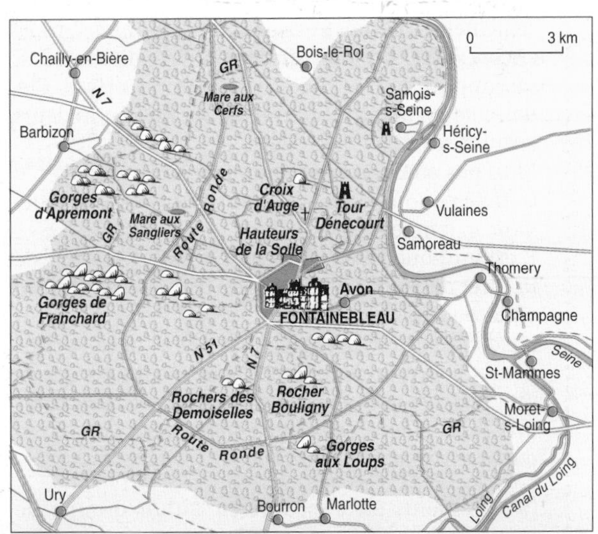

La mare aux cerfs.

• **Barbizon.** Petit village célèbre pour avoir été fréquenté au XIXe siècle par les peintres paysagistes dits de « l'école de Barbizon ». Millet et Théodore Rousseau furent parmi les premiers à installer leur chevalet en pleine nature suivis bientôt par ceux qui allaient devenir les peintres impressionnistes (Renoir, Monet, Sisley).

Hostellerie Les Pléiades. Belle demeure dans un style simple et provincial.

Auberge Les Alouettes. Auberge rustique enfouie dans les arbres d'un parc.

• **Gorges d'Apremont.** Proche de Barbizon. On y accède par une route qui traverse une belle forêt. À voir : *le chaos d'Apremont,* amoncellement de roches aux formes étranges ; *la caverne des Brigands* et un vallon particulièrement aride, *le Désert.*
Le site offre de nombreuses possibilités aux amateurs d'escalade.

• **Carrefour de la Croix d'Auge.** C'est le point culminant de la forêt. Un chemin mène à *la caverne d'Augas,* la plus vaste de la région.

• **Gorges de Franchard.** À l'entrée des gorges s'élevait au Moyen Âge un ermitage célèbre dont il ne reste aujourd'hui que quelques murs incorporés à la maison forestière. Des pèlerins venaient y éprouver les vertus miraculeuses de l'eau de *la Roche-qui-pleure* et qui guérissait les maladies des yeux.
À voir : **la mare de Franchard** souvent reproduite par les peintres ; les chaos de roches où l'on pourra découvrir des grottes et des arches.

• **Les mares de la forêt.** Dans un environnement végétal luxuriant, plusieurs grandes mares au bord desquelles on peut surprendre tôt le matin ou en fin de journée la grande faune de Fontainebleau (cerfs, sangliers, etc.).

• **Le château de Fontainebleau.** Construit sous François Ier sur l'emplacement d'un ancien pavillon de chasse, il a été amélioré par les souverains des siècles suivants. La variété des styles architecturaux et décoratifs témoigne de ces apports successifs.

3. Le crime et son mobile

Tout roman policier raconte le dévoilement progressif d'une histoire cachée : celle d'un crime et de son auteur. Cette histoire mystérieuse qui n'est révélée au lecteur qu'à la fin du roman doit en revanche être parfaitement claire dans l'esprit de celui qui écrit le roman.

a) Faites le travail d'écoute du document sonore.

b) Imaginez et rédigez le récit d'un crime ou d'un autre délit important (vol, escroquerie, etc.). Suivez les étapes inverses du travail que vous avez fait à partir du document oral :

– recherche d'idées et réalisation d'une fiche de présentation du crime ;
– tableau de construction du récit ;
– rédaction finale (tenez compte des conseils donnés dans le tableau ci-contre).

LECTURE D'UN RÉCIT HISTOIRE D'UN CRIME

■ **Préparation à l'écoute**

Le cinéaste Claude Chabrol, auteur de nombreux films policiers, lit une nouvelle policière d'Elisabeth Lherm : *La Reine des fleurs*.

Noms propres entendus dans le récit : le village de Bignac, près de Cahors – Anne Loussac – Geneviève et Henri Martel – Martin Lafarge.

Vocabulaire : **la reine des fleurs** (la personne qui a gagné le concours de la plus belle maison fleurie du village) – **une conserverie** (une fabrique de conserves) – **convier** (inviter) – **un cèdre** (arbre de la famille des pins) – **une épreuve** (ici, un passage difficile de la vie) – **seconder** (aider) – **en venir à** (être obligé de) – **mener grande vie** (voyager, faire la fête sans compter) – **remettre à flot une entreprise au bord de la faillite** (faire en sorte que le bilan soit positif) – **livide** (pâleur d'un visage sous l'effet de la peur) – **saccager** (détruire).

■ **Écoute du document**

• Au fur et à mesure de l'écoute, notez dans le tableau les événements et leurs circonstances.

Événements du temps du récit	*Circonstances*	*Événements antérieurs*
Fin de matinée : remise du prix de la reine des fleurs	Belle journée	

• Réalisez une fiche de présentation du crime.

Le crime : auteur ... victime ... date ... circonstances ...

La coupable : biographie ... portrait psychologique ... mobile du crime ... circonstances atténuantes ou aggravantes ...

La victime : biographie ... portrait psychologique ...

Autres acteurs ou témoins (éventuellement) : ...

LA COHÉRENCE DU RÉCIT

■ **Pour qu'un récit soit sans ambiguïté, il faut**

a) bien distinguer :

• les événements principaux et les circonstances (voir tableau page 41).

• les événements du temps du récit et ceux qui ont lieu antérieurement ou postérieurement.

Le 25 avril ... Ce jour-là ...	La veille ... Le lendemain ... Quelques jours auparavant ... Dans la semaine qui suivit ...

b) rattacher ce dont on parle à ce dont on vient de parler :

« **Pascale Legal** était ... **Cette femme** de 40 ans avait ... La maison qu'**elle** habitait ... **Son** fils aîné étudiait ... **Ce dernier** fréquentait ... »

DU CONFLIT AU CRIME

■ **Le conflit**

• *Personnages :* un adversaire, un rival, un opposant, un ennemi / un ami, un sympathisant, un appui, un soutien.

• *Situation :* À l'origine du conflit (de la discorde) il y a ... – C'est une histoire d'héritage qui les divise (les sépare).
Il y a un différend (un affrontement, une hostilité) entre ... et ... – C'est Pierre qui sème la discorde (la zizanie) – Pierre est entré en conflit avec ...

• *Querelle :* Pierre s'est fâché (brouillé) avec ... – Ils se sont querellés (disputés, chamaillés) à propos de ... – Pierre a pris Jacques à partie – Il l'a agressé verbalement – Ils en sont venus aux mains (ils se sont battus, bagarrés).

• *Aide :* Paul a soutenu Pierre – Il lui a porté assistance (prêté main-forte) – Il a volé à son secours – Les deux hommes se soutiennent (s'entraident, s'épaulent).

■ **Le délit**

• *Crime :* commettre un meurtre (un crime de sang), un assassinat, un empoisonnement, un enlèvement, une escroquerie, etc.

• *Coupable :* un suspect, un présumé coupable, un coupable (après le procès).

La police ouvre une information, mène une enquête, organise une filature (une planque), met un suspect en garde à vue pour interrogatoire, appréhende (arrête) un coupable.

Nestor Burma, détective privé

L'action de Fièvre au Marais est tout entière circonscrite dans le 4e arrondissement de Paris. Ce quartier, qui commença à être construit au Moyen Âge sur d'anciens marécages (d'où son nom de Marais), fut le principal quartier résidentiel de la capitale aux XVIe et XVIIe siècles. La place Royale et de nombreux hôtels particuliers témoignent de ce riche passé.
Pour faire connaissance avec Nestor Burma, le détective privé héros de ce roman écrit en 1955, voici le début des deux premiers chapitres.

Les mains au fond des poches de mon *trenchcoat*, j'étais planté comme un piquet dans une pièce du troisième étage d'une vieille demeure de la rue des Francs-Bourgeois. Machinalement, tout en étreignant dans ma paume moite et humide le fourneau éteint de la pipe, j'écoutais la vénérable bicoque gémir sous les assauts du mauvais temps.

Printemps pourri !

La pluie, poussée par le vent qu'on entendait hululer, tambourinait contre les carreaux de la fenêtre sans rideaux. À travers les vitres brouillées je découvrais un paysage de toits mouillés sur lequel le ciel plombé répandait une déprimante teinte vénéneuse. Un linge douteux flottait tristement, comme l'emblème d'une lamentable reddition, à la mansarde d'un immeuble voisin. Sur la gauche, devait s'élever l'hôtel Clisson ou Soubise, où sont conservées les Archives nationales. Droit devant, une haute cheminée émergeait du chaos des toits, signalant un pétrin de boulanger ou un atelier de fondeur. La fumée qui s'en échappait rejoignait les nuages noirs et s'y incorporait.

Ce matin-là, au réveil, en guise de rince-cochon, j'avais fait l'appel au peuple. Je sais des opérations qui réclament plus de temps. En moins de deux retournements de poches, je m'étais convaincu que lorsque j'aurais déjeuné, il me resterait à peine de quoi acheter un paquet de tabac gris. Si le diable ne m'envoyait aujourd'hui même un client plein aux as, je voyais mal comment j'allais me tirer de cette mistoufle. Taper Hélène, ou autres auxiliaires de l'agence Fiat Lux, était exclu, Hélène et tous autres, comme on dit au Palais[1], je ne leur devais déjà que trop de fric. Et, à propos de Palais, émettre un chèque sans provision, c'était risqué. Il n'y avait donc qu'à attendre le miracle. Ce ne serait pas la première fois, au cours de ma carrière hasardeuse, qu'il se manifesterait à point nommé. Si le miracle ne se produisait pas, eh bien ! je porterais au clou[2] les quelques bijoux d'or qui me restaient de la succession de ma tante Isabelle. Les bijoux de ma tante chez ma tante ! Cela me ferait toujours gagner quelques heures.

[En fin de journée, Nestor Burma décide de se rendre chez un prêteur sur gages de la rue des Francs-Bourgeois. Dans l'escalier sombre de la maison de l'usurier, il heurte une jeune fille.]

... Et c'est ainsi que, n'ayant pas entendu, ni vu descendre la jeune fille, je l'avais bousculée et faillis l'envoyer dinguer comme une reine.

D'une taille au-dessus de la moyenne, enveloppée dans un imperméable réversible noir et jaune, elle paraissait déjà suffisamment bouleversée comme cela, sans que j'ajoute encore à son désarroi par mon involontaire brutalité. Elle se tamponnait le nez de son mouchoir déployé, en reniflant, comme quelqu'un d'enrhumé, ou qui pleure. Sa capuche, qui laissait échapper quelques mèches blondes en désordre, était tout de travers. Le peu qui s'apercevait du visage me parut joli, sans être sensationnel. Après tout, nous étions dans l'escalier d'un immeuble habité par un tailleur polonais, un usurier mal camouflé et des ménages ouvriers, pas au cinéma. Je m'étais excusé, tentant, au passage, par habitude, un vague boniment :

– ... Pour un peu, je vous embrassais ... et si votre rouge avait déteint ...

Etc.

Pas beaucoup de succès auprès des dames, aujourd'hui, Nestor. Ça devait tenir à la minceur de mon morlingue[3], minceur détectable à un kilomètre, sans le secours d'un compteur Geiger. La jeune fille, muette et toujours reniflant, s'était élancée vers la rue, me montrant pour toute réponse les talons de ses souliers en peau de serpent et les coutures noires de ses bas de nylon. Elle laissait toutefois un parfum dans son sillage.

[Nestor Burma monte chez l'usurier et le découvre assassiné (scène du début du roman).*]*

Léo MALET, ***Fièvre au Marais,***
Union Générale d'Éditions, 1987.

1. il s'agit du palais de Justice. **2.** « le clou » ou « chez ma tante », c'est le Crédit municipal où l'on peut emprunter de l'argent en donnant comme caution des objets personnels (bijoux, etc.). **3.** mot d'argot qui signifie « porte-monnaie ».

4. Le héros du roman policier

Qu'il soit policier (le commissaire Maigret), détective privé (Sherlock Holmes, Hercule Poirot) ou simple amateur de crime à élucider (Miss Marple), le héros (ou l'héroïne) du roman policier doit avoir une personnalité bien marquée. Nous connaissons ses goûts, ses petites habitudes, ses méthodes de travail. Tout l'art du romancier va donc consister à créer un personnage à la fois original et proche de nous.

a) Lecture du texte de la page 98 et compréhension du vocabulaire.

La langue de Léo Malet n'est pas facile à comprendre car elle comporte des expressions imagées familières *(planté comme un piquet)*, des mots ou expressions argotiques *(un rince-cochon)* et des termes littéraires rares dans le langage courant *(la pluie tambourinait)*.

Considérez ces mots comme des mystères à élucider et adoptez l'attitude d'un détective face à l'énigme qui lui est posée. Faites des hypothèses sur le sens des mots inconnus en utilisant les techniques suivantes :

- ***Rapprocher le mot nouveau avec un mot de la même famille.***

La pluie **tambourinait** : → tambour : la pluie frappe la vitre avec un bruit de tambour.

- ***Faire des déductions à partir de la situation.***

Ce matin-là, au réveil, en guise de **rince-cochon**...
→ Que fait-on au réveil ? Se laver, boire quelque chose...

- ***Exploiter l'environnement du mot inconnu.***

La pluie, poussée par le vent qu'on entend **hululer** → Il s'agit d'un vent violent dont on entend le bruit.

- ***Faire des raisonnements analogiques.***

Planté comme un **piquet** → donc, totalement immobile, probablement à cause d'une surprise.

b) Le personnage de Nestor Burma.

Recherchez dans le texte des indices qui vous permettront de faire le portrait de ce personnage.

- Profession et environnement professionnel
- Carrière
- Caractère et philosophie de la vie
- Goûts
- Habitudes.

c) La méthode de Nestor Burma.

- ***Lisez ci-après une analyse de la façon dont Nestor Burma résout les énigmes de ses enquêtes. Comparez cette méthode avec celles des autres héros de roman policier que vous connaissez.***

« Le commissaire Maigret ne soupçonne personne au départ (ou soupçonne tout le monde). Il multiplie les interrogatoires en mettant les gens en confiance... »

- ***Recherchez dans le texte des détails qui, d'après vous, prendront de l'importance dans la suite de l'histoire.***

Exemple : « le linge douteux étendu devant la mansarde » → peut-être le logement du criminel (pauvre) qui a lavé sa chemise tachée de sang.

d) Faites le portrait du héros de votre roman policier.

La recherche de la vérité selon Nestor Burma

C'est notamment par l'irruption de l'imaginaire surréaliste, sans secret pour Malet, que l'enquête de Burma coïncide souvent avec une recherche poétique de l'insolite. Le détective, en effet, n'évoque pas seulement les images oniriques[1] des cauchemars qu'il fait régulièrement après avoir été mis hors de combat. Il est constamment attentif aux parfums évanescents, aux bruits assourdis, aux phrases tronquées[2], aux objets incomplets ou déformés, aux révélateurs partiels et aux indices indirects du corps humain.

Ce sont des aspects particuliers et à première vue isolés que Burma enregistre en attendant de les intégrer à une chaîne associative.

Ainsi se forme progressivement un tissu d'événements, de données descriptives et d'informations rétrospectives.

André Vanoncini, ***Le Roman policier***, PUF, 1993.

1. images qui se forment lors des rêves. 2. inachevées.

ANALYSES ET COMMENTAIRES

17. Plaisirs simples

Émotions d'un instant, passions tranquilles des moments de loisirs, plaisir de jouer avec les mots… Ce sont ces plaisirs simples que nous évoquerons dans cette leçon.
Vous apprendrez à exprimer vos impressions et vos sensations et vous vous entraînerez à la pratique des emplois imagés des mots.

« J'aime arriver au théâtre un peu en avance, me laisser doucement envahir par les parfums des femmes, les bruits des instruments de l'orchestre qu'on accorde… »

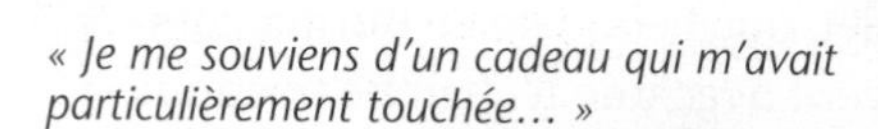

« Je me souviens d'un cadeau qui m'avait particulièrement touchée… »

« Cueillir des fruits… Sensation d'accomplir un geste immémorial… »

Le croissant du trottoir

On s'est réveillé le premier. Avec une prudence de guetteur indien on s'est habillé, faufilé de pièce en pièce. On a ouvert et refermé la porte d'entrée avec une méticulosité d'horloger. Voilà. On est dehors, dans le bleu du matin ourlé de rose : un mariage de mauvais goût s'il n'y avait le froid pour tout purifier. On souffle un nuage de fumée à chaque expiration : on existe, libre et léger sur le trottoir du petit matin. Tant mieux si la boulangerie est un peu loin. Kérouac[1] mains dans les poches, on a tout devancé : chaque pas est une fête. On se surprend à marcher sur le bord du trottoir comme on faisait enfant, comme si c'était la marge qui comptait, le bord des choses. C'est du temps pur, cette maraude[2] que l'on chipe[3] au jour quand tous les autres dorment.

Presque tous. Là-bas, il faut bien sûr la lumière chaude de la boulangerie – c'est du néon, en fait, mais l'idée de chaleur lui donne un reflet d'ambre. Il faut ce qu'il faut de buée sur la vitre quand on s'approche, et l'enjouement de ce bonjour que la boulangère réserve aux seuls premiers clients – complicité de l'aube.

– Cinq croissants, une baguette moulée pas trop cuite !

Le boulanger en maillot de corps fariné se montre au fond de la boutique, et vous salue comme on salue les braves à l'heure du combat.

On se retrouve dans la rue. On le sent bien : la marche du retour ne sera pas la même. Le trottoir est moins libre, un peu embourgeoisé par cette baguette coincée sous un coude, par ce paquet de croissants tenu de l'autre main. Mais on prend un croissant dans le sac. La pâte est tiède, presque molle. Cette petite gourmandise dans le froid, tout en marchant : c'est comme si le matin d'hiver se faisait croissant de l'intérieur, comme si l'on devenait soi-même four, maison, refuge. On avance plus doucement, tout imprégné de blond pour traverser le bleu, le gris, le rose qui s'éteint. Le jour commence, et le meilleur est déjà pris.

Philippe Delerm, ***La Première Gorgée de bière et autres plaisirs minuscules***, Gallimard, 1997.

1. Jack Kérouac : romancier américain dont l'œuvre reflète la personnalité errante. **2.** vol des produits de la terre avant la récolte. **3.** voler un objet sans valeur.

1. Moment de bonheur simple

a) Lisez le texte de la page 101. Formulez de façon banale ce que raconte Philippe Delerm.

b) Notez dans le tableau comment l'auteur caractérise chaque détail de ses actions et du décor dans lequel il évolue. Indiquez, le cas échéant, vos propres réflexions sur les sensations qu'il éprouve.

Actions et décor	Caractérisations, images, impressions, etc.	Réflexions et commentaires
se réveiller	le premier	sentiment de fierté
s'habiller se faufiler	prudence de guetteur indien	retour au monde des jeux de l'enfance
....	....	....

c) Classez les différentes façons de caractériser :

- ***notations réalistes :*** se réveiller le premier, …
- ***identifications :*** prudence de guetteur indien, …
- ***comparaisons :*** … comme on faisait enfant, …
- ***métaphores :*** le ciel ourlé, …

Résumez ce que l'auteur a voulu exprimer.

d) En utilisant le vocabulaire du tableau ci-contre, racontez un moment de bonheur simple. Exprimez vos impressions, vos sensations, vos émotions, vos sentiments.

SENSATIONS ET ÉMOTIONS

(Pour enrichir votre vocabulaire des émotions et des sentiments, voir les tableaux de la leçon 19 [p. 112].)

■ Réceptivité

Je suis sensible à … (réceptif à …) la beauté de ce paysage – Il ne laisse pas indifférent.
Je me laisse porter (emporter, envahir, pénétrer) par les parfums …
Ce paysage me touche, m'émeut [émouvoir], me trouble.
Je suis bouleversé (frappé, profondément ému) par …

■ Impressions et identifications

J'avais l'impression qu'on était au bout du monde.
Ça m'a paru être … – Il m'a semblé que c'était …
On aurait dit … – C'était comme si on était …
Ça m'a fait penser à …
Pierre m'a donné l'impression d'être heureux – Je l'ai trouvé … – Il m'a semblé …

■ Émotions et sentiments

→ *Je suis + adj. ou participe passé* : Je suis fier de …, enthousiasmé par …
→ *J'éprouve* du plaisir (de la nostalgie) à visiter … (en visitant …) – J'éprouve une impression de joie.
→ *Je ressens* une impression de liberté.
→ *Je me sens* bien dans ma peau.
→ Ce dîner *m'a rendu* euphorique.
→ Ce sport *me donne* des sensations de plaisir.

Aujourd'hui 48 % des Français jardinent. Ils bêchent, binent[1], taillent, parfois à tort et à travers, mais avec une persévérance que rien ne décourage. Cet engouement coûte cher : en 1996 ils ont dépensé pour leurs 13 millions de jardins privés 32 milliards de francs, presque autant que pour la hi-fi, la télé et le disque réunis. Dès les premiers beaux jours, les jardineries, poussant comme les champignons autour des villes, voient se presser des foules saisies de la fièvre acheteuse.

Ces nouveaux jardiniers ont leurs journaux (*l'Ami des jardins*, *Rustica*, *Mon jardin, ma maison*, *Jardins de France* ont 7 millions de lecteurs), leurs livres (la librairie de la Maison rustique propose en permanence 50 000 titres), leur bible (best-seller, *Le Bon Jardinier*, encyclopédie en trois volumes, 163e édition, date de Louis XIV et coûte 2 500 francs), leurs gourous (Michel Lis sur France Info a chaque jour des millions d'auditeurs) et leurs grand-messes : les Journées des Plantes organisées d'avril à juin dans des parcs de châteaux. Le jardinage aujourd'hui a largement supplanté[2] le golf ou le tennis comme hobby de week-end. Mode passagère ou réapparition d'un besoin très ancien ?

Deux grands courants vont marquer la composition du jardin moderne : celui du jardin naturel, issu de la Renaissance et qui s'épanouira dans l'Angleterre du XVIIIe siècle avec le « parc paysager » romantique. Et celui du jardin géométrique classique, à la française, rigoureux, théâtral, destiné au spectacle plus qu'au simple plaisir, dont l'exemple le plus typique est Versailles. Le jardin naturel n'est pas exempt de sophistication, au contraire, mais ses créateurs – les aristocrates anglais amoureux de la nature et qui, contrairement aux Français, vivaient toute l'année sur leurs terres – ont tenté d'adapter le paysage, de l'infléchir[3] sans le dénaturer. Cette conception inspire encore le tracé de la plupart des parcs actuels et même celui des humbles jardins privés d'aujourd'hui.

Il semble plus difficile de retrouver dans nos jardins modernes des réminiscences de Versailles. Louis XIV, qui, disait Saint-Simon, « tyrannisait la nature » et qui pourtant l'aimait, fit de Versailles un manifeste politique : il s'agissait de montrer au monde que le Roi-Soleil dominait tout, hommes et végétaux. Du haut des fenêtres de la galerie des Glaces, le roi pouvait admirer ses parterres découpés en dentelles de buis[4], rigoureux comme des grands tapis verts… Dans les années 1970, en France, la sociologue Françoise Dubost[5] relève le succès inattendu des maisons construites sur des buttes et elle n'y voit qu'une explication : le désir de contempler son jardin « d'en haut ». Un jardin qui est devenu, dit-elle, « un code de présentation de soi-même », avec un « jardin de devant », propre, bichonné[6], orné de rocailles et de parterres de fleurs souvent bordés de buis, pour le décorum. Et un « jardin de derrière », à usage domestique, consacré aux légumes. Comme à Versailles, en modèle réduit ?

Ces comparaisons ne sont pas dérisoires. Elles marquent une évolution essentielle : au milieu du XXe siècle, le jardin s'est brusquement démocratisé. Il n'est plus le privilège des rois ou des princes, mais l'endroit où chacun, maître en son domaine, peut s'approprier l'espace, le modeler à son idée, planter, soigner, créer la vie, bref, jardiner.

Aujourd'hui, qui n'a pas son jardin, son balcon, sa terrasse ? On peut dire que toutes les classes sociales sont touchées par cet engouement. Les jardins de châteaux se reconstruisent au nom du « patrimoine vert ». La bonne et moyenne bourgeoisie revit ses souvenirs d'enfance dans ses jardins de famille, parfois reconstitués presque à l'identique. Les cadres citadins fuyant la pollution s'échinent[7] le dimanche à tondre les pelouses de leurs résidences secondaires et goûtent le plaisir écologique de manger les salades ou les radis de leur potager. Les nouveaux ouvriers vivent à la campagne (55 % des communes rurales françaises sont en accroissement démographique et non plus en désertification) et

ces « rurbains[8] » y retrouvent les gestes du grand-père paysan. Mais tous communient dans les mêmes rites : le 17 mai, dans le merveilleux parc XIXe siècle du château de Courson, on voyait se côtoyer des amateurs éclairés sortant leur liste de plantes rares, des châtelains venus en voisin et des jardiniers modestes demandant des conseils au pépiniériste disert du « Jardin du Morvan ». Les visiteurs discutent entre eux, échangent des trucs. Les distances sociales semblent être abolies. L'amour des plantes crée de nouvelles solidarités et de nouveaux échanges. On donne des boutures[9] « pour faire plaisir ». Qui n'ouvrirait pas la porte de son pavillon fait volontiers visiter son jardin.
Un savoir-faire perdu est à redécouvrir et, à travers lui, c'est la loi des saisons et le rythme du temps qu'on retrouve : après quelques ratages, on se rend vite compte que les arbres doivent être plantés en novembre, que le gazon se sème en mars ou en septembre et que les rosiers ne peuvent pas être taillés en été. Le citadin s'informe : « C'est quand la Sainte-Catherine, où tout bois prend racine[10] ? » Il s'angoisse au matin dans son appartement parisien : et s'il avait gelé, cette nuit, en Normandie ?
Questions fondamentales, tellement rassurantes, dans un monde qui semblait avoir perdu ses repères naturels. Et puis, au-delà du savoir-faire, il y a le plaisir. Plaisir de voir pousser une plante fragile. Plaisir de créer un carré de tomates, d'agencer une bordure, de respirer une rose sur sa tige. Qu'il soit grand ou petit, entretenir son jardin c'est aussi prendre en main sa vie.

Josette ALIA, ***Le Nouvel Observateur***, 12/06/1997.

1. travailler la terre autour de la plante pour l'aérer. **2.** prendre la place de … **3.** modifier dans un sens particulier. **4.** arbuste toujours vert souvent employé en bordure. **5.** auteur des *Jardins ordinaires*, L'Harmattan. **6.** arranger avec soin et amour. **7.** se donner beaucoup de peine à faire quelque chose. **8.** mot formé avec « rural » et « urbain ». Désigne ceux qui travaillent à la ville et habitent la campagne. **9.** fragment de végétal qui peut prendre racine. **10.** proverbe paysan : l'époque de la Sainte-Catherine (25 novembre) est le meilleur moment pour planter les arbres.

2. Mise en page et résumé

a) Imaginez que vous travaillez pour l'hebdomadaire Le Nouvel Observateur ***et que vous devez « mettre en page » l'article de la page 102.***

• Trouvez un gros titre et un chapeau (petite phrase au-dessus du titre).
• Repérez les principales parties du texte. Donnez-leur un sous-titre.
• Choisissez (ou imaginez) six illustrations qui puissent, à elles seules, résumer l'essentiel de l'article. Rédigez une légende pour ces illustrations.

b) Vous êtes documentaliste au Nouvel Observateur. ***Pour les archives du journal, rédigez un résumé de cet article en 10 lignes.***

3. Une écriture originale

Recherchez des exemples des caractéristiques du style de Josette Alia :
– les comparaisons, les images, les métaphores,
– les constructions de phrases originales,
– les façons variées de présenter les informations (idées, scènes, citations, etc.).

4. Passions ordinaires

a) Faites le travail d'écoute du document sonore.
b) Présentez et expliquez, comme dans l'article et le document sonore, une passion ordinaire qui est devenue dans votre pays un phénomène de société.

INTERVIEW
QUATRE PASSIONS ORDINAIRES

■ **Situation. La correspondante en France d'un journal étranger essaie de comprendre les hobbies des Français.**

Elle interroge successivement :
– un amateur de vins,
– un passionné d'orthographe,
– une « droguée » à la météo,
– une amie des animaux domestiques.

■ **Écoute du document**

Dans chaque interview, relevez :
– les manifestations de la passion dans la vie quotidienne (incidences sur l'emploi du temps, la maison, etc.),
– les justifications que chacun donne pour expliquer sa passion.

Petits plaisirs des mots :

Le jeune Sartre et les livres

Dans son autobiographie Les Mots, *Jean-Paul Sartre évoque la bibliothèque de son grand-père.*

J'ai commencé ma vie comme je la finirai sans doute : au milieu des livres. Dans le bureau de mon grand-père, il y en avait partout ; défense était faite de les épousseter sauf une fois l'an, avant la rentrée d'octobre. Je ne savais pas encore lire que, déjà, je les révérais, ces pierres levées : droites ou penchées, serrées comme des briques sur les rayons de la bibliothèque ou noblement espacées en allées de menhirs, je sentais que la prospérité de notre famille en dépendait. Elles se ressemblaient toutes, je m'ébattais dans un minuscule sanctuaire, entouré de monuments trapus, antiques, qui m'avaient vu naître, qui me verraient mourir et dont la permanence me garantissait un avenir aussi calme que le passé. Je les touchais en cachette pour honorer mes mains de leur poussière mais je ne savais trop qu'en faire et j'assistais chaque jour à des cérémonies dont le sens m'échappait : mon grand-père – si maladroit, d'habitude, que ma mère lui boutonnait ses gants – maniait ces objets culturels avec une dextérité d'officiant.

Jean-Paul SARTRE, ***Les Mots,*** Gallimard, 1964.

Haute couture

Avec l'arrivée de John Galliano chez Dior, celle d'Alexander McQueen chez Givenchy, le premier défilé couture de Thierry Mugler et Jean-Paul Gaultier, la semaine des collections pour l'été organisée à Paris du 18 au 23 janvier s'annonce passionnante.

Électrochoc sous les lambris ? Cette année, l'arrivée des trois créateurs de prêt-à-porter (Alexander McQueen, Jean-Paul Gaultier, Thierry Mugler), dans le saint des saints, comme le transfert de John Galliano chez Dior, après deux collections de haute couture chez Givenchy, inspirent un vent d'euphorie. *« Devant cet assaut de nouveautés, Karl Lagerfeld va réagir. C'est le Bismark de la couture. Lorsqu'il sent le danger, il tire le canon. Je suis sûr qu'il concocte chez Chanel une saison éblouissante... »*, annonce Paco Rabanne[1] qui, chaque matin avant de manier pinces et chalumeau, s'offre une heure de méditation.

En 1967, Paco Rabanne comparait la haute couture à *« une charogne entourée de vautours. Les éditeurs, les journalistes, les courriéristes, les publicitaires qui en vivent ne peuvent se résoudre à son décès et s'évertuent à donner au cadavre une apparence de vie »*. Trois décennies plus tard, le costumier de *Barbarella* s'enflamme comme un jeune homme : *« Gaultier fracassant, Mugler théâtral, Galliano fou, McQueen étrange. La compétition sera dure, mais très excitante. Cette année, Paris étonnera. Il y a longtemps que je n'avais pas ressenti ce feu sacré en parlant du métier. Le monde entier sera épaté. »*

Laurence BENAÏM, ***Le Monde,*** 19/01/1997.

1. couturier qui, à la fin des années soixante, introduisit les matériaux métalliques dans la confection des vêtements. Il réalisa les costumes du film de science-fiction *Barbarella*.

5. Comprendre et utiliser les métaphores

Quand un chef d'entreprise, parlant de son assistant, dit *mon bras droit,* il importe un mot d'un autre territoire de la langue pour mettre en valeur le caractère indispensable de son collaborateur. Il utilise alors une métaphore (d'un mot grec qui signifie « transporter »). Selon le même procédé, ses concurrents les plus durs pourront devenir ses *ennemis* auxquels il *livrera une bataille* sans merci voire une *guerre* des prix.

La métaphore est loin d'être l'exclusivité des poètes qui chantent « l'or des champs de blé ». Tout le monde pratique ce commerce des mots qui sont liés par des relations d'analogie.

a) Dans l'article « Haute couture », ***relevez les métaphores. Indiquez dans quels domaines thématiques elles ont été puisées. Reformulez la phrase d'une manière plus banale.***

Exemple : électrochoc (électricité et médecine, on utilise les électrochocs pour faire repartir un cœur qui s'est arrêté de battre) → les nouvelles collections ont produit un violent effet de surprise.

b) Relevez et commentez l'emploi des métaphores dans le texte de Sartre et dans la publicité ci-contre.

métaphores et calembours

Naissance d'une vocation d'autodidacte

Tout commença le jour où, n'ayant trouvé aucune réponse au jeu de *Trivial Poursuite*, il se fit traiter d'**ignorant** par sa partenaire. **Il eut alors une idée.** Profitant d'un congé sabbatique, il décida **d'agir avec courage** et **d'acquérir** le maximum de connaissances en un minimum de temps.
Tous les soirs, il **prenait au hasard** une dizaine d'ouvrages sur les rayons de la bibliothèque municipale et, **sa provision** sous le bras, rentrait chez lui. Là, jusqu'au lendemain après-midi, **il essayait de comprendre la complexité** d'un ouvrage scientifique ou **travaillait la pensée obscure** d'un philosophe.
Il eut bientôt la juste récompense de son travail. Il fut **le lauréat** du *Jeu des Mille francs*, de *Questions pour un champion* et **gagna haut la main** au *Trivial Poursuite* contre son ancienne partenaire.

c) Réécrivez deux fois le texte ci-dessus en remplaçant les mots en gras par les mots ci-dessous.

• ***Dans votre première réécriture, vous puiserez vos métaphores dans le vocabulaire de l'agriculture.***
Il eut alors une idée → une idée germa dans son esprit.

• ***Dans votre deuxième réécriture, vous utiliserez le vocabulaire militaire.***
Il eut alors une idée → il conçut une stratégie.

– ***Vocabulaire de l'agriculture***
un maquis broussailleux – une moisson – une terre aride – inculte – défricher – couper l'herbe sous les pieds – engranger – labourer – prendre le taureau par les cornes – piocher – germer – recueillir les fruits – récolter.

– ***Vocabulaire militaire***
un bleu (un jeune soldat inexpérimenté) – le butin – un camp retranché – un terrain miné – un vainqueur – annexer – se battre – chanter victoire – concevoir une stratégie – décréter la mobilisation générale – lutter pied à pied – partir à la conquête de … – terrasser.

6. Les calembours

Le calembour est le rapprochement inattendu de mots qui ont des sens différents mais se prononcent de manière identique ou proche. À la différence de l'histoire drôle qui mobilise l'auditoire comme au spectacle ou du mot d'esprit qui suscite généralement un commentaire, le calembour se glisse dans la conversation avec un air « de ne pas y toucher » provoquant seulement un léger sourire sur les lèvres de ceux qui ont compris ou une brève remarque de type : « Pas mal. »

En voici quelques-uns puisés dans l'ouvrage de Patrice Delbourg *Demandez nos calembours. Demandez nos exquis mots* (Le Cherche-Midi, 1997).

a) Appréciez ces reparties.

• Pour garder la forme, tous les matins, je fais des exercices d'assouplissement.
– Moi, tous les après-midi, je fais des exercices d'assoupissement.

• Il n'arrête pas de se plaindre de ses malheurs.
– Avec lui, la réalité dépasse l'affliction.

• J'avais parié aux courses de trot sur Baliverne mais elle n'était pas en forme.
– Que veux-tu, trot c'est trot.

• Je vais chez le dentiste. J'ai peur de souffrir.
– Ce sera une tragédie de racine ou une comédie de molaire.

b) Voici des titres de presse en forme de calembours. Quel est, d'après vous, le sujet traité ?

– Le plaisir des mets
– Les embûches de Noël
– L'idole des jeûnes
– La ruée vers l'orge
– Une situation très tondue

c) Et maintenant, à vous, continuez ces remarques de retour de vacances.

En Syrie, notre voiture est tombée en panne, nous avons eu des problèmes de réservation … Bref, la Syrie noire …

On va vous raconter nos malheurs de Sofia.

L'année prochaine, on fait la Suisse.

La Suisse au prochain numéro ?

Nous étions à Périgueux, c'était un choix …

Connaissez-vous le vin de Metz ?

• À Riom … À Sète … À Troyes … À Caen …

• Dans le Cher … Dans l'Aube … Dans l'Eure … Dans la Manche … Dans le Doubs …

DOSSIER - DÉBAT

18. Un soupçon de folie n'est-ce pas raisonnable ?

Dans une société où les systèmes de protection sont de plus en plus développés (les lois, les assurances), où chacun contrôle son langage et ses actes (la politesse) et où nos sentiments sont rationalisés (la domination des psychologues), ne faut-il pas retrouver le goût du risque, cultiver l'extravagance et la fantaisie et croire encore à l'amour fou ?
Au cours de ce débat, vous apprendrez à rapporter et à synthétiser des opinions.

SE SINGULARISER

Cultiver la bizarrerie et la fantaisie. Oser être extravagant, excentrique, atypique, marginal. Ici, une soirée à thème dans une boîte de nuit.

DÉRAISONNER

Délirer, détourner le côté sérieux des choses. Ici, quelques petites annonces imaginées par l'humoriste Pierre Dac.

PETITES ANNONCES

- On demande personnes sachant compter jusqu'à dix pour vérification des doigts dans une fabrique de gants.
- Monsieur montant et descendant escaliers 4 à 4, cherche appartement dans maison ayant 16, 20 ou 24 marches par étage.
- À vendre. Porte-monnaie étanche spécial pour argent liquide.
- Lycéen cherche blanchisseuse habile pour l'aider à repasser ses leçons.

SATISFAIRE SES CAPRICES

Cultiver l'originalité. Ne pas suivre les modes. Satisfaire ses lubies, ses toquades, ses passades. Se laisser aller à ses coups de tête et à ses coups de cœur. Ici la chambre de l'artiste Salvador Dali. Les meubles et la décoration composent le visage de l'actrice américaine Mae West.

JOUER À ÊTRE UN AUTRE – CRÉER DES SITUATIONS IMAGINAIRES

Monter des canulars, des affabulations. Organiser des mystifications. Faire des farces, des plaisanteries.

En 1952, Jean Bruel, un ancien journaliste, eut l'excellente idée de racheter la « Société des bateaux-mouches » mise en liquidation[1] et se trouva propriétaire d'une flottille qui sillonnait la Seine. Pour augmenter la fréquentation de ses bateaux, il fit un peu de publicité et commanda notamment à un peintre en lettres un panneau destiné à signaler l'embarcadère du quai de Solférino. Peu lettré, le peintre écrivit en lettres immenses une énorme faute d'orthographe :

SOCIÉTÉ DES BATEAUX-MOUCHE

Ce que voyant, le chroniqueur littéraire d'un journal du soir rédigea un méchant article dans lequel il mettait en doute les connaissances grammaticales du propriétaire : « *Si on met un "x" à bateaux, il faut un "s" à mouches. Pour écrire mouche sans "s", il faudrait que ce fût un nom propre…* » Jean Bruel commença par prendre… la mouche avant de s'aviser que le journaliste venait de lui donner une merveilleuse idée : non seulement le peintre en lettres ne serait pas… licencié mais Mouche allait devenir un nom propre : ce serait lui le créateur des fameux bateaux Mouche. Il fut affublé du prénom de Jean-Sébastien, particulièrement approprié à la situation puisqu'un bateau-mouche peut remplacer… un bac ! Bruel dénicha aux Puces un buste anonyme qui fut censé représenter les traits de Jean-Sébastien Mouche. Puis, il inventa une biographie au grand homme : il avait été l'un des collaborateurs du baron Haussmann[2]. Il avait créé à la préfecture un corps de policiers spécialisés dans les filatures et les enquêtes qui reçurent le nom de « mouchards ». Chargé de résoudre le problème de la circulation dans Paris lors de l'Exposition de 1889, il eut l'idée géniale d'organiser un service régulier de bateaux sur la Seine, les fameux bateaux-Mouche dont la réputation atteint et dépasse maintenant les limites du monde civilisé.

Un ancêtre de Jean-Sébastien, Nicolas Mouche, prévôt[3] de Seine sous Louis XIII, se laissa pousser une petite touffe de poils sous le menton qu'on baptisa « mouche » en son honneur. Quant à son arrière-grand-mère, Suzanne Mouche, qui fut une des maîtresses de Louis XV, elle avait été surnommée la « fine mouche ».

Le buste de Jean-Sébastien Mouche fut inauguré le 1er avril au cours d'une cérémonie présidée par Edmond Heuzé, membre de l'Institut[4], ravi de participer à cette bonne farce[5].

Claude Gagnière, ***Au Bonheur des mots***, Robert Laffont, 1989.

1. en faillite.
2. préfet de Paris sous Napoléon III. Il réalisa d'importants travaux d'urbanisme dans la capitale.
3. personne en charge d'une administration sous la monarchie.
4. institution (comprenant l'Académie française) qui regroupe les élites du pays.
5. le mot « bateau-mouche » a bien été formé à l'origine avec un nom propre : celui du quartier de Lyon où ce type de bateaux était construit (les chantiers navals de la Mouche créés en 1867). Mais depuis le début du XIXe siècle, il existait des compagnies de navigation fluviales qui avaient pris des noms évocateurs comme les Gondoles, les Abeilles, les Mouches. Bateau-mouche est donc très rapidement devenu un nom commun et on écrit aujourd'hui des « bateaux-mouches ».

1. Un canular

a) Résumez le récit ci-dessus en utilisant les mots suivants :

monter un canular – mystifier – s'inventer – faire croire – faire passer quelqu'un pour …

b) Relevez les détails du canular et les jeux de mots qui y sont rattachés.

2. Comportements fantasques et extravagants

a) Inspirez-vous de l'ensemble des documents de cette double page pour raconter un canular, une plaisanterie, une expérience extravagante ou singulière que vous avez vécue ou dont vous avez été témoin.

b) Portez un jugement sur les conduites extravagantes. Certaines dépassent-elles les bornes de la morale, du bon sens, du savoir-vivre en société ?

Déclaration

Nous sommes en 1851. Originaire de Lavilledieu (Sud de la France), Hervé Joncour vient d'arriver au Japon à la recherche de vers à soie. Dans ce pays aux traditions féodales encore vivantes, il rencontre Hara Kei un riche négociant. Celui-ci l'accueille dans sa maison, assis à la japonaise, et lui demande de raconter sa vie. Signe de sa puissance, une jeune femme est étendue à ses côtés, la tête reposant sur ses genoux…

La France, les voyages en mer, le parfum des mûriers dans Lavilledieu, les trains à vapeur, la voix d'Hélène. Hervé Joncour continua à raconter sa vie comme jamais, de sa vie, il ne l'avait racontée. La jeune fille continuait à le fixer, avec une violence qui arrachait à chacune de ses paroles l'obligation de sonner comme mémorable. La pièce semblait désormais avoir glissé dans une immobilité sans retour quand, tout à coup, et de façon absolument silencieuse, la jeune fille glissa une main hors de son vêtement, et la fit avancer sur la natte, devant elle. Hervé Joncour vit arriver cette tache claire en marge de son champ de vision, il la vit effleurer la tasse de thé d'Hara Kei puis, absurdement, continuer sa progression pour aller s'emparer sans hésiter de l'autre tasse, celle dans laquelle il avait bu, la soulever avec légèreté et l'emporter. Hara Kei n'avait pas un seul instant cessé de fixer, sans expression aucune, les lèvres d'Hervé Joncour.
La jeune fille souleva légèrement la tête.
Pour la première fois, elle détacha son regard d'Hervé Joncour, et le posa sur la tasse.
Lentement, elle la tourna jusqu'à avoir sous ses lèvres l'endroit exact où il avait bu.
En fermant à demi les yeux, elle but une gorgée de thé.
Elle écarta la tasse de ses lèvres.
La replaça doucement là où elle l'avait prise.
Fit disparaître sa main sous son vêtement.
Reposa sa tête sur les genoux d'Hara Kei.
Les yeux ouverts, fixés dans ceux d'Hervé Joncour.

Alessandro Barrico, ***Soie***, Albin Michel, 1997
(traduit de l'italien par Françoise Brun).

3. Déclaration d'amour

a) Lisez l'extrait du roman d'Alessandro Barrico. Relevez, expliquez et commentez l'attitude et les gestes de la jeune femme. Imaginez les pensées des trois personnages au cours de cette scène.

b) Imaginez la suite de la scène.

c) Travail en petits groupes : la façon de déclarer son amour varie en fonction des individus, des lieux et des époques. ***Faites un inventaire des déclarations d'amour que vous connaissez.***

Exemple : Dans la tribu des Indiens Chiwawas en Guyane, le jeune homme offre une casserole à l'élue de son cœur.

4. Le cœur et ses raisons

a) Faites une fiche de lecture de l'article de la page 109. Repérez les principales parties du développement. Donnez-leur un titre et résumez-les.

b) Commentez et discutez les faits et les idées exposés dans ce texte. Fait-on le même constat dans votre pays ? Êtes-vous d'accord avec l'analyse et les conseils des psychologues ? Quelles sont, d'après vous, les caractéristiques du couple heureux ?

c) Ce texte est essentiellement construit autour de citations. Étudiez la façon de les introduire et de passer de l'une à l'autre.

Comment faire rimer « amour » avec « toujours »

C'EST souvent ainsi que se terminent les contes, laissant croire aux lecteurs que le plus dur – l'improbable rencontre, l'amour partagé – est derrière les héros : « Ils vécurent heureux et eurent beaucoup d'enfants. » Dans la vie, au contraire, c'est justement au moment où les amoureux convolent[1] vers des lendemains établis et paisibles que les choses se gâtent. C'est un fait avéré depuis une trentaine d'années : l'amour résiste mal à l'épreuve du temps. De plus en plus mal, même. Aujourd'hui, en France, un mariage sur trois se termine par un divorce.

À ses débuts, cette crise de la conjugalité dérangeait essentiellement les défenseurs des valeurs morales. *« On a bien le droit d'aimer plusieurs fois, on vit tellement longtemps »*, disaient les autres. Elle irrite à présent pléthore[2] de psys, qui y voient le signe d'une trop grande immaturité affective. *« On peut considérer raisonnablement que la déception est une phase obligée de l'évolution du mariage »*, explique le psychothérapeute américain Michael Vincent Miller, dans *L'Amour terroriste*. *« La théorie psychologique contemporaine en est venue à la conclusion que l'être humain continue virtuellement à se développer jusqu'à la mort. Ce point de vue gagnerait à ajouter la déception conjugale aux phases de développement de l'adulte. On pourrait même dire que l'amour arrivé à maturité – qui supposerait une nouvelle forme d'idylle moins impétueuse[3], assagie en quelque sorte – ne peut intervenir qu'après que les deux époux auront connu leurs premières déceptions et se seront délestés[4] de leur idéalisme initial. »*

Autrement dit, rompre une histoire d'amour parce qu'elle ronronne[5] trop ne favorise pas la maturation, ni l'évolution individuelle. Pourquoi ne parvenons-nous pas à nous contenter de ce que l'on a ? Le même Miller accuse notre culture romantique. *« Notre culte suranné de l'idylle romantique a toujours exalté l'expérience érotique et ignoré les problèmes de la vie quotidienne. »* Le psychiatre et sexologue Willy Pasini, auteur de *À quoi sert le couple*, dirige son doigt accusateur vers notre égoïsme. *« Le couple est devenu hédoniste[6] et jouissif. Il est centré sur lui-même. Avant, le couple était un état de passage pour devenir une famille. Les enfants qui naissaient étaient les bras pour les champs, une assurance pour la vieillesse. Aujourd'hui, le couple même avec enfants s'est privatisé. On est dans la culture du narcissisme. La société de consommation valorise les besoins des individus au détriment du couple et de la famille. À force d'entendre qu'on a droit au bonheur, à la carrière, à la réussite, à l'amour, les individus consomment. Y compris des partenaires s'ils ne sont pas satisfaits de ceux qu'ils ont. Les besoins individuels sont devenus un droit. »*

Soit. Mais comment se satisfaire à vie de qui on découvre chaque matin à côté de soi ? *« Interdisez-vous de penser à ce qui pourrait être pour ne pas vous interdire à jamais de ce qui peut être »*, note la psychanalyste Catherine Bensaïd dans *Histoire d'amour, histoire d'aimer*. *« Sachez apprécier qui est là. Surtout, laissez l'autre vous surprendre. »*

Willy Pasini est plus précis. *« Il ne faut pas idéaliser ce que le couple peut apporter : il ne peut pas réparer la méchanceté du père, l'absence de la mère, la tyrannie du patron. Il ne peut pas être universellement thérapeutique. Il faut avoir des attentes réalisables. À mi-chemin entre le couple rêvé et le couple réel, il existe un couple possible. »*

Michael Vincent Miller suggère que l'on prenne un peu de distance avec nos sentiments. *« L'ironie aide à forger une vision de l'amour romantique qui intègre difficultés et déceptions sans en faire des obstacles rédhibitoires[7]*, explique-t-il. *Cela permet à chacun de compatir au sort de l'autre, ce qui n'est pas la pire façon de vivre ensemble : l'on devient conscient des torts mutuels, en éprouvant plus de chagrin et moins de rancœur. »*

L'autre moyen, selon lui, d'enrayer la tentation du divorce serait de réhabiliter des valeurs peu en cours depuis quelques décennies, à savoir l'échec et la déception. En effet, si seuls les amoureux s'embrassant sur les bancs publics sont glorifiés, ceux qui s'engueulent[8] ne peuvent qu'avoir pitié d'eux-mêmes.

Véronique CHÂTEL, ***Grandes Lignes TGV***, mai 1997.

1. verbe archaïque : se marier. **2.** nombreux. **3.** animé par une force violente. **4.** se décharger, abandonner. **5.** ici, qui est devenue routinière. **6.** replié sur lui-même et ne pensant qu'à son propre plaisir, narcissique. **7.** ici, insurmontable. **8.** *(fam.)* se disputer.

DOSSIER-DÉBAT

LES NOUVEAUX AVENTURIERS

5. PRÉSENTATION ET EXPLICATION D'UN PHÉNOMÈNE DE SOCIÉTÉ

En vous appuyant sur les documents de cette double page et sur vos propres opinions, vous analyserez le goût actuel pour les aventures extrêmes. Vous rechercherez plus particulièrement les motivations pour ce type d'activités à risque.
Votre exposé oral ou écrit devra inclure des citations directes ou indirectes des documents (voir texte de la page 109 et tableau de la page 111).

Tour du monde à la voile et en solitaire, descente des rapides d'un fleuve impétueux, raid dans un désert ou une jungle inhospitalière, saut à l'élastique, escalade d'une paroi rocheuse ou d'un sommet dans des conditions difficiles... telles sont les activités des aventuriers d'aujourd'hui. Ils ne partent plus à la conquête du monde pour découvrir de nouveaux territoires, évangéliser des populations ou rechercher des produits précieux. Ils partent pour leur propre plaisir. Ici, Jo Le Guern et Pascal Blond lors de leur traversée de l'Atlantique à la rame.

Témoignages

« Après le raid, j'ai vécu une période de jubilation, d'euphorie, j'étais contente de moi, très satisfaite de ce que j'avais fait. J'avais un sentiment de victoire sur moi-même. Ça m'a montré de quoi j'étais capable, ça m'a montré ce que c'était vraiment que souffrir et se surpasser. »

Béatrice, concurrente d'un raid en Équateur.

« Ça montre que tout le monde a la capacité de faire plus que ce qu'il fait d'habitude. À force de volonté, d'entraînement, on peut faire quelque chose de différent du traditionnel, quelque chose d'exceptionnel. »

Sylvain, participant du Marathon des sables dans le sud marocain.

« Il y a une ambiance indescriptible dans cette épreuve. Que vous soyez médecin, PDG, ou simple employé, quand on est dans un raid comme ça, on a tous les mêmes peines, les mêmes souffrances. On a toujours un petit mot pour l'autre le matin ou une tape sur l'épaule, même si on ne se reconnaît pas sous le chèche. »

Marie-Madeleine, concurrente du Marathon des sables.

Alors que les sociétés modernes visent à éradiquer, avec plus ou moins de succès, toutes les formes de risque, les aventures organisées les réhabilitent et titillent l'attirance émotionnelle pour le danger d'un individu surprotégé.
Mais si le danger est, dans les récits et dans les images, omniprésent, il demeure, à vrai dire, limité dans la pratique. Pour les concurrents, le seul risque réel est de ne pas arriver au bout de leur périple. Ceux-ci ne reviennent pas toujours indemnes, car les souffrances physiques endurées meurtrissent parfois les corps, mais ils reviennent. Ils partent avec leur billet de retour et leur assurance-vie en poche. L'aventurier joue à se faire peur en sachant que l'issue ne sera jamais fatale. Il prend des risques prudemment et joue symboliquement avec la mort. Il écarte le risque par la préparation progressive et minutieuse de son projet et ne se lance pas tête baissée dans une impasse dont il ne pourrait sortir. Le concurrent ne choisit pas de participer à un raid en fonction du lieu où il se déroule, mais en fonction des difficultés qu'il va y rencontrer. La destination importe peu, pourvu qu'elle soit lointaine et que l'on puisse mettre en péril, symboliquement ou non, son intégrité physique ou morale. Il y a, chez les participants, le désir d'affronter les éléments bruts (la violence de l'eau, de la terre, de l'air, du soleil) dans des sites réputés pour leur « sauvagerie » et leur virginité. Il y a également le désir de renouer avec des sensations élémentaires de faim, de soif, de fatigue. La nature suscite dès lors à la fois fascination et exécration. Exécration, car c'est l'adversaire à vaincre que l'on en vient à maudire : jungles inextricables, chaleur, côtes abruptes. Fascination parce que les paysages traversés sont souvent somptueux.

Marianne BARTHÉLÉMY, faculté des sciences du sport, Marseille.
Extraits de ***Passions ordinaires,*** Bayard Éditions, 1998
(sous la direction de Christian Bromberger).

INTERVIEW
DEUX NAVIGATEURS EN SOLITAIRE PARLENT DE LEUR PASSION

■ **Préparation à l'écoute**

À la veille du départ du « Vendée Globe », tour du monde à la voile et en solitaire, un journaliste demande à deux anciens champions d'expliquer ce qui les motive à tenter ce genre d'exploit risqué. Vous entendrez les réponses de Bruno Peyron (vainqueur du Tour du monde à la voile en moins de 80 jours) et d'Alain Gautier (vainqueur du Vendée Globe 1993).

Vocabulaire : **noms de courses à la voile** (la Minitransat, la Course du Figaro, le B.O.C. Challenge) – **noms de navigateurs** (Peter Blake, Thierry Dubois, Tony Bullimore) – **une surenchère** (le fait de repousser sans cesse les limites de l'exploit) – **une balise** (signal d'appel au secours) – **assouvir une passion** (réaliser, satisfaire sa passion) – **les 50e hurlants** (passage difficile au nord de l'Antarctique).

■ **Écoute du document**

Relevez :
– les difficultés et les risques auxquels les navigateurs en solitaire doivent faire face,
– leur attitude face à ces risques,
– leurs motivations pour ce type d'exploit.

CITER – RAPPORTER DES OPINIONS

■ **Les guillemets** indiquent que les paroles sont rapportées fidèlement (à la lettre, mot pour mot). S'il n'y a pas de guillemets, il s'agit d'une citation en substance (J.-P. Assailly dit en substance que les prises de risque sont des tendances nécessaires au développement de l'individu).

■ **Le conditionnel**

On met les phrases rapportées au conditionnel pour signaler qu'on n'est pas forcément d'accord avec les idées énoncées (Pour J.-P. Assailly, les prises de risque seraient ...). Mais le conditionnel peut aussi traduire :
– une incertitude dans les paroles rapportées,
– un futur dans le passé (Il a dit qu'il viendrait demain).

• Selon (D'après ... Pour ...) David Le Breton, la prise de risque ajoute une valeur à l'action.

• Comme (Ainsi que ...) le précise David Le Breton dans *La Sociologie du risque,* la prise de risque ...

• David Le Breton précise : « La prise de risque ... » (ou avec inversion du sujet) « La prise de risque ... » précise David Le Breton dans *La Sociologie du risque*.

■ **Constructions grammaticalisées**

Pierre dit (affirme, regrette, ...) que ...
Pierre demande (se demande) si ... (quand on rapporte une interrogation).
Pierre propose (suggère) de + *infinitif* (que + *subjonctif*) (quand on rapporte une phrase impérative).

L'avis du psychologue

Auteur des *Jeunes et le risque* (Éd. Vigot), le psychologue Jean-Pascal Assailly est interrogé par Stéphane Chayet, journaliste au *Point.*

Le Point : La « génération glisse » semble priser, dans ses loisirs, la recherche de sensations fortes. Les jeunes d'aujourd'hui ont-ils un appétit particulier pour le danger ?

Jean-Pascal Assailly : Ni plus ni moins que leurs aînés ! Chaque génération exprime son goût pour le risque de façon différente. Aujourd'hui, c'est la recherche des sensations extrêmes dans les sports de montagne. Demain, ce sera sans doute autre chose. En fait, le goût du risque est une pulsion innée et universelle. Dès les premiers jours, le nourrisson quitte l'organisme maternel du regard pour explorer son environnement. Or, pour lui, c'est une prise de risque considérable, car sa mère est son unique repère. Toute la vie est traversée par ce conflit entre deux penchants contradictoires : d'une part, la recherche de sécurité et, d'autre part, la quête de nouveauté. Personne n'aspire à vivre dans un environnement complètement sûr. Le risque zéro est une idée insupportable, même pour les animaux !

Le Point, 15/02/1997.

Les accidents se multiplient et les secours coûtent cher. En France, ils sont jusqu'à présent pris en charge par la collectivité. Mais de nombreux élus pensent qu'il faut rendre systématique le remboursement de ces frais par ceux qui en sont responsables.

SIMULATION

19. Lettres à un(e) confident(e)

Le confident (la confidente) est celui ou celle avec qui on peut partager des sentiments et des émotions, celui ou celle à qui on peut faire appel pour être conseillé ou rassuré.
Dans cette leçon, vous rédigerez une ou plusieurs lettres en choisissant l'une des deux options suivantes :
- *Première option (courte et individuelle) : vous écrirez une lettre à un(e) confident(e) réel(le) ou imaginaire. Cette lettre sera réalisée progressivement à chaque étape de la leçon.*
- *Deuxième option (plus longue, à faire par deux) : à chacune des quatre étapes de la leçon, vous écrirez un mot bref à un(e) confident(e) choisi(e) dans la classe et qui vous répondra.*

(Rome) 4 décembre 1954

Cher ami,

Votre carte m'a fait plaisir. Il y a peu de personnes que je souhaiterais avoir ici avec moi, mais j'aurais aimé faire avec vous ces promenades dans Rome qui occupent la plus grande partie de mes journées. À bien des égards, j'avais besoin de cette cure, car c'en est une. Après tout, la beauté guérit elle aussi, une certaine lumière nourrit. Il a fait ici des journées admirables, des ciels parfaits, si différents des ciels toscans où la lumière est divisée, presque pulvérulente, alors qu'elle coule également de tous les points du ciel romain, avec une régularité, une opulence, qui comblent le cœur. Et j'ai vécu si misérablement depuis une année que je ne me rassasie pas de cette fortune soudaine.

J'ai regretté de vous avoir mal vu, chez Gallimard, ce matin avant mon départ. J'aurais voulu vous parler avec un peu d'abandon et chercher dans ce que vous m'auriez dit non pas un conseil, le mot vous ferait fuir, mais disons une opinion. C'est pourquoi je regrette ce voyage manqué en Égypte, je regrette que vous ne soyez pas ici. Vous et moi avons besoin de temps pour faire le point et ce n'est pas la vie désarticulée de Paris qui s'y prête.

Au reste, je n'aurais rien eu à vous dire que vous ne sachiez déjà. Mais on s'explique à soi-même en s'expliquant à l'ami, vous le savez. Enfin.

Je n'ai plus d'encre et continue au stylo-bille. Je voulais dire seulement que j'ai retrouvé des forces et de la décision ici. Il y a des chances pour que je puisse à nouveau travailler en rentrant. Et si je peux travailler, je pourrai attendre. Je pars après-demain dans le sud de l'Italie et je m'arrêterai à Paestum. J'en reviendrai à la fin de la semaine et partirai de Rome pour Paris au début de la semaine suivante (entre le 13 et le 15).

J'espère vous voir alors.

J'ai bon espoir aussi, après ce que vous m'avez dit, de vous voir débarrassé de ce voyage hebdomadaire à Lille, et rendu à ces « mémoires » que j'attends avec la certitude de leur importance. À bientôt donc. Faites mes amitiés à votre femme et croyez à ma fidèle affection.

Albert Camus

Lettre d'Albert Camus à Jean Grenier, *Correspondance* (1932-1960), Gallimard, 1981.

1. Expression des sentiments et des émotions

(Étape préparatoire)

a) Lisez la lettre adressée par Albert Camus (écrivain et philosophe, auteur de** L'Étranger **et de** La Peste**) à Jean Grenier. Notez tout ce que vous apprenez sur ces deux personnes (détails biographiques, personnalités, relations qu'elles entretiennent).

b) Étudiez la façon d'introduire un sentiment ou une émotion. Complétez votre information par la lecture du tableau ci-contre.

c) En utilisant les constructions données dans le tableau, reformulez la lettre ci-dessous de façon que les sentiments indiqués en marge soient exprimés.

Exemple : « Je regrette beaucoup de ne pas pouvoir … » ou « Je ne pense pas … C'est bien dommage », etc.

EXPRESSION DES SENTIMENTS (CONSTRUCTIONS)

■ **1. Le sujet de la phrase éprouve le sentiment.**

Je regrette que … / de … – Je m'inquiète pour …
Je suis triste, heureux, jaloux, déçu, …
J'ai (j'éprouve, je ressens, je sens) de la tristesse, de la jalousie, …
Je suis d'une humeur joyeuse, irritable, …
J'ai peur (honte, pitié, mal).

■ **2. Le sujet est la cause du sentiment.**

Cette idée m'inquiète, me surprend, m'attriste, …
Cette idée me rend inquiet, nerveux, heureux, …
Cette idée me donne des inquiétudes, des soucis, …
Cette idée me fait peur (honte, pitié, plaisir, mal).

■ **3. Le sentiment passe par la caractérisation de l'action.**

Malheureusement, il ne travaille pas avec plaisir.

■ **4. C'est la cause du sentiment qui est caractérisée.**

Une journée triste – un comportement honteux.

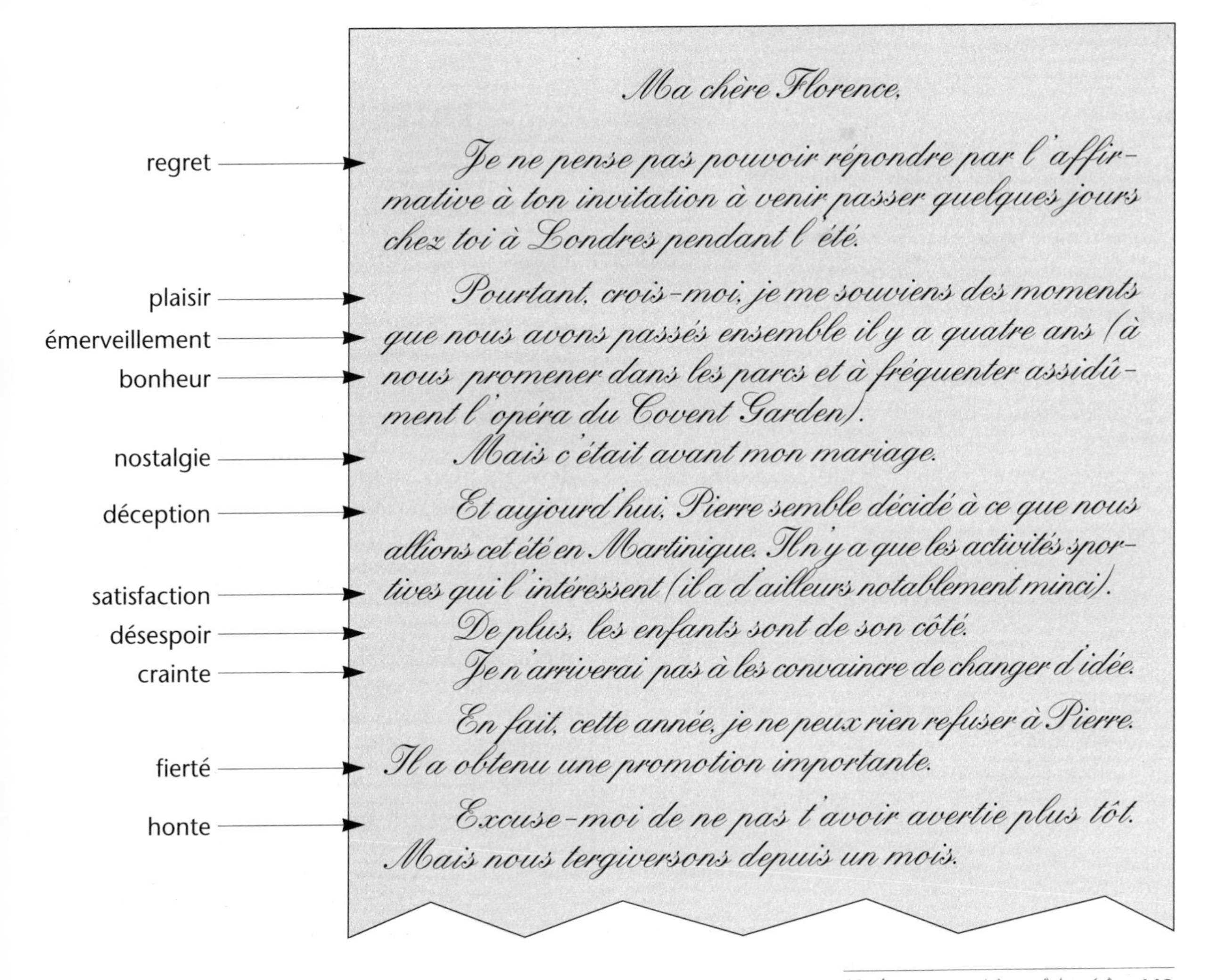

regret → *Ma chère Florence,*

Je ne pense pas pouvoir répondre par l'affirmative à ton invitation à venir passer quelques jours chez toi à Londres pendant l'été.

plaisir → émerveillement → bonheur → *Pourtant, crois-moi, je me souviens des moments que nous avons passés ensemble il y a quatre ans (à nous promener dans les parcs et à fréquenter assidûment l'opéra du Covent Garden).*

nostalgie → *Mais c'était avant mon mariage.*

déception → *Et aujourd'hui, Pierre semble décidé à ce que nous allions cet été en Martinique. Il n'y a que les activités sportives qui l'intéressent (il a d'ailleurs notablement minci).*

satisfaction → désespoir → *De plus, les enfants sont de son côté.*

crainte → *Je n'arriverai pas à les convaincre de changer d'idée.*

En fait, cette année, je ne peux rien refuser à Pierre.

fierté → *Il a obtenu une promotion importante.*

honte → *Excuse-moi de ne pas t'avoir avertie plus tôt. Mais nous tergiversons depuis un mois.*

EXPRESSION DES ÉTATS AGRÉABLES

■ Le plaisir

J'ai lu avec plaisir, avec délectation ...

J'ai été ravi de ... transporté par cette lecture. – J'étais au septième ciel.

J'ai pris plaisir à lire ce roman policier.

En achetant cette voiture, je me suis fait plaisir.

C'était un spectacle charmant, attirant, attrayant, séduisant, plaisant ...

Ce jour-là nous étions gais, euphoriques – On s'est défoncés *(fam.)*, éclatés *(fam.)* – C'était le pied *(fam.)*.

■ L'équilibre

Dans ce village de vacances, j'ai retrouvé le calme, la sérénité, la tranquillité, un bien-être intérieur.

Depuis que je fais de la voile, je me sens plus équilibré, j'ai retrouvé un équilibre.

Je me sens bien dans ma peau, bien dans mes baskets *(fam.)*.

■ Le contentement et le bonheur

Je suis satisfait de ... content de ... heureux de ... comblé par ...

Cette petite fête m'a mis de bonne humeur, m'a mis en joie, m'a comblé de joie.

L'arrivée au sommet de la montagne m'a transporté de joie.

Marie respire la joie de vivre, l'allégresse.
– Elle est heureuse comme un poisson dans l'eau.
– Elle semble nager dans le bonheur.

Ce nouvel appartement fait mon bonheur.

■ Harmonie et partage

Je me sens en harmonie, en sympathie, en phase avec ce paysage, avec cette personne.

J'ai trouvé dans ce roman un écho de mes préoccupations.

Je partage votre émotion – Je me sens proche de vous, en accord avec vous – Nous avons cette façon de voir les choses en commun.

Nous communions dans la même passion pour l'art – Cette passion pour l'art nous rapproche, nous unit.

2. Un moment de bonheur que l'on veut faire partager

Il y a des moments heureux que l'on voudrait communiquer : moment d'exaltation devant un paysage magnifique, coup de foudre pour l'appartement que l'on vient de louer, plaisir d'une soirée entre amis, émotion ressentie devant un tableau, un film, lors d'un concert, etc.

a) Lisez la lettre d'Élia. Faites le même travail que celui que vous avez fait avec la lettre de Camus.

Montrez que le tableau Le Chemin de la Chartreuse ***est symbolique de la situation vécue par Élia et Paul.***

b) En utilisant le vocabulaire ci-contre, rédigez la première partie de votre lettre (option 1) ou votre premier petit mot (option 2). Faites part à votre confident(e) d'un moment heureux.

Dans le cas de l'option 2, le confident répond selon sa sensibilité et évoque lui aussi un moment semblable.

La jeune Élia Duc a rencontré le peintre Paul Surrel lors d'une exposition de ce dernier. Beaucoup de choses les séparent : Paul a 20 ans de plus qu'Élia. Il est marié et en instance de divorce. Élia vit en Algérie. Mais ils vont s'écrire chaque jour pendant sept mois jusqu'à ce qu'ils découvrent qu'ils ne peuvent que vivre ensemble.

Élia à Paul – Mercredi 26 février 1938

Je vous écris ce matin à l'heure vierge où tout dort encore. Hier au soir, dans un moment de silence, c'est bien en vous, à travers votre *Chemin de la Chartreuse,* que j'ai retrouvé un peu de lumière : j'ai revu le chemin calme qui longe un mur de couvent (vous voyez de quel tableau je veux parler). Sa paix m'a envahie. Je ne sais plus si le chemin côtoie le bois ; je me rappelle pourtant que la nature, à gauche du sentier, prolongeait le mystère que cachait et révélait à la fois le mur de séparation... Quelqu'un, je m'en souviens, s'est détourné de ce tableau, parce qu'il le trouvait « triste ». Qu'est-ce qui est triste en dehors de la laideur et de la méchanceté ? Je suis émerveillée. J'ai trouvé un message de paix. Que ma confiance ne vous inquiète pas... Vous ne pouvez ni la repousser, ni la trahir. Et moi, je ne peux que l'accueillir... Je voudrais bien moi aussi, qu'un jour vous aimiez la ligne bleue de nos peupliers, l'ondulation lointaine de nos collines, dans le pays de Gascogne où je suis née.

Élia et Paul, ***Correspondances,***
HB Éditions, 1996.

3. Une situation désagréable à propos de laquelle on demande conseil

Conflits professionnels, familiaux ou sentimentaux, échecs, coups du sort ... les occasions de vivre des moments désagréables ne manquent pas. Dans ces situations difficiles, le confident est souvent le seul à qui on ose parler franchement et demander conseil.

a) Lisez ci-dessous la lettre de stéphane. Pour chaque phrase, notez les sentiments exprimés et ceux que vous pouvez imaginer.

Exemple : Première phrase : courage, ambition, désir de se réaliser, etc.

Imaginez les conseils du psychologue du journal.

b) Lisez ci-dessous la réponse du psychologue à la lettre de Sandrine. Imaginez le contenu de cette lettre.

c) En utilisant le vocabulaire ci-contre, faites part à votre confident(e) d'une situation désagréable que vous avez vécue. Dans l'option 2, le confident donnera des conseils.

Lettre de Stéphane, 40 ans, directeur artistique, au psychologue d'un magazine qui comporte une rubrique « Les lecteurs nous demandent conseil ».

Tout en restant dans le secteur professionnel de la presse, j'ai, pendant une quinzaine d'années, changé volontairement plusieurs fois d'entreprise, obtenant chaque fois des postes plus valorisants et mieux rémunérés. Je me sentais prêt à conquérir le monde. C'est ainsi que je suis passé de simple assistant à maquettiste, puis à directeur artistique. Mais cette dernière promotion m'a été fatale. Peut-être avais-je atteint mon niveau d'incompétence. Toujours est-il que j'ai commencé à stresser et à douter de moi. J'ai par ailleurs joué de malchance. Quelques mois après ma nomination, le journal a connu des difficultés financières et a été racheté par un groupe concurrent. J'ai été tenu responsable de cet échec et je me suis retrouvé au chômage.

Aujourd'hui, j'ai l'impression que quelque chose s'est cassé. Ma femme et mes amis me regardent avec commisération et je me sens dévalué. Sans doute me serait-il assez facile de retrouver un emploi mais je ne suis plus sûr d'être capable de savoir me vendre.

Réponse du psychologue à la lettre de Sandrine, 35 ans, publicitaire.

Au lieu de rester dans votre coin à ressasser votre rancœur, agissez ! Mais auparavant, réfléchissez ! Vous dites que votre chef de service veut votre perte. Mais cette affirmation ne semble fondée que sur son attitude mesquine. Peut-être est-ce seulement un détail de votre comportement qui l'irrite. Cessez donc d'imaginer le pire alors qu'aucun reproche précis ne vous a été fait.

Ayez une explication franche avec elle. Demandez-lui ce qui ne va pas et montrez-lui que vous avez la volonté de vous perfectionner.

Expression des états désagréables

■ Situation difficile

J'ai des problèmes, des ennuis, des soucis – Je suis très ennuyé – Je suis très embêté *(fam.)* – Je suis emmerdé *(vulg.)*.

Je me suis mis dans de mauvais draps *(fam.)* – Je suis dans la panade *(fam.)* – J'en bave *(fam.)* – Je rame *(fam.)*.

■ Insatisfaction

Je ne suis pas satisfait – Je suis mécontent de ... Cette situation me déplaît, me contrarie, m'indispose, me gêne.

■ Déception

Je suis déçu, frustré – J'ai perdu tout espoir – J'ai perdu mes illusions.

Quand j'ai été licencié, je suis tombé de haut, j'ai pris une douche froide *(fam.)*.

Cette séparation m'a laissé aigri et amer – Je suis désenchanté.

Je me sens trahi, trompé.

■ Tristesse

Je suis triste, malheureux, déprimé, abattu – Je fais une déprime.

Je n'ai pas le moral – J'ai le moral à zéro – J'ai le cafard – Je broie du noir – J'en ai gros sur le cœur (sur la patate) *(fam.)* – Je suis au plus bas – Je touche le fond.

Cette nouvelle m'a attristé, peiné, affecté, chagriné.

Je suis désespéré – Je ne me console pas de ...

■ Regret

Je regrette de ... – Je déplore ...

Je m'en veux de cet échec – Je m'en mords les doigts *(fam.)*.

Après cette dispute, je me sens honteux, confus – J'ai mauvaise conscience – Je n'ai pas la conscience tranquille.

■ Conseiller

Je vous conseille de ... – Je vous engage à ... – Je vous suggère de ...

Je vous déconseille de ... – Je vous mets en garde contre ... – Je voudrais vous dissuader de ...

À votre place... Si j'étais vous, je démissionnerais. – Pourquoi ne pas démissionner ?

Me permettez-vous, m'autorisez-vous un conseil, un avis, une suggestion ? Démissionnez !

SUJETS D'INQUIÉTUDE

■ Embarras

Je suis (bien) embarrassé, (bien) embêté – Cette affaire m'embarrasse, m'embête.

Je ne sais pas que faire, que penser, comment m'y prendre.

Qu'est-ce que je vais bien pouvoir faire ?

■ Anxiété

Je suis inquiet, anxieux.

La perspective de cet examen m'inquiète, m'angoisse – J'ai le trac – Je stresse – J'angoisse.

J'appréhende cet entretien d'embauche – C'est ma hantise.

■ Peur

Cet homme m'intimide – Devant lui, je perds tous mes moyens.

Ce nouveau poste me fait un peu peur – J'ai la trouille *(fam.)* de ne pas être à la hauteur.

Je suis complètement affolé, épouvanté, terrorisé, terrifié par ..., à l'idée de passer à la télé.

Nous avons perdu de l'argent. Je commence à paniquer *(fam.)*.

■ Manque de confiance

Je n'ai pas confiance en lui – Je ne lui fais pas confiance – On ne peut pas se fier à lui (compter sur lui) – Je le soupçonne de ... – Je ne lui accorde pas ma confiance – Je me méfie de lui.

■ Rassurer

Calmez-vous ! – Tranquillisez-vous !

Retrouvez vos esprits ! – Reprenez-vous !

Rassurez-vous ! – Je vous assure qu'il n'y a rien à craindre – Je vous rassure ... – Je vous donne l'assurance que ... – Je vous promets que ...

Courage ! – Reprenez courage !

Il ne faut pas avoir peur – Je vous encourage (vivement) à continuer – Faites-lui confiance ! – Vous pouvez compter sur lui (vous fier à lui) – C'est quelqu'un de confiance.

4. UN SUJET D'INQUIÉTUDE SUR LEQUEL ON VOUDRAIT ÊTRE RASSURÉ

C'est au confident qu'on s'adresse lorsqu'on est dans une situation embarrassante. C'est à lui qu'on fait part de ses peurs et de ses angoisses face à l'avenir. C'est à lui aussi qu'on demande un avis sur quelqu'un en qui on n'a pas confiance.

a) Lisez ci-dessous un extrait de la pièce de Jean-Claude Brisville Le Fauteuil à bascule. ***Imaginez la suite de la conversation. Jérôme exprime ses inquiétudes. Oswald essaie de le rassurer. Utilisez le vocabulaire ci-contre.***

b) Faites part à votre confident(e) d'un sujet d'inquiétude suscitant certains sentiments présentés dans le tableau de vocabulaire.

Dans sa réponse (option 2), le confident rassure, fait des recommandations ou des mises en garde, donne des conseils.

Jérôme et Oswald sont employés dans une grande maison d'édition dont Horn est le directeur. Le travail de Jérôme consiste à sélectionner les manuscrits à éditer. C'est un amoureux des livres et il ne vit que pour eux. Oswald, au contraire, est l'éditeur technocrate pour qui seul le succès commercial compte.

JÉRÔME : Avez-vous entendu parler de ce nouveau papier que Horn ferait étudier dans un laboratoire, en Allemagne ?
OSWALD : Le papier qui s'autodétruit au bout d'un an...
JÉRÔME : Ce serait vrai ?
OSWALD : Oui *(un temps)*. Il est parti d'une idée juste. Aujourd'hui que l'espace est devenu un luxe, le produit bas de gamme est condamné commercialement à une existence très brève. Aux USA, le livre bon marché se jette après usage. En France, malheureusement, on tend à le garder au-dessus du *cosy-corner.* Il doit donc disparaître de lui-même. Un livre qui s'autodétruit fait une place au livre à vendre. Il faut le reconnaître, Horn est parti d'une idée juste. *(Un temps.)* Il m'a fait demander un rapport sur la question. Je le lui ai transmis avant-hier.
JÉRÔME : Et vous êtes d'accord ?
OSWALD : Sur le principe, oui. Le papier qui s'autodétruit est la solution à la crise du livre – du livre bas de gamme, il va de soi. Je suis plus réservé sur le délai. Trop court. Il faut tenir compte, je crois, de la sentimentalité de l'acheteur – de l'acheteur français. [...]
JÉRÔME : Excusez-moi. J'ai un peu de peine à vous suivre. Hier sur ma table de chevet *Mémoires d'outre-tombe,* et ce matin l'intérieur de la tombe – un peu de cendres...
OSWALD : On peut envisager d'allonger le sursis pour la série classique. Je le suggère à Horn. Pour la série classique, on peut aller jusqu'à trois ans.
JÉRÔME : Trois ans pour Descartes et Pascal...
OSWALD : Cinq pour les Grecs et les Latins.
JÉRÔME : Et pour la Bible ?
OSWALD : J'y ai pensé : sept ans.
JÉRÔME : Mais oui ! Sept ... un chiffre sacré. Vous mettez Dieu dans votre poche.

Jean-Claude BRISVILLE, ***Le Fauteuil à bascule,*** Actes Sud Papiers, 1987.

DE L'INTÉRÊT À LA PASSION

■ **Intérêt**

Ce livre a éveillé ma curiosité – Il ne m'a pas laissé indifférent.

L'archéologie m'intéresse – J'ai un goût (prononcé) pour les vieilles pierres – Je suis curieux d'archéologie. C'est intéressant, captivant, passionnant.

■ **Admiration**

J'apprécie, j'admire, j'adore le travail de cet artiste.

J'ai eu un coup de foudre, j'ai été subjugué par ce qu'il fait.

C'est un travail que je respecte profondément – Il a toute ma considération.

C'est formidable – Je lui tire mon chapeau *(fam.)* – Je lui tire ma révérence.

■ **Passion**

Faire de l'escalade m'enthousiasme, m'excite *(fam.)*, m'emballe *(fam.)*.

Je suis passionné par la musique – Je suis un passionné de musique – C'est ma passion.

Pierre est un amoureux de la BD, un fana *(fam.)*, un mordu *(fam.)*, un accro *(fam.)*.

Annie fait du théâtre, elle a le feu sacré – Elle a le théâtre dans le sang (dans la peau).

■ **Encourager**

Je vous engage à continuer dans cette voie, à persévérer.

Allez-y ! – Foncez ! – Sautez le pas ! – Soyez déterminé !

Je vous encourage, je vous exhorte à ne pas abandonner.

Vous avez mon soutien – Tous mes vœux vous accompagnent.

■ **Modérer**

Modérez (réfrénez, réprimez) votre enthousiasme !

Soyez plus mesuré, plus raisonnable !

Mettez un bémol à vos ardeurs !

Mettez de l'eau dans votre vin ! *(fam.)*

Soyez prudent ! – Je vous invite à la prudence, à plus de sagesse, à davantage de circonspection.

Prenez garde ! – Prenez vos précautions.

Méfiez-vous ! – Ne comptez pas trop sur les autres.

5. Une passion qui requiert encouragement ou modération

Déterminer sa vie en fonction d'une passion (amoureuse, professionnelle ou extra-professionnelle) est souvent un pari risqué. Quand l'entourage est hostile, quand l'avenir matériel et financier est incertain, le confident est celui qui saura avec discernement nous encourager ou nous dissuader.

Après avoir pris connaissance de l'exemple ci-dessous, faites part à votre confident(e) d'une passion qui pourrait changer le cours de votre vie.
Dans sa réponse (option 2), votre interlocuteur vous encouragera à poursuivre ou au contraire essaiera de modérer votre enthousiasme.

Dans l'Italie florissante de la fin du XVIe et du début du XVIIe siècle, des milliers d'artistes travaillent à construire ou à embellir églises et palais. Il s'agit d'opposer aux progrès en Europe de l'austère religion protestante, une Église catholique triomphante et attrayante. Mais ces peintres et ces sculpteurs qui sont les stars de l'époque sont aussi tous des hommes. Les femmes n'ont d'autre choix que de se marier pour s'occuper d'une maison ou d'entrer au couvent. Fille du peintre Orazio Gentileschi, Artemisia a la passion et le génie de la peinture. Dans une époque où art rime avec pouvoir et politique, elle saura briser les lois de la société pour conquérir la gloire et la liberté.

Artemisia (Valentina Cervi) peignant son autoportrait dans le film d'Agnès Merlet : Artemisia.

PROJET

20. Adaptation cinématographique

Même quand le cinéma s'inspire d'un fait de l'actualité ou d'un roman, il fait œuvre de création. Au cours de cette leçon, nous étudierons ce processus de création et vous réaliserez l'adaptation cinématographique d'un fragment d'œuvre littéraire.

Vous apprendrez à analyser et à commenter les images et les textes littéraires.

William Bonney est l'un des plus célèbres desperados *et tueurs de l'histoire de l'Ouest américain. Sa précocité le fit surnommer* **Billy the Kid**. *On sait peu de choses sur son enfance sinon qu'il naquit à New York et gagna ensuite l'Ouest avec sa famille où il devint cow boy. Il avait dix-neuf ans quand son patron fut assassiné. Billy entreprit alors de le venger. Bien qu'il ait été poursuivi par la police dès son premier meurtre, il réussit à tuer vingt et un de ses adversaires avant de tomber sous les balles de son vieil ami Pat Garret devenu shérif du comté.*

1. Le langage cinématographique de la bande dessinée

a) Lisez la légende de la photo de Billy the Kid et la bande dessinée de Morris et Goscinny. Comment ces deux auteurs ont-ils interprété le début de la biographie de leur héros ? Quelles autres interprétations aurait-on pu en donner ?

b) En utilisant le vocabulaire ci-dessous, analysez la bande dessinée comme s'il s'agissait d'un film. Justifiez les cadrages, les angles de prises de vue, etc.

LES MOTS DU CINÉMA

■ La réalisation du film

Un réalisateur (un metteur en scène) réalise un film à partir d'un scénario. Il tourne des plans. Un plan ne dure que quelques secondes. Les plans sont ensuite montés en séquences. À l'intérieur d'une séquence, les plans de durées variables donnent le rythme du film.

■ Le plan

Le cadrage : un plan d'ensemble – un plan moyen – un plan rapproché – un gros plan.

L'angle de prise de vue : une plongée – une contre-plongée.

Le mouvement de la caméra : un plan fixe – un panoramique (la caméra pivote) – un travelling avant/arrière/latéral (la caméra se déplace).

■ La séquence

Une succession de plans brefs – une rupture de rythme – une ellipse.

MORRIS et GOSCINNY, ***Lucky Lucke, Billy the Kid.*** © Dupuis, 1962.

Le Rouge et le Noir du roman au film

Fils d'un charpentier du Jura, le jeune Julien Sorel est peu doué pour les travaux de force mais il est intelligent et décide de s'instruire par lui-même. Ses lectures et les leçons d'un vieil abbé lui donnent un niveau d'instruction suffisant pour que le maire de la petite ville de Verrières, monsieur de Rênal, l'engage comme précepteur de ses enfants.
La famille de Rênal et son précepteur s'installent au château de Vergy situé dans les environs de Verrières et Julien Sorel côtoie quotidiennement madame de Rênal. Le charme simple de la jeune femme et l'amour qu'elle porte à ses enfants ne le laissent pas indifférent.
La scène suivante est l'une des plus célèbres du roman. Monsieur de Rênal est en voyage et madame Derville, une amie de madame de Rênal, est venue passer quelques jours au château.

Dès l'arrivée de madame Derville, il sembla à Julien qu'elle était son amie ; il se hâta de lui montrer le point de vue que l'on a de l'extrémité de la nouvelle allée sous les grands noyers. [...]. C'est sur les sommets de ces rochers coupés à pic que Julien, heureux, libre, et même quelque chose de plus, roi de la maison, conduisait les deux amies, et jouissait de leur admiration pour ces aspects sublimes.
– C'est pour moi comme de la musique de Mozart, disait madame Derville. [...]
Certaines choses que Napoléon dit des femmes, plusieurs discussions sur le mérite des romans à la mode sous son règne lui donnèrent alors, pour la première fois, quelques idées que tout autre jeune homme de son âge aurait eues depuis longtemps.
Les grandes chaleurs arrivèrent. On prit l'habitude de passer les soirées sous un immense tilleul à quelques pas de la maison. L'obscurité y était profonde. Un soir, Julien parlait avec action, il jouissait avec délices du plaisir de bien parler et à des femmes jeunes ; gesticulant, il toucha la main de madame de Rênal qui était appuyée sur le dos d'une de ces chaises de bois peint que l'on place dans les jardins.
Cette main se retira bien vite ; mais Julien pensa qu'il était de son devoir d'obtenir que l'on ne retirât pas cette main quand il la touchait. L'idée d'un devoir à accomplir, et d'un ridicule ou plutôt d'un sentiment d'infériorité à encourir si l'on n'y parvenait pas, éloigna sur-le-champ tout plaisir de son cœur.
(Dans la soirée du lendemain, les mêmes personnages se retrouvent sous le tilleul.)
On s'assit enfin, madame de Rênal à côté de Julien, et madame Derville près de son amie. Préoccupé de ce qu'il allait tenter, Julien ne trouvait rien à dire. La conversation languissait. Serai-je aussi tremblant, et malheureux au premier duel qui me viendra ? se dit Julien, car il avait trop de méfiance et de lui et des autres pour ne pas voir l'état de son âme.
Dans sa mortelle angoisse, tous les dangers lui eussent semblé préférables. Que de fois ne désira-t-il pas voir survenir à madame de Rênal quelque affaire qui l'obligeât de rentrer à la maison et de quitter le jardin ! La violence que Julien était obligé de se faire était trop forte pour que sa voix ne fût pas profondément altérée ; bientôt la voix de madame de Rênal devint tremblante aussi, mais Julien ne s'en aperçut point. L'affreux combat que le devoir livrait à la timidité était trop pénible pour qu'il fût en état de rien observer hors de lui-même. Neuf heures trois quarts venaient de sonner à l'horloge du château, sans qu'il eût encore rien osé. Julien, indigné de sa lâcheté, se dit : Au moment précis où dix heures sonneront, j'exécuterai ce que, pendant toute la journée, je me suis promis de faire ce soir, ou je monterai chez moi me brûler la cervelle.
Après un dernier moment d'attente et d'anxiété, pendant lequel l'excès de l'émotion mettait Julien comme hors de lui, dix heures sonnèrent à l'horloge qui était au-dessus de sa tête. Chaque coup de cloche fatale retentissait dans sa poitrine, et y causait comme un mouvement physique.
Enfin, comme le dernier coup de dix heures retentissait encore il étendit sa main et prit celle de madame de Rênal, qui la retira aussitôt. Julien, sans trop savoir ce qu'il faisait, la saisit de nouveau. Quoique bien ému lui-même, il fut frappé de la froideur glaciale de la main qu'il prenait ; il la serrait avec une force convulsive ; on fit un dernier effort pour la lui ôter, mais enfin cette main lui resta.
Son âme fut inondée de bonheur, non qu'il aimât madame de Rênal, mais un affreux supplice venait de cesser.

STENDHAL, ***Le Rouge et le Noir***, 1830.

La séquence de la soirée sous le tilleul dans le téléfilm *Le Rouge et le Noir.*
Adaptation : Danièle Thompson et Jean-Daniel Verhaeghe.

(Terrasse du château. Ambiance nuit d'été. Chant des grillons. Mme de Rênal et Mme Derville prennent une infusion. Mme de Rênal debout. Julien les rejoint.)

MME DE RÊNAL : Quand nous étions petites au Sacré-Cœur de Besançon... *(à Julien)* Un peu de fleur d'oranger ?

JULIEN : Merci. *(Il prend la tasse et s'assied sur la banquette. Mme de Rênal s'assied à côté de lui.)*

MME DE RÊNAL : ... elle me traitait déjà comme une gamine et elle continue.

MME DERVILLE : Tu parles de moi comme de ta grand-mère ! Nous avons le même âge à deux mois près. *(à Julien)* Vous avez des frères et des sœurs ?

JULIEN : J'ai deux frères.

MME DE RÊNAL : Des monstres, si tu savais !

MME DE DERVILLE : Et vos parents ? Vous ressemblez à votre mère, j'en suis sûre.

JULIEN : Je n'ai pas connu ma mère. *(Il se lève pour prendre la tasse de Mme Derville.)* Mon père est un homme grossier, inculte. À part d'argent, il ne sait parler de rien. *(Il se rassied.)*

MME DERVILLE : *(petits rires et regards à Mme de Rênal)* Nous en connaissons d'autres n'est-ce pas ? Oh, ce siècle est pourri par l'argent. Je ne sais pas si les pires sont ceux qui en ont ou ceux qui en veulent. Mais continuez à nous parler de vous.

JULIEN : *(regards furtifs à Mme de Rênal)* Oh, je ne préfère pas. Veuillez m'excuser. Je dois vous sembler un peu ombrageux. *(Il se tourne vers Mme de Rênal.)* Pourtant, ce n'est pas dans ma nature. Cela est dû à mon enfance difficile.

MME DE RÊNAL : *(regard direct à Julien)* Nous avons pourtant bien ri aujourd'hui.

JULIEN : *(tourné vers Mme de Rênal)* Votre présence y a particulièrement contribué. Sans doute parce que pour la première fois de ma vie, je ne me sens pas entouré d'ennemis.

(Mme de Rênal se lève en souriant.)

MME DERVILLE : Eh bien nous en avions quelques-unes d'ennemies au pensionnat tu te souviens ?

Madame de Rênal (Carole Bouquet) et Julien Sorel (Kim Rossi-Stuart) dans le téléfilm Le Rouge et le Noir.

(L'horloge égrène les coups de dix heures. Une domestique débarrasse la table. Plan rapproché sur Julien et Mme de Rênal, les yeux dans les yeux. La caméra tourne autour d'eux. Mme Derville se lève, tourne le dos et s'éloigne.)

MME DERVILLE : Cette soirée est délicieuse ! Quel calme ici ! On dirait de la musique de Mozart.

(Plan rapproché sur Julien et Mme de Rênal. Julien s'empare de la main de Mme de Rênal qui tente de la retirer en lui jetant un regard interloqué. Julien maintient son étreinte. Regard de défi de Mme de Rênal qui abandonne sa main. Noir [fin de la séquence].)

2. ADAPTATION D'UNE SCÈNE DE ROMAN POUR LE CINÉMA

a) Lisez et commentez l'extrait du roman de Stendhal en suivant les instructions du tableau de la page 123.

b) Étudiez l'adaptation cinématographique de ce passage. Notez et justifiez :

– ce qui est relaté fidèlement,
– ce qui est supprimé,
– ce qui est rajouté,
– ce qui est transposé ou déplacé.

• Quelle autre vision de la scène et des personnages donne l'adaptation cinématographique ? Les adaptateurs réussiront à faire passer dans une scène suivante (un dialogue entre Julien et son ami Fouqué) ce qui a été éludé ici. Imaginez comment.

Madame Bovary

D'origine modeste et peu brillant, Charles Bovary réussit à être « officier de santé » (il n'a pas passé son doctorat de médecine) et s'installe dans un gros bourg de Normandie. Poussé par sa mère, il épouse une veuve plus âgée que lui qui l'aime tout en le tyrannisant et qui ne tardera pas à mourir. Au cours d'une visite médicale dans une ferme des environs, Charles rencontre Emma, la fille d'un riche fermier. Celle-ci, qui a reçu une bonne éducation à la ville, s'ennuie dans la ferme de son père et s'évade en lisant avec passion toutes sortes de romans qui la font rêver d'une autre vie. Quelque temps plus tard, Charles décide de retourner à la ferme uniquement pour revoir Emma.

Il arriva un jour vers trois heures ; tout le monde était aux champs ; il entra dans la cuisine, mais n'aperçut point d'abord Emma ; les auvents[1] étaient fermés. Par les fentes du bois, le soleil allongeait sur les pavés de grandes raies minces, qui se brisaient à l'angle des meubles et tremblaient au plafond. Des mouches, sur la table, montaient le long des verres qui avaient servi, et bourdonnaient en se noyant au fond, dans le cidre resté. Le jour qui descendait par la cheminée, veloutant la suie[2] de la plaque, bleuissait un peu les cendres froides. Entre la fenêtre et le foyer, Emma cousait ; elle n'avait point de fichu[3], on voyait sur ses épaules nues de petites gouttes de sueur.

Selon la mode de la campagne, elle lui proposa de boire quelque chose. Il refusa, elle insista, et enfin lui offrit, en riant, de prendre un verre de liqueur avec elle. Elle alla donc chercher dans l'armoire une bouteille de curaçao, atteignit deux petits verres, emplit l'un jusqu'au bord, versa à peine dans l'autre, et, après avoir trinqué, le porta à sa bouche. Comme il était presque vide, elle se renversait pour boire ; et, la tête en arrière, les lèvres avancées, le cou tendu, elle riait de ne rien sentir, tandis que le bout de sa langue, passant entre ses dents fines, léchait à petits coups le fond du verre.

Elle se rassit et elle reprit son ouvrage, qui était un bas de coton blanc où elle faisait des reprises[4] ; elle travaillait le front baissé ; elle ne parlait pas, Charles non plus. L'air, passant par le dessous de la porte, poussait un peu de poussière sur les dalles ; il la regardait se traîner, et il entendit seulement le battement intérieur de sa tête, avec le cri d'une poule, au loin, qui pondait dans les cours. Emma, de temps à autre, se rafraîchissait les joues en y appliquant la paume de ses mains, qu'elle refroidissait après cela sur la pomme de fer des grands chenets[5].

Elle se plaignit d'éprouver, depuis le commencement de la saison, des étourdissements ; elle demanda si les bains de mer lui seraient utiles ; elle se mit à causer du couvent, Charles de son collège, les phrases leur vinrent. Ils montèrent dans sa chambre. Elle lui fit voir ses anciens cahiers de musique, les petits livres qu'on lui avait donnés en prix et les couronnes en feuilles de chêne, abandonnées dans un bas d'armoire. Elle lui parla encore de sa mère[6], du cimetière, et même lui montra dans le jardin la plate-bande dont elle cueillait les fleurs, tous les premiers vendredis de chaque mois, pour les aller mettre sur sa tombe. Mais le jardinier qu'ils avaient n'y entendait rien ; on était si mal servi ! Elle eût bien voulu, ne fût-ce au moins que pendant l'hiver, habiter la ville, quoique la longueur des beaux jours rendît peut-être la campagne plus ennuyeuse encore durant l'été – et, selon ce qu'elle disait, sa voix était claire, aiguë, ou se couvrant de langueur[7] tout à coup, traînait des modulations qui finissaient presque en murmures, quand elle se parlait à elle-même – tantôt joyeuse, ouvrant des yeux naïfs, puis les paupières à demi closes, le regard noyé d'ennui, la pensée vagabondant.

Gustave FLAUBERT, ***Madame Bovary***, 1856.

1. les volets. 2. dépôt noir laissé par la fumée. 3. pièce de tissu qui couvre la tête ou les épaules. 4. réparation. 5. pièces métalliques sur lesquelles on pose les bûches dans une cheminée. 6. la mère d'Emma est décédée. 7. tristesse mélancolique.

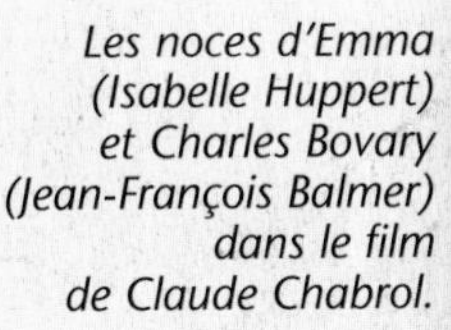

Les noces d'Emma (Isabelle Huppert) et Charles Bovary (Jean-François Balmer) dans le film de Claude Chabrol.

3. Adaptation ou transposition pour le cinéma d'une scène de *Madame Bovary*

a) Lisez et commentez l'extrait de Madame Bovary en suivant les indications du tableau ci-dessous.

b) Faites le travail d'écoute du document sonore et définissez votre projet : adaptation fidèle ou transposition dans une autre époque, un autre milieu social, etc.

c) Imaginez et rédigez ce script de la scène filmée. Comme dans celui de la scène du Rouge et le Noir, ***indiquez :***

– les éléments du décor,
– les déplacements, les gestes et les attitudes des personnages,
– le dialogue,
– les caractéristiques des différents plans (voir page 118).

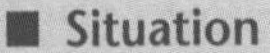

INTERVIEW
MADAME BOVARY : UNIVERSALITÉ DU PERSONNAGE

■ **Situation**
Un réalisateur de cinéma répond à la question : « Est-ce que l'adaptation au cinéma du roman de Flaubert *Madame Bovary* vous intéresserait ? »

■ **Écoute du document**
Relevez :
– les différents problèmes posés par l'adaptation d'une œuvre littéraire,
– la différence entre adaptation et transposition,
– les différentes transpositions que le réalisateur imagine.

POUR COMMENTER UNE SCÈNE DE ROMAN

■ **1. Définir l'essentiel**
La scène peut comporter des passages narratifs (succession d'actions), des descriptions, des analyses psychologiques, des conversations, des monologues intérieurs (pensées des personnages), des réflexions de l'auteur (pensées philosophiques, etc.). Tous ces éléments ont une unité.
La scène du *Rouge et le Noir* est tout entière construite sur la volonté qu'a Julien de commettre un acte que lui refuse sa condition ... – Il s'agit de ... – Le texte expose ... – La scène tire son unité de ...

■ **2. Le point de vue narratif**
Un récit peut être fait d'un point de vue objectif (l'auteur ne donne pas d'opinion sur ses personnages), du point de vue de l'auteur (qui commente ce que font ses personnages) ou du point de vue d'un personnage (qui donne ainsi sa propre vision de la scène). Ces points de vue peuvent alterner.

■ **3. La signification du décor et sa symbolique**
La description du paysage ou de la chambre reflète (traduit, fait écho à ...) la condition, les sentiments (etc.) du personnage – Tel détail est significatif de ... (il est symbolique de ...) – Dans la scène de *Madame Bovary*, les mouches qui se noient dans le verre symbolisent ... (annoncent ... sont à l'image de ...).

■ **4. Les personnages**
Différents éléments sont révélateurs de leur comportement, de leurs traits de personnalité, de leurs pensées.
• *Les détails de leur portrait (aspect physique et vêtements).* Comment Charles voit-il Emma lorsqu'il entre ?
• *Les déplacements, les gestes, les attitudes.* Le geste d'Emma qui refroidit ses joues avec la paume de ses mains peut être interprété comme ...
• *Leur activité.* Si Emma continue son travail de couture en présence de Charles, c'est que ...
• *Ce qu'ils disent.*
• *Les commentaires de l'auteur.*

■ **5. Mise en relation du texte avec les idées, les préoccupations de l'époque**
Les relations entre les classes sociales, l'idéologie romantique chez Stendhal. La condition et la psychologie féminine chez Flaubert.

■ **6. La forme et le style**
Phrases longues ou brèves. Dialogues directs ou rapportés. Sonorités douces, dures, éclatantes, etc. : tous ces éléments contribuent à exprimer tout ce qui a été dit précédemment.

ANALYSES ET COMMENTAIRES

21. Nouvelles aspirations

Solidarité, partage, négociation, famille, équilibre sont les mots clés de la fin du XXe siècle. Ils témoignent d'un rejet des grandes oppositions qui ont marqué les années soixante et soixante-dix (le capitalisme et le communisme, les femmes et les hommes, la modernité et la tradition). Notre époque se construit sur un « imaginaire d'alliance » dont nous analyserons les effets dans une nouvelle vision de la beauté, le retour du sentiment religieux et la philosophie populaire véhiculée par certains romans à succès.
Ces réflexions vous conduiront à travailler plus particulièrement l'expression de la signification.

1. L'image du corps à travers les siècles

Lisez le premier paragraphe du texte de Pascale Weil. Mettez en commun vos connaissances pour trouver des exemples des différentes conceptions du corps qui ont prévalu au cours des siècles.

Exemple :

Antiquité grecque classique : valorisation du corps et de la nudité – importance des soins corporels (sports, bains, massages, etc.) – association beauté du corps et de l'esprit.
Moyen Âge : ...

2. Beauté : l'être et le paraître

a) Lisez la suite du texte. Recherchez des exemples des trois conceptions de la beauté évoquées par Pascale Weil.

b) Analysez les photos de cette double page ainsi que d'autres représentations de la beauté que vous connaissez. Recherchez les significations qui se rattachent à ces conceptions de la beauté (utilisez le vocabulaire de la page 129).

La beauté aujourd'hui : expression d'un imaginaire d'alliance

Auteur du concept d'imaginaire d'alliance, la sociologue Pascale Weil l'applique ici à l'image du corps et à la beauté.

Cette vision plus complète de l'individu s'exprime naturellement dans l'image du corps, les manières de le mettre en valeur ou de le traduire en signe statutaire[1]. Chaque époque a, selon sa croyance dominante, considéré le corps plutôt dans une conception religieuse, mécaniste (le corps machine), animale, énergétique ou psychanalytique... qui signait une relation privilégiée avec l'esprit, la santé, la science, le temps, la beauté, la nature. La nôtre commence, sous l'impulsion du milieu scientifique, à fonder son imagerie sur le modèle informatique qui présente l'individu comme un système d'informations régulé par des transmetteurs chimiques. [...]
Il est évident que toutes les époques, à condition de ne pas être caricaturées, ont associé l'« Être » et le « Paraître », mais dans des relations diverses. Ainsi, dans les années 60, il s'agissait plutôt de « mieux paraître pour mieux être » parce que le statut et la hiérarchie sociale étaient lisibles et que l'on pouvait décoder au paraître les signes de la réussite d'un individu. La société restait très segmentée et la codification du succès simple.

Trente ans après, l'accroissement des classes moyennes a brouillé ces codes et exigé un raffinement de la lecture au point que la logique semble s'inverser du « mieux être pour mieux paraître ».
Le Paraître n'a pas disparu mais est interprété comme l'expression d'une vérité intérieure : notre imaginaire relie le Paraître à la source de l'Être.
« *Que ton Être devienne Look* » pourrait figurer comme la version actuelle du principe socratique, « Sois ce que tu veux paraître » (à ceci près que l'exigence socratique s'appliquait à transformer l'Être et à le hisser au rang attendu). Ce ressourcement apparaît comme moral aux optimistes, mais aussi comme une manipulation plus subtile pour les cyniques !
Cette alliance de l'Être et du Paraître ne règne pas seulement sur le domaine cosmétique, où la beauté doit se légitimer dans la santé, mais aussi sur l'alimentaire, qui consacre une hygiène de vie globale.

Pascale Weil, *À quoi rêvent les années 90 ?, les nouveaux imaginaires : consommation et communication*, Éditions du Seuil, 1993 et 1994 éd. revue et complétée.

1. code social.

LE RETOUR DU SENTIMENT RELIGIEUX

Depuis un demi-siècle, en France, la pratique des religions traditionnelles est en baisse. Mais cet effacement des institutions religieuses ne supprime pas le besoin de réponse aux questions fondamentales de la vie et de la mort, du bien et du mal. De nouvelles formes de spiritualité sont en train d'apparaître et semblent confirmer la célèbre prophétie de l'écrivain André Malraux :
« Le XXIe siècle sera spirituel ou ne sera pas. »
Sur ce nouveau phénomène religieux, Françoise Champion, spécialiste des religions au CNRS, répond aux questions du Nouvel Observateur.

N.O. : Peut-on parler d'une nouvelle religion ?

F. CHAMPION : Disons plutôt une nouvelle « donne spirituelle, dominée par un christianisme "flottant" ». Dans l'univers religieux occidental, on distingue aujourd'hui trois grands pôles : 1) celui des pratiquants (environ 15 % de la population) ; 2) celui des incroyants, qui se déclarent agnostiques ou athées (pas plus de 12 % d'athées convaincus), dont le niveau reste à peu près stable en France, pays de forte tradition rationaliste et laïque ; 3) entre les deux, une grande majorité de gens (environ 60 % à 70 %) non pratiquants ou peu pratiquants, dont une bonne partie (40 % chez les moins de 30 ans) se déclare non pas athée, mais sans religion.

N.O. : N'est-ce pas la même chose ?

F. CHAMPION : Pas du tout ! Ces « sans-religion », s'ils se situent hors de toute institution, hors des grandes Églises, gardent un certain sentiment religieux : d'après un sondage effectué en 1990 en Belgique, plus d'un quart de ceux qui se déclarent sans religion affirment qu'ils *« prient »* ou *« méditent parfois »*, voire *« souvent »*. La plupart croient en l'existence d'un au-delà ou d'une autre forme de vie après la mort, et croient aussi en Dieu. Mais ce n'est ni le Dieu personnel des chrétiens, ni le Dieu architecte des francs-maçons, ni le Dieu créateur du monde. Il s'agit plutôt d'un principe divin, d'une énergie divine, cosmique, ou encore d'un dieu intérieur, d'un dieu-sentiment, quelque chose que l'on ressent en soi, comme l'exprime bien Paulo Coelho dans *l'Alchimiste*[1], pour prendre une référence dont on connaît le succès actuel.

N.O. : Vous brossez là un tableau évocateur de ces religions orientales, qui, comme le bouddhisme, le chamanisme, le zen, semblent aujourd'hui fasciner l'Occident.

F. CHAMPION : Pour une petite minorité, l'attrait de l'Orient (ou plutôt de l'Orient tel qu'on l'imagine en Occident) est certain. Mais la tendance est avant tout à une religion « à la carte ». Chacun se fabrique l'univers de croyance correspondant à ses goûts, soit à partir d'une religion traditionnelle dont on délaisse certains aspects, soit en picorant ici ou là des éléments de plusieurs religions, orientales ou exotiques (qui n'a entendu parler du karma[2] ?), soit en se tournant vers des pratiques mystiques et ésotériques anciennes, comme la voyance, les tarots, l'astrologie, mêlées à des pratiques psychothérapeutiques nouvelles, tels le *rebirth* ou la redécouverte de vies antérieures, si à la mode actuellement. On fait son choix dans un supermarché spirituel qui s'étend à l'échelle du monde.

N.O. : Tout cela semble bien nébuleux[3]. Ce zapping sauvage ressemble à un fourre-tout[4]. Certains aspects doivent être contradictoires ?

F. CHAMPION : Pas forcément. Les croyances sélectionnées sont réinterprétées et adaptées aux valeurs occidentales. Prenez l'exemple de la réincarnation. Lors d'une enquête menée en 1990, 20 % des Français et 31 % des 18-24 ans disaient y croire « tout à fait » ou « un peu », quitte à mélanger réincarnation et résurrection chrétienne.

N.O. : En somme, on préfère aujourd'hui être réincarné qu'aller au bon vieux paradis ? Pourquoi ?

F. CHAMPION : Les raisons sont multiples. La première, c'est que l'idée de péché et de culpabilité, au centre du christianisme il y a encore deux ou trois décennies, est tellement rejetée qu'elle en est parfois oubliée. Qui connaît encore le purgatoire[5] de notre catéchisme ? Ensuite, la réincarnation s'inscrit dans une problématique d'optimisme et de progrès : tout n'est pas joué une fois pour toutes ! Les rattrapages sont possibles. On fera mieux la prochaine fois si on s'efforce de mener une vie « juste ». Enfin, l'idée de réincarnation répond aux idéaux égalitaires de notre société démocratique : il faut bien constater que l'égalité des chances de réussite et de bonheur n'est pas réalisée dans cette vie-ci. Mais cette inégalité s'explique si l'on admet que les gens ne sont pas tous arrivés au même stade de réincarnation. Si je ne suis pas heureux, c'est à cause du karma qui pèse sur ma vie. Mais, à terme, tout le monde est promis au même bonheur. Il y a là à la fois une explication des malheurs de cette vie-ci et un espoir puissant. Ce n'est pas rien !

N.O. : Pourtant les sociétés orientales, qui croient à la réincarnation, semblent plus résignées qu'optimistes.

F. CHAMPION : En effet. Dans les religions orientales, la réincarnation n'est pas positive ; le salut, le nirvana, c'est d'échapper au cycle fatal des réincarnations. En fait, les Occidentaux réinterprètent cette croyance – comme toutes les croyances – dans une perspective de progrès de l'individu et suivant l'idée que chacun est responsable de son destin. L'idée de progrès est désormais ambivalente : elle est remise en question si on songe aux espoirs démesurés qu'on avait placés dans l'éducation et la science. Mais l'idée de progrès individuel, l'idée que chacun doit progresser est plus que jamais présente. Et finalement, on a encore confiance en la science : non plus en celle du scientisme d'autrefois, dont le projet était de dire la vérité, mais en cette science-technique qui est capable de faire reculer toujours plus les limites du possible, et susceptible aussi d'expliquer un jour les phénomènes « non ordinaires » ou paranormaux dont la réalité nous échappe aujourd'hui.

Propos recueillis par Josette ALIA,
Le Nouvel Observateur, 22/08/1996.

1. voir page 128. **2.** dans la religion hindouiste : pouvoir dynamique de nos actions passées. **3.** confus. **4.** sac ou boîte dans lesquels on range des objets de toutes sortes. **5.** dans la théologie catholique, lieu où les âmes doivent être purifiées de leurs péchés avant d'entrer au paradis.

3. Les caractéristiques de la nouvelle spiritualité

a) À partir de l'interview ci-dessus, vous définirez les caractéristiques de la nouvelle spiritualité dont parle Françoise Champion :

• soit par comparaison aux caractéristiques de votre propre religion,

• soit en regroupant les informations autour des points suivants :

- conception de Dieu
- attitude envers les religions traditionnelles
- attitude face au monde réel
- conception d'un au-delà de la mort
- conception d'une continuité entre la vie et la mort
- notion de péché, de faute, de pénitence
- notion d'éternité et de bonheur éternel.

b) Regroupez autour des sept points ci-dessus tout le vocabulaire appartenant au thème de la religion.

Exemple : conception de Dieu : croyant / incroyant, agnostique, athée

Dieu personnel – Dieu créateur – Etc. ...

4. Les raisons d'une renaissance du sentiment religieux

Recherchez ces raisons dans l'article du* Nouvel Observateur *et en réfléchissant aux propos de Raymond Devos (document sonore).

INTERVIEW À LA RADIO
UN HUMORISTE PARLE SÉRIEUSEMENT

■ Préparation à l'écoute

Raymond Devos est un comédien humoriste qui suscite le rire en démontant la logique du langage et en poussant à l'extrême l'absurdité de certaines situations quotidiennes.

Ici, interrogé par le journaliste de radio Jacques Chancel, il tente de répondre sérieusement à des questions sérieuses.

Vocabulaire : **le monde** (ici : les hommes, la société) – **chavirer** (se dit d'un bateau qui se retourne sur lui-même dans la tempête) – **un point d'appui** (ce qui permet de ne pas perdre l'équilibre) – **ce petit grain** (ici, une manière de présenter les choses qui change tout) – **un tribun** (personnalité politique qui brille par son éloquence) – **aller à l'encontre de ...** (qui est en opposition avec ...) – **ménager** (utiliser avec mesure et modération).

■ Écoute du document

• Quel regard Raymond Devos porte-t-il
- sur le monde d'aujourd'hui ?
- sur son métier ?

• Que nous révèle cet entretien sur la vraie personnalité de Raymond Devos et sur ses convictions ?

• Dans quelle mesure peut-on dire que ses propos reflètent un sentiment général ?

• Ce sentiment général explique-t-il en partie le retour du sentiment religieux exposé dans l'interview du *Nouvel Observateur* ?

Le secret du bonheur

(conte philosophique)

Certain négociant envoya son fils apprendre le Secret du Bonheur auprès du plus sage de tous les hommes. Le jeune garçon marcha quarante jours dans le désert avant d'arriver finalement devant un beau château, au sommet d'une montagne. C'était là que vivait le Sage dont il était en quête.

Au lieu de rencontrer un saint homme, pourtant, notre héros entra dans une salle où se déployait une activité intense : des marchands entraient et sortaient, des gens bavardaient dans un coin, un petit orchestre jouait de suaves mélodies, et il y avait une table chargée des mets les plus délicieux de cette région du monde. Le Sage parlait avec les uns et les autres, et le jeune homme dut patienter deux heures durant avant que ne vînt enfin son tour.

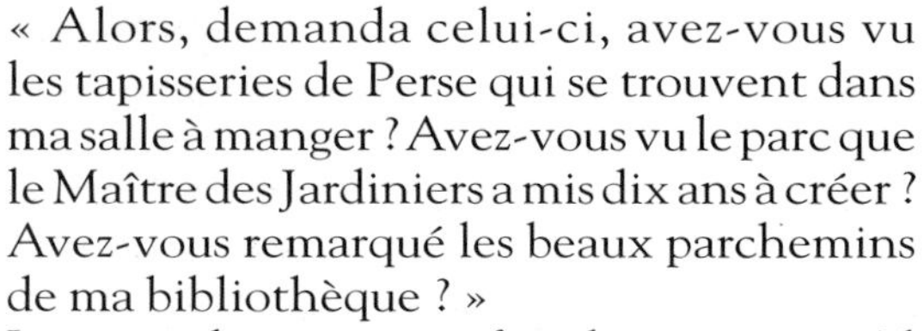

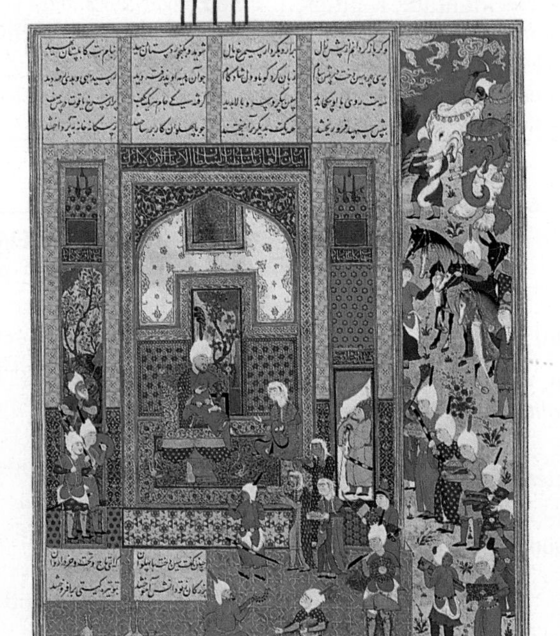

Le Sage écouta attentivement le jeune homme lui expliquer le motif de sa visite, mais lui dit qu'il n'avait alors pas le temps de lui révéler le Secret du Bonheur. Et il lui suggéra de faire un tour de promenade dans le palais et de revenir le voir à deux heures de là.

« Cependant, je veux vous demander une faveur », ajouta le Sage, en remettant au jeune homme une petite cuiller, dans laquelle il versa deux gouttes d'huile : « Tout au long de votre promenade, tenez cette cuiller à la main, en faisant en sorte de ne pas renverser l'huile. »

« Le jeune homme commença à monter et descendre les escaliers du palais, en gardant toujours les yeux fixés sur la cuiller. Au bout de deux heures, il revint en présence du Sage.

« Alors, demanda celui-ci, avez-vous vu les tapisseries de Perse qui se trouvent dans ma salle à manger ? Avez-vous vu le parc que le Maître des Jardiniers a mis dix ans à créer ? Avez-vous remarqué les beaux parchemins de ma bibliothèque ? »

Le jeune homme, confus, dut avouer qu'il n'avait rien vu du tout. Son seul souci avait été de ne point renverser les gouttes d'huile que le Sage lui avait confiées.

« Eh bien, retourne faire connaissance des merveilles de mon univers, lui dit le Sage. On ne peut se fier à un homme si l'on ne connaît pas la maison qu'il habite. »

Plus rassuré maintenant, le jeune homme prit la cuiller et retourna se promener dans le palais, en prêtant attention, cette fois, à toutes les œuvres d'art qui étaient accrochées aux murs et aux plafonds. Il vit les jardins, les montagnes alentour, la délicatesse des fleurs, le raffinement avec lequel chacune des œuvres d'art était disposée à la place qui convenait. De retour auprès du Sage, il relata de façon détaillée tout ce qu'il avait vu.

« Mais où sont les deux gouttes d'huile que je t'avais confiées ? » demanda le Sage.

Le jeune homme, regardant alors la cuiller, constata qu'il les avait renversées.

« Eh bien, dit alors le Sage des Sages, c'est là le seul conseil que j'aie à te donner : le secret du bonheur est de regarder toutes les merveilles du monde, mais sans jamais oublier les deux gouttes d'huile dans la cuiller. »

Paulo Coelho, ***L'Alchimiste***,
traduit du portugais du Brésil
par Jean Orecchioni,
Éditions Anne Carrière, 1994.

Les mythes ont une valeur symbolique. Celui du jeune Narcisse qui se laisse mourir d'amour pour sa propre image nous apprend que seul importe l'amour des autres.
François Lemoyne (1688-1737), ***Narcisse contemplant son reflet dans l'eau***, musée du Louvre.

5. Récit écrit – Récit oral

Lisez le conte de Paulo Coelho. Imaginez que vous êtes le jeune homme de l'histoire et que, de retour chez vous, vous racontez votre aventure à votre père. Commentez votre récit en rapportant les sentiments et les impressions que vous avez éprouvés.

6. Interprétation

a) Recherchez au fil du texte les éléments (actions des personnages, décors, objets) qui vous paraissent symboliques.

Exemple : « Le jeune garçon marcha quarante jours dans le désert » → c'est l'épreuve de valorisation et de purification (conditions de vie difficiles – aspect purificateur du désert). La traversée du désert ou le séjour dans le désert se rencontrent dans plusieurs textes sacrés (la Bible et le Coran en particulier).

b) Donnez une interprétation générale du conte.

c) Comparez la conception du bonheur selon Paulo Coelho et selon Voltaire (extrait de* Candide*).

7. Imaginez un récit philosophique

a) Choisissez une idée morale que vous aimeriez illustrer :

« La science peut être dangereuse », « L'argent ne fait pas le bonheur », etc.

b) Imaginez une histoire (conte, fable, histoire drôle, etc.) qui illustre cette idée.

SIGNIFICATIONS ET SYMBOLES

■ Significations

Ce mot, ce comportement signifie ... traduit ... marque ... dénote ... – C'est le signe (la marque) de ... – Cette scène peut être interprétée comme ...

■ Représentations

Ce décor, cet objet représente ... figure ... illustre ... incarne ... – C'est l'image, la représentation, la figure, l'expression de ...

■ Symbolique

Un récit symbolique, une fable, une allégorie, un conte philosophique, une parabole.

L'histoire cache (dissimule) ... – Elle a un sens caché (une signification profonde).
Cet objet, ce détail, ce geste symbolise ... – C'est le symbole de ... la représentation de ...
Il faut prendre (considérer, comprendre) ce détail comme le symbole de ...

■ Connotations et associations

La couleur blanche connote l'idée de pureté. Elle est associée à ... Elle évoque ...

LA VOIE DE LA SAGESSE

Le jeune Candide et son professeur Pangloss sont résolument optimistes sur la condition humaine. Ils parcourent le monde et découvrent non seulement qu'ils ne sont pas maîtres de leur destin mais aussi que le mal règne partout. Voici la fin de ce récit de Voltaire.

La nouvelle s'était répandue qu'on venait d'étrangler à Constantinople deux vizirs du banc[1] et le muphti[2]. Cette catastrophe faisait partout un grand bruit pendant quelques heures. Pangloss, Candide et Martin, en retournant à la petite métairie, rencontrèrent un bon vieillard qui prenait le frais à sa porte sous un berceau d'orangers. Pangloss, qui était aussi curieux que raisonneur, lui demanda comment se nommait le muphti qu'on venait d'étrangler. « Je n'en sais rien, répondit le bonhomme, et je n'ai jamais su le nom d'aucun muphti ni d'aucun vizir. J'ignore absolument l'aventure dont vous me parlez ; je présume qu'en général ceux qui se mêlent des affaires publiques périssent quelquefois misérablement, et qu'ils le méritent ; mais je ne m'informe jamais de ce qu'on fait à Constantinople ; je me contente d'y envoyer vendre les fruits du jardin que je cultive. » [...].
Candide, en retournant dans sa métairie, fit de profondes réflexions sur le discours du Turc. Il dit à Pangloss et à Martin : « Ce bon vieillard me paraît s'être fait un sort bien préférable à celui des six rois avec qui nous avons eu l'honneur de souper. – Les grandeurs, dit Pangloss, sont fort dangereuses, selon le rapport de tous les philosophes. *[Pangloss entreprend alors une longue énumération des crimes commis par les puissants.]* Je sais aussi, dit Candide, qu'il faut cultiver notre jardin.

Voltaire, *Candide ou l'optimiste*, 1759.

1. conseillers à la cour du sultan. **2.** chef religieux.

Dossier - Débat

22. La vérité est-elle toujours bonne à dire ?

*« Certaines vérités ne sont pas toujours bonnes à dire » affirme le proverbe. Quelles vérités ? Et doit-on vraiment se taire ?
Au cours de ce débat que vous mènerez dans différents domaines, vous apprendrez à commenter des statistiques et à exprimer l'importance ou la banalité des faits et des opinions.*

*La période de l'Occupation (1940-1944) est un de ces moments troubles de l'histoire de la France dont on a longtemps tardé à dévoiler les secrets. Car si certains Français entrèrent en Résistance, si d'autres collaborèrent ouvertement avec l'idéologie nazie notamment dans ses thèses racistes, la grande majorité des Français eut une attitude qui fut loin d'être homogène et qui ne se résume pas par l'expression convenue de « résistance passive ». Sur les dénonciations, les vengeances qui furent commises par peur, par intérêt ou par haine de l'autre, le gouvernement de la Libération a préféré jeter le voile de l'oubli au nom de la réconciliation nationale. Peut-être cet oubli politique a-t-il permis d'éviter une guerre civile, d'entreprendre la reconstruction du pays, de se réconcilier puis de coopérer avec l'Allemagne. Peut-être permet-il enfin aujourd'hui de dire la vérité.
Ici, la Libération de Paris (25 août 1944).*

1. Les secrets publics ou privés

(Travail en trois groupes)

Prenez rapidement connaissance de l'enquête « Les Français et le secret » réalisée par l'institut de sondage SOFRES pour *L'Express* en 1996 (pages 131 à 132). Répartissez-vous les trois parties de ce dossier. Chaque groupe préparera :

a) Un compte rendu des résultats des sondages et des exemples présentés dans la partie dont il s'occupe.
(Utilisez le vocabulaire du tableau de la page 133.)

b) Ses propres opinions illustrées d'exemples sur le sujet. Vous pouvez choisir ces exemples dans les réalités de votre pays, de la France ou du reste du monde.

Chaque groupe présentera ensuite son compte rendu et ses réflexions au reste de la classe. Cette présentation sera suivie d'un débat.

(Pour exprimer l'importance ou l'insignifiance des faits et des opinions que vous exposerez, utilisez le vocabulaire du tableau page 133.)

Secrets et révélations dans le domaine public

L'évolution du secret en France

Avez-vous le sentiment que, en France, par rapport à il y a une vingtaine d'années :

	Ensemble des Français	Hommes	Femmes
On cache de moins en moins de choses aux citoyens	25 %	23 %	26 %
On en cache de plus en plus	30 %	35 %	26 %
On n'en cache ni plus ni moins	36 %	34 %	39 %
Sans opinion	9 %	8 %	9%

Les domaines du secret

Dans quels domaines avez-vous le sentiment qu'on vous cache le plus de choses ?

	Ensemble des Français
L'utilisation de l'argent public	76 %
Le financement des partis politiques	59 %
Les conséquences de la pollution	44 %
Le nucléaire	40 %
La situation économique du pays	35 %
L'immigration	27 %
La qualité de la nourriture	26 %
La santé	23 %
La défense de la France	19 %
La situation économique de votre entreprise	9 %
Sans opinion	2 %

Les révélations de secrets les plus marquantes de ces dernières années

Parmi les secrets suivants qui ont été révélés ces dernières années, quels sont les deux ou trois qui vous ont le plus marqué ?

	Ensemble des Français
L'affaire du sang contaminé	91 %
La contamination par la maladie de la vache folle	54 %
Les financements illégaux des partis politiques	40 %
La gestion des HLM de la ville de Paris	25 %
Les salaires de certains animateurs de télévision	24 %
Les écoutes téléphoniques menées par l'Élysée	14 %
Les révélations sur François Mitterrand (Vichy, sa fille naturelle, sa maladie)	14 %
Sans opinion	1 %

Quand un nuage radioactif s'arrête à la frontière

Le 26 avril 1986, à 1 heure 23 du matin, le réacteur n° 4 du site de Tchernobyl, au nord de Kiev (Ukraine), explose.
Deux jours plus tard, le 28 avril, les pays scandinaves, qui enregistrent des taux de radioactivité anormalement élevés, pressentent une catastrophe et demandent des explications aux autorités soviétiques. N'ayant pas reçu de réponse, les Suédois annoncent publiquement la pollution radioactive.
Le drame de Tchernobyl démontre à quel point le goût du secret des dirigeants internationaux peut être néfaste. Les Soviétiques ont tardé à réagir au désastre. Les gouvernements occidentaux ont, quant à eux, tenté de masquer l'ampleur de la catastrophe pour ne pas effrayer leurs populations. Ainsi, la version officielle du gouvernement français était que la France n'avait subi aucune retombée radioactive alors que tous les États limitrophes reconnaissaient la pollution radioactive présente sur leur territoire. Les commentateurs de l'époque ne manquèrent pas de rendre compte du mystérieux nuage radioactif qui s'était miraculeusement arrêté à la frontière française...

Le Dico de l'Info, © Hubert Deveaux & Co.
(1re édition : Casterman, 1996).

Les domaines où le secret est accepté

Dans chacun des domaines suivants, estimez-vous que le secret doit être respecté dans tous les cas, qu'il peut être révélé dans certains cas ou qu'il ne devrait pas exister ?

	Le secret doit être respecté dans tous les cas	Le secret peut être révélé dans certains cas	Le secret ne devrait pas exister	Sans opinion
Le secret de la confession[1]	73 %	15 %	4 %	8 %
La vie privée des stars	68 %	12 %	12 %	8 %
La vie privée des hommes politiques	68 %	15 %	12 %	5 %
Le secret militaire	51 %	31 %	12 %	6 %
L'instruction judiciaire	46 %	36 %	16 %	2 %
Le secret médical après le décès	45 %	32 %	19 %	4 %
Le secret des sources des journalistes	28 %	37 %	28 %	7 %
Le secret de l'origine des enfants adoptés	25 %	42 %	25 %	8 %
Les transactions bancaires	25 %	37 %	33 %	5 %
L'état de santé du président de la République	22 %	26 %	46 %	6 %
Les revenus des chefs d'entreprise	17 %	25 %	52 %	6 %

1. dans la religion catholique, le croyant peut confesser ses fautes à un prêtre. Celui-ci a le devoir de garder le secret sur ce qu'il a entendu.

Le respect de la vie privée

embarrassing are - être

Imaginons que, à l'occasion d'un reportage télévisé dans la rue, vous soyez filmé par hasard et à votre insu mais dans une situation gênante pour votre entourage (par exemple parce que vous étiez accompagné de quelqu'un d'autre que votre conjoint). Estimez-vous que :

	Ensemble des Français	Hommes	Femmes
Ce serait une atteinte grave à votre vie privée car votre image a été diffusée à votre insu	51 %	53 %	49 %
Ce ne serait pas une atteinte à votre vie privée car vous étiez dans la rue qui est un lieu public	45 %	44 %	46 %
Sans opinion	4 %	3 %	5 %

Estimez-vous que lorsqu'il y a un secret important dans une famille, il vaut mieux :

	Ensemble des Français	18-24 ans	25-34 ans	35-49 ans	50-64 ans	65 ans et plus
Le révéler au bout d'un certain temps, quand les personnes concernées ont disparu	33 %	32 %	34 %	36 %	37 %	26 %
Ne pas le révéler pour ne pas remuer le passé (move)	55 %	61 %	53 %	52 %	52 %	61 %
Sans opinion	12 %	7 %	13 %	12 %	11 %	13 %

Sondages des pages 131 et 132 : enquête SOFRES du 15 au 16 octobre 1996 pour *l'Express*, in SOFRES, ***L'état de l'opinion,*** Éditions du Seuil, 1998.

Quand un juge d'instruction parle trop

L'affaire Grégory a sans doute été la plus médiatisée des années 80. Le 16 octobre 1984, le corps du petit Grégory, 4 ans, est retrouvé noyé dans une rivière, non loin de son domicile. Immédiatement, les médias se mobilisent sur cette affaire et vont mener une enquête parallèle à celle de la justice. Le juge d'instruction révèle que ses soupçons se portent sur un cousin de la famille. Persuadé de la culpabilité de ce cousin (qui sera ensuite innocenté), le père de la victime se venge en le tuant.

C'est ensuite au tour de la mère d'être soupçonnée. Pendant des mois, la presse va faire ses choux gras[1] de cette affaire grâce à des acteurs (la mère et le juge) qui se laissent facilement aller à des confidences.

En 1993, la cour rendra un arrêt de non-lieu (incapacité à prouver la culpabilité ou l'innocence) en faveur de la mère.

Cette affaire tragique a posé un double problème : celui du secret de l'instruction judiciaire et celui de la déontologie de la presse.

1. tirer profit d'une situation.

Quand le **téléphone** se fait **mouchard**

Vent de panique à France Télécom : depuis le 2 septembre, date de lancement de « présentation du numéro » – ce nouveau service qui permet de connaître le numéro de la personne qui appelle dès que le téléphone sonne –, les abonnés submergent le standard de l'entreprise. Sus au mouchard téléphonique qui menace la liberté, l'anonymat et la paix des ménages ! « *C'est un viol ! vitupère François, un architecte de 45 ans. Alors, si je dis à ma femme que j'appelle du bureau alors que je suis ailleurs, elle saura désormais que je lui raconte des cracks*[1], *elle me dira que je mens ? C'est insupportable !* »

C'est que le nouveau système, qui affiche le numéro de l'appelant sur un petit écran à cristaux liquides, permet de savoir aussitôt qui appelle… Et d'où. Fini les faux arrêts de maladie (« *Je suis cloué au lit, je ne peux pas venir au bureau ce matin* ») téléphonés de l'hôtel Beau Rivage en bord de plage, les excuses bidon[2] pour les retards (« *Je suis coincé dans les embouteillages. Je vous appelle d'une cabine…* ») émises les jours de grasse matinée[3]. Adieu escapades amoureuses (« *Je suis en séminaire à Roubaix* »)… quand vous êtes en week-end à Deauville.

Alain Chouffan, ***Le Nouvel Observateur***, 18/09/1997.

1. mensonges. 2. faux, fabriqué. 3. faire la grasse matinée : se lever tard.

COMMENTER DES STATISTIQUES

■ Enquêtes et sondages

L'enquête (le sondage) réalisé(e) auprès d'un échantillon représentatif de la population montre, révèle, met en évidence …

Les résultats (les statistiques) confirment … / infirment …

Résultat attendu, les Français approuvent … / Contre toute attente, les Français réprouvent …

25 % des personnes interrogées pensent, estiment … – Les personnes interrogées approuvent, plébiscitent à 60 % …

■ Construction et expression des quantités

25 % des Français pensent … – 15 % d'entre eux jugent …

Un(e) fort(e) / faible pourcentage (proportion) – une large / petite fraction.

Une forte / faible majorité pense … – Les Français estiment dans une large majorité… – Une (petite) minorité (non négligeable, importante) affirme …

Nombreux / rares sont les Français qui pensent … – La plupart … beaucoup … certains … quelques-uns … d'autres estiment …

IMPORTANCE ET BANALITÉ

■ Exprimer l'importance

Un événement important, de première importance, capital, majeur, essentiel.

Un fait d'une portée (d'un poids, de dimension, de taille) considérable(s).

Un fait marquant, qui compte, qui fait date, qui a fait grand bruit, qui a fait couler beaucoup d'encre.

Un fait à marquer d'une pierre blanche.

■ Faire valoir

Il importe … – Il est capital … – Il convient de souligner … de mettre l'accent sur … de prendre au sérieux … de ne pas sous-estimer … de mettre en avant … – C'est un événement qui mérite d'être pris en considération.

■ Exprimer la banalité

Un événement banal, insignifiant, d'une portée négligeable, sans intérêt, de peu de poids (d'importance), sans conséquences.

Un jugement superficiel, dérisoire, un peu léger *(fam.)*.

Un fait qui ne pèse pas lourd, qui ne présente aucun intérêt, qui ne tire pas à conséquence.

C'est un détail, une goutte d'eau dans la mer.

■ Dédramatiser

Il convient de dédramatiser la situation, de la ramener à ses justes proportions.

C'est un problème qui ne vaut pas la peine qu'on s'y arrête.

Il importe d'adopter des propos mesurés – Il ne faut pas généraliser.

CACHER EN MONTRANT

L'information par la télévision

Le texte suivant est la transcription d'un cours que le sociologue Pierre Bourdieu, professeur au Collège de France, a donné sur la chaîne de télévision « Paris Première ».
Au début de ce cours, Pierre Bourdieu rappelle que le média télévision impose à ceux qui s'y expriment un certain nombre de censures évidentes : conditions de communication, sujet traité, temps de parole, regard du groupe économique propriétaire de la chaîne.

J'ai mis l'accent sur le plus visible. Je voudrais aller vers des choses légèrement moins visibles en montrant comment la télévision peut, paradoxalement, cacher en montrant, en montrant autre chose que ce qu'il faudrait montrer si on faisait ce que l'on est censé faire, c'est-à-dire informer ; ou encore en montrant ce qu'il faut montrer, mais de telle manière qu'on ne le montre pas ou qu'on le rend insignifiant, ou en le construisant de telle manière qu'il prend un sens qui ne correspond pas du tout à la réalité.

Sur ce point, je prendrai deux exemples empruntés aux travaux de Patrick Champagne. Dans *La Misère du monde*[1], Patrick Champagne a consacré un chapitre à la représentation que les médias donnent des phénomènes dits de « banlieue » et il montre comment les journalistes, portés à la fois par les propensions inhérentes[2] à leur métier, à leur vision du monde, à leur formation, sélectionnent dans cette réalité particulière, en fonction de catégories de perception qui leur sont propres. La métaphore la plus communément employée par les professeurs pour expliquer cette notion de catégorie, c'est-à-dire ces structures invisibles qui organisent le perçu, déterminant ce qu'on voit et ce qu'on ne voit pas, est celle des lunettes. Ces catégories sont le produit de notre éducation, de l'histoire, etc. Les journalistes ont des « lunettes » particulières à partir desquelles ils voient certaines choses et pas d'autres ; et voient d'une certaine manière les choses qu'ils voient. Ils opèrent une sélection et une construction de ce qui est sélectionné.

Le principe de sélection, c'est la recherche du sensationnel, du spectaculaire. La télévision appelle à la *dramatisation*, au double sens : elle met en scène, en images, un événement et elle en exagère l'importance, la gravité, et le caractère dramatique, tragique. Pour les banlieues, ce qui intéressera ce sont les émeutes. [...] Les journalistes, grosso modo, s'intéressent à l'exceptionnel, à ce qui est exceptionnel *pour eux*. Ce qui peut être banal pour d'autres pourra être extraordinaire pour eux ou l'inverse. Ils s'intéressent à l'extraordinaire, à ce qui rompt avec l'ordinaire, à ce qui n'est pas quotidien – les quotidiens doivent offrir quotidiennement de l'extra-quotidien, ce n'est pas facile... D'où la place qu'ils accordent à l'extraordinaire ordinaire, c'est-à-dire prévu par les attentes ordinaires, incendies, inondations, assassinats, faits divers. Mais

l'extra-ordinaire, c'est aussi et surtout ce qui n'est pas ordinaire par rapport aux autres journaux. C'est ce qui est différent de l'ordinaire et ce qui est différent de ce que les autres journaux disent de l'ordinaire, ou disent ordinairement. C'est une contrainte terrible : celle qu'impose la poursuite du *scoop*. Pour être le premier à voir et à faire voir quelque chose, on est prêt à peu près à n'importe quoi, et comme on se copie mutuellement en vue de devancer les autres, de faire avant les autres, ou de faire autrement que les autres, on finit par faire tous la même chose ; la recherche de l'exclusivité, qui, ailleurs, dans d'autres champs, produit l'originalité, la singularité, aboutit ici à l'uniformisation et à la banalisation.

Cette recherche intéressée, acharnée[3], de l'extra-ordinaire peut avoir, autant que les consignes directement politiques ou les auto-censures inspirées par la crainte de l'exclusion, des effets politiques. Disposant de cette force exceptionnelle qu'est celle de l'image télévisée, les journalistes peuvent produire des effets sans équivalents. [...]

Les dangers politiques qui sont inhérents à l'usage ordinaire de la télévision tiennent au fait que l'image a cette particularité qu'elle peut produire ce que les critiques littéraires appellent *l'effet de réel*, elle peut faire voir et faire croire à ce qu'elle fait voir. Cette puissance d'évocation a des effets de mobilisation. Elle peut faire exister des idées ou des représentations, mais aussi des groupes. Les faits divers, les incidents ou les accidents quotidiens, peuvent être chargés d'implications politiques, éthiques, etc. propres à déclencher des sentiments forts, souvent négatifs, comme le racisme, la xénophobie, la peur-haine de l'étranger et le simple compte rendu, le fait de rapporter, *to record*, en *reporter*, implique toujours une construction sociale de la réalité capable d'exercer des effets sociaux de mobilisation (ou de démobilisation). [...]

Supposons qu'aujourd'hui je veuille obtenir le droit à la retraite à 50 ans. Il y a quelques années, j'aurais fait une manifestation, on aurait pris des pancartes, on aurait défilé, on aurait été au ministère de l'Éducation nationale ; aujourd'hui, il faut prendre – j'exagère à peine – un conseiller en communication habile. On fait à l'intention des médias quelques trucs qui vont les frapper : un déguisement, des masques, et on obtient, par la télévision, un effet qui peut n'être pas loin de celui qu'obtiendrait une manifestation de 50 000 personnes.

Pierre BOURDIEU, ***Sur la télévision,***

1. ouvrage collectif d'analyse sociologique de groupes sociaux en difficulté (sous la direction de Pierre Bourdieu, Éditions du Seuil, 1993). Le deuxième exemple dont parle l'auteur et qui ne figure pas dans cet extrait traite de la grève des lycéens en 1996. 2. les tendances naturelles qui sont propres à leur métier. 3. combative, conduite avec persévérance.

2. La construction de l'information à la télévision

a) Notez les idées principales de la démonstration de Pierre Bourdieu. Appliquez cette démonstration à des événements qui ont été récemment couverts par la télévision.

Pour éviter les défauts dénoncés par Pierre Bourdieu, comment ces événements auraient-ils dû être traités ?

b) Vous êtes responsable de l'information à la télévision. Justifiez votre conception du journalisme et de la présentation des informations en adhérant à la thèse de Pierre Bourdieu, en la nuançant ou en la critiquant.

INTERVIEW PARODIQUE
PARODIE D'UNE INTERVIEW À LA RADIO PAR UN HUMORISTE

■ Préparation à l'écoute

L'humoriste François Morel se fait passer pour un journaliste de la radio et réalise l'interview canular de Mireille Dumas, animatrice de l'émission de télévision *Bas les masques* où des personnes viennent exposer leurs problèmes relationnels ou psychologiques.

Vocabulaire : **rieur, rieuse** (qui aime plaisanter) – **un drôle de numéro** (une personne atypique) – **un travesti** (homosexuel qui porte des vêtements féminins) – **quelque chose qui cloche** (*fam.*, qui ne correspond pas à la situation, qui ne convient pas) – **Léo Ferré, Serge Gainsbourg, Georges Brassens** (chanteurs compositeurs parmi les meilleurs des années 50 à 80) – **Le poinçonneur des Lilas** (jusqu'à la fin des années 60, on devait présenter son ticket de métro à un contrôleur qui poinçonnait le ticket) – **une mascotte** (un objet ou animal fétiche) – **c'est la meilleure** (expression familière d'étonnement) – **Les Misérables** (roman de Victor Hugo, et pas d'Alexandre Dumas, dans lequel la jeune Cosette est persécutée par les Thénardier chez qui elle a été mise en pension) – **débusquer** (faire sortir un gibier de son refuge).

■ Écoute du document

- Dans les propos de François Morel, relevez les questions, les remarques, les expressions verbales qui ne correspondent pas à une interview normale.
- Analysez les réponses de Mireille Dumas. Jusqu'à quel moment est-elle dupe ? Comment entre-t-elle dans le jeu ?

SIMULATION

23. L'art de s'adapter

Affronter l'agressivité d'un serveur de restaurant, l'indifférence des convives d'une soirée ou les tracasseries d'un fonctionnaire tatillon n'est pas toujours facile, même quand on maîtrise bien la langue du pays.
Pour faire face à ces situations pénibles, vous apprendrez l'art d'insister, de refuser, de minimiser ou d'exagérer, de faire des reparties et de dire des banalités.

1. L'ART D'INSISTER

Si les Français aiment les principes et les règles (ils réclament sans cesse de nouvelles lois), il faut savoir qu'ils ne dédaignent pas les transgresser.

Face à un refus, à un blocage, il est admis qu'on peut discuter. Ce qui ne signifie pas que vous aurez toujours gain de cause. Vous comprendrez d'ailleurs très vite jusqu'à quel point vous pouvez insister.

a) Études de cas.

• *Lisez, page 137, le récit de Polly Pratt. Pourquoi la demande de Polly était-elle en principe vouée à l'échec ?*

• *Analysez la stratégie de Polly ainsi que les raisons pour lesquelles elle a eu finalement gain de cause.*

• *Faites le travail d'écoute des documents sonores.*

b) Jeux de rôles (à faire par deux).

• **L'hôtel est complet.** Vous venez d'arriver à Paris gare de Lyon et vous êtes à la recherche d'un hôtel. Après avoir marché une demi-heure, vous découvrez enfin un hôtel qui n'affiche pas le panneau « complet ». Mais la réceptionniste vous dit : « Désolée, nous n'avons plus de chambres. » Vous décidez d'insister un peu. On ne sait jamais !

• **Délais trop longs.** Dans une ville de province, vous avez fait toutes les librairies à la recherche d'un ouvrage dont vous avez un besoin urgent. Dans la dernière librairie, vous décidez de le commander. Mais le libraire vous annonce un délai de réception de quinze jours. Vous insistez pour que ce délai soit réduit.

• **Marchandage.** Au marché aux Puces, un petit bureau vous plaît. Mais son prix est dissuasif et le vendeur ne semble pas vouloir le baisser. Vous ne vous laissez pas faire.

• **À partir de trois ans.** Votre enfant a deux ans dix mois en septembre et vous voulez l'inscrire dans une école maternelle. Mais la directrice le refuse : « Nous ne prenons les enfants qu'à partir de trois ans. » Une voisine vous a conseillé d'insister : « Il y a deux ans, elle m'a pris Théo qui n'avait que deux ans et demi. »

CONVERSATION COURANTE
ÉCHEC ET RÉUSSITE DE DEUX OBSTINÉS

■ Préparation à l'écoute

Vous entendez deux dialogues pris sur le vif :

• À l'aéroport d'Orly, au contrôle de police, un touriste refuse de placer son matériel de photographie dans l'appareil de détection.

• Un Américain qui passe une année en France vient d'acheter une voiture de marque Renault (une Mégane Scenic). Il peut obtenir une exemption des taxes à condition de ne pas avoir séjourné en France dans les dix mois précédant l'achat. Ce qui n'est malheureusement pas le cas. Néanmoins, il tente le coup.

■ Écoute des documents

• *Document 1 :* Faites la liste des maladresses du touriste. Comment aurait-il dû s'y prendre ?

• *Document 2 :* Pour quelles raisons la tentative de l'Américain a-t-elle abouti ?

Polly Platt, une Américaine qui vit depuis quelque temps à Paris, vient de réaliser sur ordinateur un document publicitaire pour proposer des cours de communication à ses compatriotes nouvellement arrivés. Mais elle ne dispose pas d'une imprimante. Pour faire imprimer son document, elle se rend dans un magasin Apple.

« Bonjour Monsieur, pourriez-vous me rendre un service ? J'ai besoin d'imprimer un document, mais je n'ai pas d'imprimante. »
Il me regarda, l'air complètement éberlué. On aurait dit que je lui avais demandé la Lune.
« Comment ? » dit-il enfin.
Je répétai ma requête.
« Je ne comprends pas », reprit-il, l'air agacé.
Je répétai une troisième fois mon histoire en ajoutant que je n'avais pas d'ordinateur chez moi.
Cette fois, il parut comprendre.
« Ce n'est pas possible ! » s'exclama-t-il, d'un air encore plus incrédule.
Je réfléchis et me dis que je m'y prenais mal. Je recommençai en changeant de ton, de regard et de gestes. J'avais l'impression de faire la quête pour l'Armée du Salut.
« Écoutez, Monsieur, je suis vraiment désolée de vous déranger, je vois que vous êtes très occupé (il n'y avait personne dans le magasin) et je comprends que vous n'avez pas l'habitude de louer vos Macintoshes. Mais il se trouve que personne n'en loue à Paris et il faut absolument que j'imprime ce document. »
Il commença à s'intéresser à mon cas, malgré tout encore un peu perplexe. À ce moment-là, j'ai mis le paquet : « Vous savez, je veux monter une affaire pour que les étrangers apprennent à aimer la France. Mais pour que les gens viennent, il faut que je puisse les prévenir. J'ai ce prospectus tout prêt sur la disquette et il faut que je l'imprime. Mon avenir en dépend, vous comprenez ? »
Au bout d'un moment, il me déclara le plus sérieusement du monde : « Attendez un instant, je vais voir ce que je peux faire. »
Il était 17 h 45. Les quelques minutes annoncées se transformèrent en une demi-heure. À 18 h 10, il s'empara de ma disquette et mon prospectus s'afficha à l'écran.
« Mais cela ne ressemble à rien ! » s'exclama-t-il.
Je lui dis que je n'en étais pas fière, mais que je ne savais pas encore très bien me servir d'un Macintosh, et que cela devrait faire l'affaire ; je n'avais besoin que de quelques copies...
Il ne voulut rien savoir : « Asseyez-vous et traduisez-moi le texte. Vous ne pouvez pas envoyer une horreur pareille ! »
Et pendant une heure et demie, il a modifié mon document, arrangeant les paragraphes, la mise en page, la police de caractères, leur taille et leur style, jusqu'à ce que le prospectus soit impeccable. Les autres vendeurs étaient rentrés chez eux, car le magasin fermait à 19 heures.
Il a catégoriquement refusé mon offre de le payer.
« Bonne chance et revenez quand vous voulez », m'a-t-il simplement dit.

Polly PLATT, *Ils sont fous, ces Français...*, Bayard Éditions, 1997.

SIMULATION

2. L'art de refuser

Face à tous ceux qui cultivent l'art d'insister (le vendeur qui veut vous imposer un vêtement dont vous n'avez pas envie, le directeur qui très gentiment vous submerge de travail, la maîtresse de maison qui tient à ce que vous repreniez pour la troisième fois du cassoulet ...) il faut savoir dire non.

a) Étude de cas.

• *Lisez ci-dessous un dialogue transcrit par la psychologue Marie Haddou d'après une situation authentique. Caractérisez le comportement de Stéphane et celui de son client.*
Quels sont les comportements possibles face à un client comme M. Derli ? Quel est celui qui vous paraît le plus efficace ?

• *Faites le travail d'écoute du document sonore* *p. 139.*

b) Jeux de rôles.

• **Ça suffit !** Un(e) ami(e) vous emprunte régulièrement de petites sommes d'argent qui ne sont jamais remboursées. Un jour vous décidez de lui dire non.

• **Trop, c'est trop !** La personne avec qui vous vivez invite presque tous les soirs ses amis à la maison. Vous décidez de lui dire que ça ne peut plus durer.

• **Exploitation.** Au moins deux fois par semaine, votre directeur, avec qui vous vous entendez très bien, vous donne un travail urgent qui vous oblige à rester au bureau une heure de plus. Un soir, vous décidez de mettre le holà !

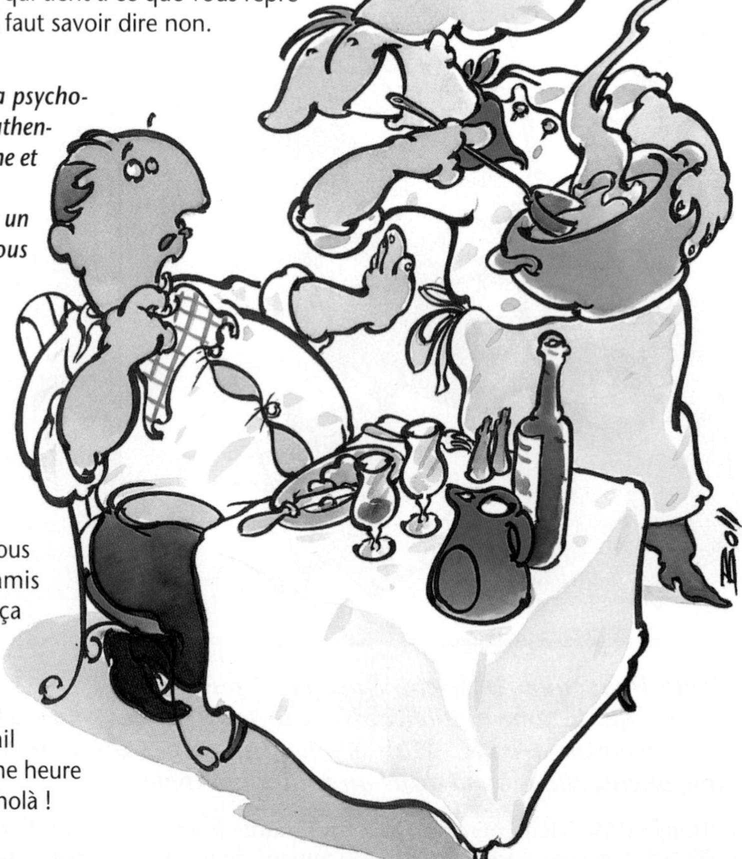

« Bonjour, agence Sky-Jet, dit Stéphane.
– M. Derli à l'appareil. Je téléphone à propos de mon voyage en Australie », déclare une voix sèche.
Stéphane sent sa gorge se serrer. Il a déjà eu ce M. Derli au téléphone une dizaine de fois en quinze jours, se plaignant qu'il ne comprenait rien, que l'hôtel qu'il avait réservé à Coral Reef n'était pas celui qu'il avait sélectionné sur la brochure, que le prix qu'on lui demandait pour son supplément de bagage ne correspondait pas à celui donné par la compagnie d'aviation, etc.
« Que puis-je faire pour vous aujourd'hui ? demande-t-il gentiment.
– Je veux changer la date de mon excursion à Ayer-Rock. Du 16 au 18, au lieu du 15 au 17.
– Mais vous avez retenu cette date hier.
– J'ai le droit de changer d'avis et vous êtes payé pour vous adapter », répond le client d'un ton sec.
« Malheureusement, c'est vrai, pense Stéphane. C'est le slogan de cette fichue boîte : tout pour le client. »
– Vous êtes là pour me rendre service et pas le contraire, poursuit M. Derli.
– Je vais voir ce que je peux faire, monsieur.
Stéphane met M. Derli en attente pendant qu'il essaie de trouver une solution.
– Dites donc, vous en avez mis du temps !
– Je suis désolé, mais l'hôtel est plein et l'on ne peut pas changer les dates.
– Comment ça, l'hôtel est plein ? Mais hier, il y avait encore de la place !
– L'hôtel est malheureusement plein aujourd'hui, reprend Stéphane d'un ton égal alors qu'il a envie de hurler.
– Écoutez ! J'ai choisi votre agence parce que vous prétendez satisfaire le client en toute occasion. Eh bien ! Je ne suis pas satisfait.
– Je suis désolé, monsieur, répond Stéphane platement.
– Je vais annuler mon voyage en Australie, réplique M. Derli. Je vais aller en Afrique du Sud. *(Stéphane se mord les lèvres.)* Et cette fois, tâchez d'être à la hauteur. »
Se retenant pour ne pas exploser, Stéphane demande : « Quand voulez-vous partir, monsieur ? »

Marie Haddou, ***Savoir dire non,***
Flammarion, 1997.

CONVERSATION DANS L'ENTREPRISE
UNE EXPLICATION FRANCHE

■ Préparation à l'écoute

Marianne et Denis sont tous deux ingénieurs conseils dans une entreprise depuis un an. Ils ont travaillé ensemble sur le même dossier d'analyse de l'entreprise. Denis s'est chargé de la partie financière, Marianne des relations entre les membres du personnel. Ils ont remis leur rapport commun à leur directeur. Celui-ci les convoque dans son bureau (première partie du document).

Après l'entretien, Marianne a une explication franche avec Denis (deuxième partie du document).

■ Écoute du document

- Le soir, Marianne raconte à son mari l'entretien avec le directeur et la conversation avec Denis. Imaginez son récit.
- Quelles étaient les autres réactions possibles de Marianne ? A-t-elle choisi la meilleure ?

3. L'ART DE LA REPARTIE

Quand vous êtes victime d'une agression verbale directe (critique, réprimande, etc.) ou quand on cherche à faire rire à vos dépens (à vous « mettre en boîte »), une bonne repartie peut « clouer le bec » de votre interlocuteur.

a) Lisez ci-contre quelques reparties célèbres.

b) Recherchez en petits groupes des reparties originales aux agressions verbales ci-dessous.

Exemple : Un homme plaisante avec une jeune femme célibataire : « Comment se fait-il qu'une jolie fille comme vous ne soit pas encore mariée ? »

Réponses possibles :

1. « Je vous attendais. » (La jeune femme retourne la situation au désavantage de son interlocuteur.)

2. « Je ronfle la nuit. » ou « Je ne sais pas faire la cuisine. » (Elle se rabaisse par ironie.)

3. « Qui accepterait de vivre avec mes trente chats, mes dix chiens et mon python ? » (Elle imagine une cause ou une conséquence extravagante.)

• ***Remarques ou questions d'un Français peu raffiné à des étrangers :***

– À un Italien de Venise : « Je n'ai jamais vu de ville aussi sale ! »
– À une Brésilienne : « Qu'est-ce qu'on peut faire chez vous à part aller voir des matches de football ? »
– À un Anglais : « Pourquoi persistez-vous à conduire à gauche ? »
– À un Écossais : « Il paraît qu'on est assez radin chez vous ? »

c) Recherchez d'autres remarques désobligeantes et imaginez des reparties.

Les maîtres de la repartie

■ *Voici quelques réponses ou remarques faites par des écrivains qui avaient le sens de l'humour.*

• **D'Alphonse Allais :**
– Quel est votre âge ?
– Je ne peux pas vous le dire, il change tout le temps.

• **D'Alexandre Dumas :**
– Quelle différence faites-vous entre l'amour et l'amitié ?
– C'est le jour et la nuit.

• **De Tristan Bernard :**
– Que feriez-vous si vous étiez roi ?
– Je me méfierais des as.

• **De Tristan Bernard encore :**
– Si un incendie éclatait pendant que vous visitez le Louvre, quel est le tableau que vous sauveriez ?
– Celui qui est le plus près de la sortie.

• **De Jules Renard :**
– Aimez-vous la musique ?
– J'ai toujours préféré un quart d'heure de mauvaise musique à une demi-heure de bonne.

• **De Georges Feydeau :**
– Vous êtes marié ?
– Un peu... Vous savez ce que c'est : un beau jour on se rencontre chez le maire. Il vous pose des questions et on répond « oui » parce qu'il y a du monde.

■ Une repartie spirituelle peut sauver de la mort. Pendant la Révolution, à une époque où on pouvait être guillotiné après un procès expéditif, un jeune journaliste, Alphonse Martainville, affronte le tribunal.
L'accusateur public, habitué à juger des personnes de la noblesse, lui dit :
« Approche, Alphonse de Martainville ! »
Réplique de l'intéressé qui n'apprécie pas qu'on anoblisse son nom :
« Citoyen, je suis venu ici pour être raccourci et non pour être rallongé ! »
L'assistance éclate de rire et quelqu'un s'écrit :
« Alors, qu'on l'élargisse ![1] »
Mis de bonne humeur, le tribunal acquitta le jeune homme.

1. « élargir un prisonnier » signifie « le libérer ».

SIMULATION

4. L'ART DE MINIMISER OU D'EXAGÉRER

Pour que votre interlocuteur s'intéresse à votre cas, pour le convaincre, pour l'amadouer, il faut quelquefois exagérer les faits. Inversement, pour se faire pardonner une faute, pour étouffer une affaire, il faut atténuer la réalité de ce qui s'est produit.

a) Pratique de l'exagération et de l'atténuation.

• La rumeur. ***Lisez ci-contre la brève nouvelle communiquée par la préfecture de Nîmes à la presse un lundi à 18 heures.*** En 24 heures, la rumeur et la presse vont considérablement amplifier cet événement au point de provoquer une panique injustifiée dans la ville.

Imaginez quatre formulations de plus en plus dramatiques de cette nouvelle.

• L'affaire étouffée. ***Lisez ci-contre ce que dit le directeur d'une entreprise à son assistante. Imaginez comment le directeur va rapporter cette affaire à son président et comment les responsables syndicaux vont la raconter aux employés.***

b) Jeux de rôles. Situation d'excuses à jouer par deux sur le modèle ci-contre. L'un exagère la gravité des faits. L'autre les minimise.

• En voulant réparer la voiture d'un(e) ami(e) vous avez tout détraqué.

• Vous arrivez en tenue très décontractée dans une soirée habillée.

• Pendant un an, vous n'avez pas donné de vos nouvelles à quelqu'un qui vous est cher.

• Etc.

Un camion contenant des fûts de matières toxiques est tombé dans la rivière « Le Gardon » à proximité de l'endroit où est captée l'eau qui alimente la ville de Nîmes.

« La réunion avec les deux responsables syndicaux s'est très mal passée. Nous en sommes très vite venus aux insultes. Je n'ai pas pu m'empêcher d'envoyer mon poing dans la figure de Lambert. Nous nous sommes battus comme des chiffonniers. Pendant ce temps, Rigaud a saccagé mon bureau. À la fin, nous nous sommes ressaisis et nous avons décidé d'étouffer l'affaire. »

« Tu m'avais demandé d'arroser ta pelouse pendant ton absence. Je suis confus. J'ai oublié. Je suis le type même de celui à qui on ne peut pas faire confiance. Je n'ai plus de mémoire... Elle était superbe ta pelouse. Elle est fichue maintenant. »

« Mais non. Tu étais seulement préoccupé par d'autres soucis. Et puis, elle n'était pas si brillante que ça ma pelouse. Disons qu'elle a un peu souffert. »

ATTÉNUER / RENFORCER UNE RÉALITÉ

1. Procédés d'atténuation

• **Le choix des mots :** Un pauvre → un indigent. – Il est gros → Il est dodu.

• **Les adverbes modérateurs :** Paul est petit → Paul est assez (plutôt) petit.

• **La négation du contraire** *(souvent associé à un adverbe de quantité).* Paul est pauvre → Il n'est pas très riche. Il n'a pas énormément d'argent.

• **Les formules d'introduction.** Disons que ... Je dois vous avouer que ... On ne peut pas dire que ...

Ce film est nul → Disons que ce film est assez nul. On ne peut pas dire qu'il soit bon.

• **Le conditionnel** *(associé aux formes ci-dessus).* Disons que ce film serait plutôt nul.

Paul serait quelqu'un de plutôt petit, voyez-vous.

2. Procédés d'amplification

• **Le choix des mots :** Paul est intelligent → Paul est génial.

• **Les adverbes d'intensité :** Paul est très (terriblement, incroyablement) intelligent – Ce film est absolument (totalement) nul.

• **Le renforcement par un article défini ou indéfini.** Paul est l'intelligence même. Paul est le type même de l'intelligent.

Ce film était d'une nullité ! – L'orchestre faisait un de ces bruits ! – Ce spectacle était d'un triste ! – C'est le livre qu'il faut lire !

• **La négation du contraire peut, par ironie, produire un effet d'amplification.**

Paul est grand → Le moins qu'on puisse dire c'est qu'il n'est pas petit !

Paul est intelligent → Il est loin d'être bête !

• **Les formes superlatives.**

C'est le plus intelligent. Il n'y a pas plus intelligent.

• **Le renforcement de la vérité du fait.**

Certainement (À n'en pas douter) Paul est intelligent – Il est vraiment intelligent.

5. L'ART DE S'ADAPTER À LA BANALITÉ

Pour mettre en confiance certains interlocuteurs (les voisins, le gardien de l'immeuble, les commerçants, le facteur, etc.) il faut quelquefois savoir dire des banalités.

a) Lisez ci-dessous le dialogue des humoristes Chevallier et Laspalès. Relevez tout ce qui montre que les deux personnages ont été dupés par la publicité et par des idées à la mode.

Exemple : Le prix du pavillon → traites mensuelles peu élevées mais crédit de 44 ans.

b) Imaginez des dialogues semblables sur les sujets suivants :
- Retour de vacances ;
- Après un stage de formation ;
- La préparation d'un mariage ;
- Etc.

Le pavillon

Le rêve du Français moyen est de posséder sa maison individuelle. Des entreprises prétendent réaliser ce rêve en proposant des maisons (ou des pavillons) à bas prix et à construire en partie soi-même. Les humoristes Chevallier et Laspalès ont imaginé une conversation entre deux victimes de la publicité et des fausses facilités de la société de consommation.

– Alors ce pavillon, il est construit ?
– Ça y est, on est dedans. Et c'est pas cher. 1 000 F par mois, propriétaire au bout de 44 ans.
– T'as pris le modèle où y'a plus que le plancher à poser ?
– Ouais, puis le toit aussi. Puis la cave et le garage à creuser.
– Ouais, ben c'est l'affaire de quoi ? Deux, trois ans de travail. Et encore, en travaillant pas les jours fériés.
– Surtout que le toit, c'est facile. C'est des plaques cartonnées, imperméabilisées. Y a un papier qui protège dessus. Comme du papier toilette mais qui résiste à l'eau.
– Mais, nous, dans notre modèle : le toit, le garage, la cave, on les avait. C'est le reste qu'on a dû faire nous-mêmes.
– C'est l'avantage de la maison de maçon[1]. Tu payes pas cher, mais tu sais c'que t'as.
– Et plus tu vis dedans, et plus tu vois c'que t'as.
– Y aura l'électricité aussi. Mais ça, ça presse pas. J'le ferai plus tard.
– Ah, moi, l'électricité, j'l'ai installée moi-même.
– Ah bon ?
– Depuis le village qui est à 10 kilomètres, tous les pylônes jusqu'à la maison c'est moi qui les ai plantés avec ma femme.
– Elle est costaude Simone.
– Ah ça ! Fallait la voir abattre les sapins à la hache.
– Nous plus tard, dans notre maison, on pourra rajouter une chambre si on a un chien. Elle est évolutive.
– La nôtre aussi, elle évolue. On est en terrain argileux, alors elle s'enfonce. Quand on se déplace à l'intérieur, forcément, il faut se voûter un peu mais à table, ça va on s'tient droit.
– Ça change de la ville, hein quand même ! On sort de chez soi, on respire. On a mis un grand mur de ciment tout autour pour nous protéger du barbecue du voisin.
– Moi sur les murs, j'ai rajouté les barbelés, pour pas qu'on nous regarde.
– C'est ça la résidence pavillonnaire. C'est le respect de l'intimité.
– Sur la pelouse entre les nains en céramique, j'ai mis des pièges. [...]
– Nous pour la décoration, on a tout fait en meubles design de chez Conforama[2], avec le buffet campagnard gratuit. Et si les meubles, ils t'plaisent pas, tu peux les rapporter.
– Ah oui, mais toi, ils t'plaisent tes meubles.
– Ouais, mais j'vais quand même les rapporter, comme ça j'aurai un deuxième buffet campagnard gratuit.

Philippe CHEVALLIER et Régis LASPALÈS, ***C'est vous qui voyez,*** Éditions La Sirène, 1995.

1. allusion à la publicité d'un célèbre constructeur (voir 4a) page 26). 2. distributeur de meubles à bas prix.

PROJET

24. Présences du patrimoine

Journée du patrimoine, semaine du goût, année Mozart, célébration de l'anniversaire de la naissance de Balzac ou de la mort de Victor Hugo, multiplication des musées, des émissions de radio ou de télévision consacrées à des rétrospectives... notre époque n'en finit pas de se pencher sur son passé.
Dans cette leçon, vous concevrez un projet de revitalisation d'un élément de votre patrimoine (ou du patrimoine d'un autre pays) que vous considérez comme négligé. Vous défendrez votre choix en apprenant à mettre en valeur des arguments et vous imaginerez un programme d'animations adapté à votre projet.

La salle du cinéma Le Grand Rex *à Paris (5 000 places en 1933), vestige d'une époque où le cinéma était un rite social.*

Les anciens moulins qui ont fait pendant longtemps la richesse de la Normandie.

Le petit train à vapeur de Saint-Jean-du-Gard traverse à nouveau (pendant l'été) les paysages sauvages des Cévennes.

PATRIMOINE

UNE NOTION EN DEVENIR

En vingt ans, le patrimoine a connu une inflation ou, pour mieux dire, une explosion qui a abouti à une métamorphose de la notion. Témoin le dictionnaire : défini en priorité en 1970 comme le « bien qui vient du père et de la mère », il devient, en 1980, la « propriété transmise par les ancêtres », le « bien culturel d'une communauté, d'un pays, de l'humanité ».
Le patrimoine s'était cristallisé en France sur la notion de « monument historique », héritée de la Révolution[1], officialisée au début des années 1830, puis juridiquement définie par un système de classement et de protection sanctionné par une loi en 1913.
Le monument historique – pont du Gard ou cathédrale de Chartres – était le témoignage irrécusable d'un passé toujours présent que la communauté nationale reconnaissait et désignait ainsi comme représentatif de son identité.
Ce système étatique et centralisé de « classement », c'est-à-dire, en fait, d'appropriation publique, a tenu, bon an mal an, jusqu'au milieu des années soixante-dix. C'est alors qu'a commencé le déluge, avec l'émergence d'un patrimoine ethnologique et paysan. Rappelons, en 1967, l'ouverture, significative, du musée des Arts et Traditions populaires. À partir de ce moment, le domaine patrimonial n'a cessé de s'élargir dans trois grandes directions. Vers le contemporain, avec l'archéologie industrielle et le XIXe siècle en général – domaine dont la destruction, à Paris, des Halles de Baltard a fait prendre conscience. Vers le vécu disparu, témoignage d'un monde que les Trente Glorieuses de la croissance (1949-1975), selon l'expression consacrée par l'économiste Jean Fourastié, ont définitivement aboli : danses, chansons, cuisines, artisanat. Vers le non-artistique et le non-historique : le patrimoine lié à la nature, aux sciences et aux techniques, au traditionnel et au populaire.
Cet emballement a entraîné d'énormes investissements, psychologiques et financiers, économiques et touristiques. Il a correspondu à une transformation silencieuse et décisive : le passage de l'« histoire nationale » à la « mémoire nationale », c'est-à-dire d'une conscience historique de la nation à une conscience sociale.
Concrètement, ce passage exprime une forme d'émancipation, ou, si l'on préfère, de décolonisation intérieure des groupes sociaux minorisés : ouvriers, provinciaux comme les Corses ou les Bretons, femmes, juifs. Parce qu'ils sont en voie d'intégration de plus en plus complète à l'ensemble national, ces groupes prennent conscience d'eux-mêmes dans le temps, et considèrent tous les témoignages de leur passé comme les repères indispensables de leur identité.
La naissance récente et la prolifération des musées dits « de société » et destinés, comme le musée de la pipe ou du sabot, à conserver le souvenir d'une production typique ou locale, traduisent bien cette transformation. Le patrimoine n'est plus la simple représentation d'une idée collective d'ensemble. Il tend à être désormais constitutif d'une identité sectorielle, d'un groupe social qui demande reconnaissance et inscription au registre du national et ne se perçoit plus lui-même que dans sa seule dimension culturelle. [...]
Du même coup, le patrimoine change de nature et de statut. Il rejoint dans une même constellation les notions de mémoire, d'identité, de culture, et devient le sacré laïque des sociétés démocratisées.

Pierre NORA, *Le Courrier de l'UNESCO*, septembre 1997.

1. face aux actes de vandalisme commis par ceux qui voulaient détruire toute trace de l'Ancien Régime, les gouvernements de la Révolution ont été amenés à prendre des mesures de protection.

1. La notion de patrimoine

a) Réalisez une fiche de lecture du texte ci-dessus en notant les informations qu'il vous apporte.

Exemple : Patrimoine (notion qui a évolué)
origine : la Révolution (mettre fin aux actes de vandalisme, ...)

b) Établissez en petit groupe une liste de catégories d'objets qui, selon vous, doivent faire partie du patrimoine. Donnez des exemples pour chaque catégorie.

Exemple : les maisons → conserver dans chaque région un exemple des constructions traditionnelles.

2. Choisissez votre sujet

Choisissez un lieu, un bâtiment, un type d'objet, une activité qui est sur le point de disparaître ou de tomber dans l'oubli.

LE FRANÇAIS COMPOSANTE DU PATRIMOINE LINGUISTIQUE MONDIAL

L'AMBITION FRANCOPHONE

par Charles Josselin, secrétaire d'État à la Coopération chargé de la francophonie

La francophonie est l'une des dimensions de la politique extérieure de notre pays. Force est pourtant de constater qu'elle ne suscite pas dans l'opinion publique ou la classe politique l'intérêt qu'y attachent la plupart de nos partenaires. Paradoxe à une époque où sont si présentes la crainte de perdre son identité, la volonté des collectivités comme des individus de rechercher leurs racines, l'inquiétude, enfin, que globalisation[1] ne rime trop avec uniformisation.

Depuis cinq mois, je rencontre un nombre croissant de pays qui trouvent intérêt à l'espace francophone. Pour ces nations, aucune réminiscence historique ne justifie le choix de notre langue, comme ce fut le cas des pays de l'Est après la chute du mur de Berlin[2]. Dans tous les cas, pourtant, le sens de la démarche est le même : intégrer plus facilement des espaces économiques régionaux, se faire entendre dans le débat international, donner aux jeunes générations des chances accrues de réussite. Partout l'échange francophone est un atout pour sortir de l'isolement.

L'échange économique aujourd'hui privilégie l'anglais. Il n'est pas question de rompre des lances[3] contre cette « lingua franca[4] », aussi indispensable chez nous qu'elle l'est dans le monde entier. Mais ce n'est pas un combat d'arrière-garde que de lutter pied à pied pour que le français, dans un contexte multilingue, conserve et étende ses positions. Il n'y va pas de nos seuls intérêts. Il y va de la survie de ce que nous avons de plus cher : nos cultures, notre histoire, notre façon d'imaginer et de construire le monde. Car la langue, c'est la vie. Comment la France, qui a su par la présence internationale la plus vigoureuse qui soit, depuis plus d'un siècle, faire adopter et le plus souvent aimer sa langue, pourrait-elle bouder la chance que lui offre la francophonie de partager et de faire fructifier l'héritage de ce qu'elle-même a conçu ?

La France s'est appuyée sur la solidarité francophone pour défendre au sommet de Maurice[5] la notion d'exception culturelle. Il faut toutefois comprendre que la préférence francophone revient pour beaucoup de pays au choix d'une forme de non-alignement implicite[6], dont nous devons pourtant peser les chances et les conséquences, pour eux comme pour nous.

L'échange économique produit la modernité. Le monde n'est plus un village, il est devenu un réseau. La concurrence y est féroce, et la réussite fonction d'une parfaite maîtrise de l'information, par conséquent de l'audace et de la rapidité. Le Premier ministre a récemment donné l'alerte sur cet enjeu. Pour les francophones, c'est une urgence car c'est là qu'en peu d'années se livrera le combat de la langue, et derrière elle de la recherche, mais aussi du droit, de la démocratie, de la culture, de l'éducation. Qui ne voit là le socle[7] des valeurs communes recherchées par la communauté francophone ? Et qui ne voit que l'énorme investissement de la France dans le monde, de ses universités, de ses chercheurs, de ses juristes, de ses médecins, aux côtés de celui de ses partenaires, en sortira ou défait[8] ou gagnant ?

La culture francophone, faite de dialogue, de formation, d'expériences partagées, donne de la chair à notre présence. Elle lui garantit aussi un avenir. Tant que la francophonie n'a parlé que solidarité et générosité, la France, championne pourtant de l'idéal, n'a guère voulu y croire. Demain, à Hanoï[9], les chefs d'État et de gouvernement choisiront pour la francophonie un secrétaire général. C'est la volonté de dire, d'une voix résolue, ce qui intéresse la communauté francophone et la France au premier chef : non, la mondialisation ne saurait nous condamner à un modèle de pensée unique.

Premier contributeur de la coopération francophone, la France doit maintenant se convaincre que, forte d'une conviction commune, qu'elle a puissamment aidé à se forger, la francophonie lui offre la chance de redéfinir le sens d'une solidarité qui caractérise son engagement international. Moins elle sera seule, plus elle sera crédible dans cette difficile entreprise. Le mouvement francophone n'est ni une utopie ni une partie perdue. C'est une nouvelle façon de prendre langue[10] avec le monde. C'est un projet pour la France.

Le Monde, 12/11/1997.

1. tendance à envisager l'économie, la politique, la culture à l'échelle mondiale (mondialisation). **2.** à partir de 1990, il y a eu un regain d'intérêt pour le français dans les pays de l'Est de l'Europe. **3.** soutenir une controverse contre quelqu'un. **4.** langue de communication internationale. **5.** c'est au sommet de la francophonie de l'île Maurice, en 1993, que fut définie la notion d'exception culturelle selon laquelle les produits culturels spécifiques (livres, films, etc.) ne sont pas soumis aux lois du libre échange international et bénéficient d'une protection en face de la concurrence. **6.** choix politique d'un pays qui refuse de se soumettre à l'influence d'un pays plus puissant. **7.** la francophonie est un facteur d'union face à la concurrence. **8.** perdant. **9.** il s'agit du sommet de la francophonie qui s'est tenu à Hanoï en 1997. **10.** prendre contact.

3. Analyse et commentaire de l'article

a) *Faites une première lecture de l'article. À qui s'adresse-t-il ? Pour quelles raisons a-t-il été écrit ? Quel objectif poursuit Charles Josselin ? Quel ton donne-t-il à son article ?*

b) *Pour chaque paragraphe, indiquez l'objectif de l'auteur. Reformulez brièvement l'argument développé et son éventuel commentaire. Faites votre propre commentaire.*

Exemple : Premier paragraphe.

Objectif : Alerter l'opinion publique sur l'importance de la politique francophone.

Reformulation : À une époque où les Français craignent de perdre leur identité, il est paradoxal de constater leur faible intérêt pour la politique francophone…

c) *Faites la liste des arguments que Charles Josselin expose pour défendre la politique francophone. Complétez éventuellement cette liste.*

d) *D'après cet article, quelles sont les actions concrètes menées grâce à cette politique ?*

e) *Discutez :*

– la pertinence d'une politique francophone,
– les actions que cette politique implique.

4. Justifiez votre projet de conservation du patrimoine

Votre démonstration devra comporter :

– une description du lieu (de l'objet, de l'activité, etc.) et les preuves de son importance à une époque de l'Histoire,
– un état des lieux (bâtiment menacé de destruction, activité ou domaine oubliés, etc.),
– les justifications de sa conservation ou de sa renaissance,
– les objections possibles et leur réfutation.

Constructions pour la mise en valeur des arguments et des idées

Voir aussi les tableaux « Valoriser » page 29 et « Expression de l'importance » page 133.

■ 1. Anticipation en début de phrase du mot à mettre en valeur.

Manifestation à la gloire de la chanson francophone, le festival des Francofolies se tient chaque année à La Rochelle. *Original,* ce festival l'est par de nombreux aspects. *Attirant chaque année un public plus nombreux,* il présente …

■ 2. Constructions démonstratives focalisant l'attention sur le mot à mettre en valeur.

C'est Jean-Louis Foulquier *qui* organise le festival.
– Le maître d'œuvre du festival, *c'est* Jean-Louis Foulquier.

À ses débuts, le festival rencontra un accueil mitigé. *Et voilà* qu'aujourd'hui, il est mondialement connu !

■ 3. Effet d'accumulation (qui peut être renforcé par l'emploi des démonstratifs).

Jean-Louis Foulquier, *cet* enfant du pays, *cet* homme tenace, *ce* dénicheur infatigable de talents …

■ 4. Mise en valeur par un contraire ou une opposition.

C'est à La Rochelle, *et pas ailleurs,* dans ce port longtemps ouvert sur le monde …

Il n'y a pas que des vedettes, il y a aussi …

Aucun festival francophone n'est plus cosmopolite …

Rien n'est plus beau que cette convergence de chanteurs africains, antillais, québécois, …

SKETCH D'HUMORISTE : MÉMOIRE DE LA RADIO : LES CHANSONNIERS DU GRENIER DE MONTMARTRE

■ Préparation à l'écoute

Jusque dans les années soixante, la butte Montmartre à Paris comptait de nombreux cabarets de chansonniers (humoristes spécialisés dans la satire politique sous forme de chansons). Le spectacle du plus célèbre d'entre eux, Le Grenier de Montmartre, était retransmis tous les dimanches matin à la radio. Ce même créneau horaire est d'ailleurs toujours traditionnellement réservé sur *France Inter* à des humoristes qui exercent leurs talents de satiristes.

Vous entendrez un sketch de Roméo Carlès, l'une des vedettes du Grenier de Montmartre, qui fait une parodie (en partie improvisée) d'une conférence médicale traitant « du point de côté » (douleur latérale au ventre qui apparaît lorsqu'on court).

Vocabulaire : Roméo Carlès fait de nombreux jeux de mots sur les mots « point » et « côté ». Voici quelques expressions qui vous aideront à comprendre ces jeux de mots : **mettre de l'argent de côté** (économiser) – **être sur le flanc** (être épuisé, généralement après un exercice physique) – **le point d'Alençon** (façon de broder à l'aiguille inventée au XVIIe siècle à Alençon) – **un coup de poing sur la gueule** (*fam.*, coup de poing au visage).

■ Écoute du document

- Après avoir écouté une ou deux fois le sketch dans son entier, faites une écoute fragmentée et relevez :
  - les jeux de mots,
  - les passages improvisés,
  - les différentes manières de faire rire le public.
- Parmi ces différentes formes d'humour, quelles sont celles qui vous paraissent désuètes ? celles qui vous paraissent toujours efficaces ?

5. Concevez un programme d'animation pour votre projet

a) Prenez connaissance des différents documents de cette double page. Portez un jugement sur la validité et l'efficacité de ces formes d'animation.

b) Imaginez, pour l'élément du patrimoine que vous voulez sauvegarder, un programme d'animation visant à :

– le faire connaître,

– recueillir des fonds pour sa conservation.

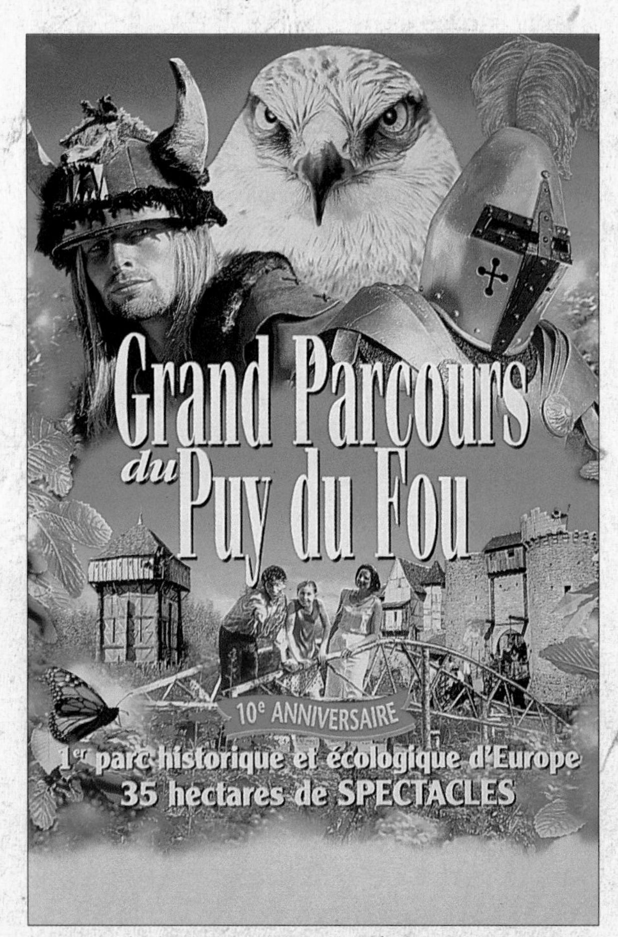

Le spectacle du Puy-du-Fou en Vendée fait revivre une époque et les épisodes de son histoire.

Mémoire des saveurs d'autrefois

LA SEMAINE DU GOÛT

« Résultat du croisement d'un milieu et d'une histoire, la cuisine répond, plus encore que toute autre, à une nécessité vitale, passe nécessairement par un rite collectif (le repas, son menu), une tradition (la recette et la manière), une discrimination (le produit, son commentaire). On comprend qu'elle constitue l'une des expressions les plus spécifiques d'une ethnie ... » explique Pascal Ory[1]. Aussi, pour que ne se perde pas le patrimoine gastronomique de la France, tous ceux qui travaillent pour le plaisir de nos papilles organisent chaque année une semaine du goût (troisième semaine d'octobre). Et puisqu'il est scientifiquement prouvé que la consommation exclusive de hamburgers n'affecte en rien les capacités gustatives de ceux qui s'y adonnent, ça marche ! Chaque année plus nombreux, des élèves des écoles élémentaires apprennent à distinguer le canard à l'orange du canard aux navets. Et leurs instituteurs sont paraît-il friands de formation dans ce domaine. On les comprend.

1. « La gastronomie » de Pascal Ory dans *Les Lieux de mémoire* dirigé par Pierre Nora, Gallimard, 1997.

Mobilisation générale

Les journées « Porte ouverte » du patrimoine

Les 20 et 21 septembre prochains, comme chaque année à la même époque, plus de 10 millions de visiteurs enfonceront les portes ouvertes des quelque 11 847 monuments, sites, jardins, usines, lieux de spectacles et de fêtes et autres beaux restes de la mémoire qui composent le patrimoine de la France.
Ce sera l'occasion pour les curieux de fouler le sol de quelques lieux prestigieux, domaines du pouvoir habituellement tenus au devoir de réserve : le bureau du président de la République au Palais de l'Élysée, les salons de l'hôtel Matignon, la galerie dorée de la Banque de France. De nombreux sites classés mais appartenant à des personnes privées seront également ouverts, pour la circonstance. En particulier, tous les trésors cachés de la province. On pourra pousser la porte de la petite chapelle fermée toute l'année pour cause de manque de crédit de restauration, pénétrer dans les cours des hôtels particuliers, se promener dans les jardins des châteaux, voire, si le châtelain joue le jeu, visiter ses appartements.

D'après *Le Figaro*, 20/09/1997.

L'enluminure : une tradition qui date de l'Antiquité et qui est en train de disparaître. Des stages sont proposés à ceux qui veulent s'y initier.

Dans certains villages reconstitués à l'ancienne, des artisans – ici, un sabotier – perpétuent les gestes et les techniques traditionnelles d'autrefois.

Animations originales

À Paris, à l'occasion des journées du patrimoine, un jeu de piste sera organisé dans le périmètre des **berges de la Seine** récemment classé au répertoire du patrimoine mondial par l'UNESCO.
Tout en admirant ces six kilomètres de merveilles architecturales et de points de vue magiques, les participants devront résoudre douze énigmes leur permettant de découvrir le nom d'un personnage historique. Des panneaux explicatifs et historiques jalonneront le parcours et les bateaux-mouches offriront des tarifs réduits.
Au **Palais Royal**, ancien lieu de fêtes, on projettera des films des débuts du cinéma muet accompagnés au piano.
Ailleurs, on rivalisera d'imagination pour attirer le public. Les jeunes qui restaurent le **château de Villemont** (XVIIIe) y présenteront une pièce de théâtre et des animations équestres. Au **château médiéval de Bannegon** dans le Cher, on pourra assister à des tournois et François d'Ormesson, propriétaire du **château de Méréville** (Essonne), qui se bat pour sauver ses magnifiques jardins romantiques, tondra lui-même soixante hectares de pelouse !

D'après *Le Figaro*, 20/09/1997.

CONJUGAISON DES VERBES

QUELQUES PRINCIPES DE CONJUGAISONS

Temps		Principes de conjugaison à connaître pour utiliser les tableaux des pages suivantes
INDICATIF	Présent	• Les verbes en **-er** se conjugent comme « **parler** » sauf : – le verbe « aller » – les verbes en **-yer, -ger, -eler, -eter** qui présentent quelques différences. • Pour les autres verbes, la seule règle générale est la terminaison **-s, -s, -t, -ons, -ez, -ent.** Mais il y a des exceptions (« pouvoir », « vouloir », etc.). Il faut donc apprendre les conjugaisons de ces verbes par types.
	Passé simple	• Pour les verbes en **-er,** partir de l'infinitif : **parler → il/elle parla – ils/elles parlèrent.** • Pour les autres verbes, il y a souvent une ressemblance avec l'infinitif ou le participe passé mais ce n'est pas une règle générale : **finir → il/elle finit – ils/elles finirent ; pouvoir** (participe passé : pu) **→ il/elle put – ils/elles purent.**
	Imparfait	• Il se forme à partir de la 1re personne du pluriel du présent : **nous faisons → je faisais – tu faisais,** etc. Ensuite, la terminaison est la même pour tous les verbes : **-ais, -ais, -ait, -ions, -iez, -aient.**
	Futur	• Les verbes en **-er** (sauf « aller ») se conjugent comme « **regarder** ». • Pour les autres verbes, il faut connaître la 1re personne. Ensuite, seule la terminaison change : je fer**ai** – tu fer**as** – il/elle fer**a** – nous fer**ons** – vous fer**ez** – ils/elles fer**ont.**
	Passé composé	• Il se forme avec les auxiliaires « **avoir** » **ou** « **être** » + **participe passé.** • Les verbes utilisant l'auxiliaire « être » sont : – **les verbes pronominaux** – les verbes suivants : **aller – arriver – décéder – descendre – devenir – entrer – monter – mourir – naître – partir – rentrer – retourner – rester – sortir – tomber – venir,** ainsi que leurs composés en *-re* : **redescendre – redevenir,** etc.
	Plus-que-parfait	« **Avoir** » **ou** « **être** » **à l'imparfait** + **participe passé.**
	Passé antérieur	« **Avoir** » **ou** « **être** » **au passé simple** + **participe passé.**
	Passé surcomposé	« **Avoir** » **ou** « **être** » **au passé composé** + **participe passé.** (Ne se construit plus aujourd'hui avec les verbes utilisant l'auxiliaire « être »).
	Futur antérieur	« **Avoir** » **ou** « **être** » **au futur** + **participe passé.**
CONDITIONNEL	Conditionnel présent	• Il se forme à partir de la 1re personne du singulier du futur : **je ferai → je ferais.** • Ensuite, la terminaison est la même pour tous les verbes : je fer**ais** – tu fer**ais** – il/elle fer**ait** – nous fer**ions** – vous fer**iez** – ils/elles fer**aient.**
	Conditionnel passé	« **Avoir** » **ou** « **être** » **au conditionnel** + **participe passé.**
SUBJONCTIF	Subjonctif présent	• Pour la plupart des verbes, partir de la 3e personne du singulier du présent : **ils regardent → que je regarde ; ils finissent → que je finisse ; ils prennent → que je prenne ; – ils peignent → que je peigne.** Mais il y a des exceptions : **savoir → que je sache,** etc. • Ensuite, la terminaison est la même pour tous les verbes : que je regard**e** – que tu regard**es** – qu'il/elle regard**e** – que nous regard**ions** – que vous regard**iez** – qu'ils/elles regard**ent.**
	Subjonctif passé	« **Avoir** » **ou** « **être** » **au présent du subjonctif** + **participe passé.**

IMPÉRATIF	Impératif présent	• Pour la plupart des verbes, on utilise les formes de l'indicatif. Le « -s » de la deuxième personne du singulier à l'indicatif présent des verbes en « -er » et du verbe « aller » disparaît sauf quand une liaison est nécessaire : **Parle ! – Parles-en ! – Va ! – Vas-y !** • Les verbes « avoir », « être » et « savoir » utilisent les formes du subjonctif : **Sois** gentil ! – **Aie** du courage ! – **Sache** que je t'observe !
	Impératif passé	**Formes du subjonctif passé.**
	PARTICIPE PRÉSENT ET GÉRONDIF	• Ils se forment souvent à partir de la 1re personne du pluriel du présent de l'indicatif, mais il y a des exceptions : **nous allons → allant ; nous pouvons → pouvant.**

Mode de lecture des tableaux ci-dessous (les verbes sont classés selon la terminaison de leur infinitif).

INFINITIF	1re personne du futur	Verbes ayant une conjugaison identique (sauf dans le choix de l'auxiliaire)
Conjugaison du présent	1re personne du subjonctif	
	3e personne du singulier du passé simple	
	participe passé	

VERBES « AVOIR », « ÊTRE », « ALLER »

AVOIR	j'aurai
j'ai tu as il a nous avons vous avez ils ont	que j'aie il eut eu

ÊTRE	je saurai
je suis tu es il est nous sommes vous êtes ils sont	que je sois il fut été

ALLER	j'irai
je vais tu vas il va nous allons vous allez ils vont	que j'aille il alla allé

VERBES EN -ER

PARLER	je parlerai
je parle tu parles il parle nous parlons vous parlez ils parlent	que je parle il parla parlé

PAYER	je paierai
je paie tu paies il paie nous payons vous payez ils paient	que je paie que je paye il paya payé

Verbes en -ger
Quand la terminaison commence par les lettres **a** ou **o**, mettre un **e** entre le **g** et la terminaison
nous mangeons *(présent)*
je mangeais *(imparfait)*
je mangeai *(passé simple)*

APPELER	j'appellerai	Tous les verbes en **-eler** et **-eter** sauf les verbes du type « **acheter** »
j'appelle tu appelles il appelle nous appelons vous appelez ils appellent	que j'appelle il appela appelé	

ACHETER	j'achèterai	ciseler congeler déceler démanteler écarteler fureter geler haleter marteler modeler peler racheter
j'achète tu achètes il achète nous achetons vous achetez ils achètent	que j'achète il acheta acheté	

VERBES EN -IR

FINIR	je finirai	abolir	avertir	haïr [1]	réjouir
je finis	que je finisse	accomplir	choisir	jaillir	remplir
tu finis	il finit	affermir	démolir	obéir	répartir
il finit	fini	agir	dépérir	périr	réunir
nous finissons		applaudir	éblouir	punir	subir
vous finissez		assainir	frémir	réagir	unir
ils finissent		s'assoupir	guérir	réfléchir	

(1) présent : je hais, nous haïssons – passé simple : il haït, ils haïrent.

ACQUÉRIR	j'acquerrai	conquérir
j'acquiers	que j'acquière	s'enquérir
tu acquiers	il acquit	quérir
il acquiert	acquis	requérir
nous acquérons		
vous acquérez		
ils acquièrent		

COURIR	je courrai	accourir
je cours	que je coure	concourir
tu cours	il courut	discourir
il court	couru	encourir
nous courons		parcourir
vous courez		recourir
ils courent		secourir

CUEILLIR	je cueillerai	accueillir
je cueille	que je cueille	assaillir
tu cueilles	il cueillit	recueillir
il cueille	cueilli	tressaillir
nous cueillons		
vous cueillez		
ils cueillent		

DORMIR	je dormirai	(s')endormir
je dors	que je dorme	(se) rendormir
tu dors	il dormit	
il dort	dormi	
nous dormons		
vous dormez		
ils dorment		

FUIR	je fuirai	s'enfuir
je fuis	que je fuie	
tu fuis	il fuit	
il fuit	fui	
nous fuyons		
vous fuyez		
ils fuient		

MOURIR	je mourrai
je meurs	que je meure
tu meurs	il mourut
il meurt	mort
nous mourons	
vous mourez	
ils meurent	

OUVRIR	j'ouvrirai	couvrir
j'ouvre	que j'ouvre	découvrir
tu ouvres	il ouvrit	entrouvrir
il ouvre	ouvert	offrir
nous ouvrons		recouvrir
vous ouvrez		rouvrir
ils ouvrent		souffrir

PARTIR	je partirai	consentir
je pars	que je parte	mentir
tu pars	il partit	repartir
il part	parti	se repentir
nous partons		ressentir
vous partez		ressortir
ils partent		sentir
		sortir

VENIR	je viendrai	appartenir	advenir
je viens	que je vienne	contenir	convenir
tu viens	il vint	entretenir	devenir
il vient	venu	maintenir	intervenir
nous venons		obtenir	parvenir
vous venez		retenir	prévenir
ils viennent		soutenir	provenir
		tenir	se souvenir

SERVIR	je servirai	desservir
je sers	que je serve	resservir
tu sers	il servit	
il sert	servi	
nous servons		
vous servez		
ils servent		

VERBES EN -DRE

VENDRE	je vendrai	attendre confondre correspondre corrompre défendre dépendre descendre	entendre étendre fendre fondre interrompre mordre pendre	perdre pondre prétendre rendre répandre répondre revendre	rompre (je romps, il rompt) suspendre tendre tondre tordre
je vends tu vends il vend nous vendons vous vendez ils vendent	que je vende il vendit vendu				

PRENDRE	je prendrai	apprendre comprendre dépendre entreprendre se méprendre reprendre surprendre
je prends tu prends il prend nous prenons vous prenez ils prennent	que je prenne il prit pris	

PEINDRE	je peindrai	atteindre craindre contraindre éteindre étreindre plaindre restreindre teindre
je peins tu peins il peint nous peignons vous peignez ils peignent	que je peigne il peignit peint	

JOINDRE	je joindrai	adjoindre rejoindre
je joins tu joins il joint nous joignons vous joignez ils joignent	que je joigne il joignit joint	

COUDRE	je coudrai
je couds tu couds il coud nous cousons vous cousez ils cousent	que je couse il cousit cousu

RÉSOUDRE	je résoudrai
je résous tu résous il résout nous résolvons vous résolvez ils résolvent	que je résolve il résolut résolu

VERBES EN -OIR

DEVOIR	je devrai	apercevoir concevoir décevoir percevoir recevoir (sans accent sur le « u » du participe passé)
je dois tu dois il doit nous devons vous devez ils doivent	que je doive il dut dû, due	

VOIR	je verrai	revoir entrevoir prévoir (*sauf* au futur : je prévoirai)
je vois tu vois il voit nous voyons vous voyez ils voient	que je voie il vit vu	

POUVOIR	je pourrai
je peux tu peux il peut nous pouvons vous pouvez ils peuvent	que je puisse il put pu

VOULOIR	je voudrai
je veux tu veux il veut nous voulons vous voulez ils veulent	que je veuille il voulut voulu

SAVOIR	je saurai
je sais tu sais il sait nous savons vous savez ils savent	que je sache il sut su

VALOIR	je vaudrai	équivaloir
je vaux tu vaux il vaut nous valons vous valez ils valent	que je vaille il valut valu	

S'ASSEOIR	je m'assiérai	N.B. : Autre conjugaison du verbe « s'asseoir » : *présent :* je m'assois *imparfait :* je m'assoyais *futur :* je m'assoirai *subjonctif :* que je m'assoie
je m'assieds tu t'assieds il s'assied nous nous asseyons vous vous asseyez ils s'asseyent	que je m'asseye il s'assit assis	

VERBES EN -TRE

BATTRE	je battrai	abattre combattre débattre s'ébattre rabattre rebattre
je bats tu bats il bat nous battons vous battez ils battent	que je batte il battit battu	

METTRE	je mettrai	admettre commettre compromettre émettre omettre permettre promettre	remettre soumettre transmettre
je mets tu mets il met nous mettons vous mettez ils mettent	que je mette il mit mis		

CONNAÎTRE	je connaîtrai	apparaître comparaître disparaître méconnaître paraître reconnaître transparaître
je connais tu connais il connaît nous connaissons vous connaissez ils connaissent	que je connaisse il connut connu	

CROÎTRE	je croîtrai	accroître décroître
je crois tu crois il croît nous croissons vous croissez ils croissent	que je croisse il crût crû	

NAÎTRE	je naîtrai
je nais tu nais il naît nous naissons vous naissez ils naissent	que je naisse il naquit né

VERBES EN -UIRE

CONDUIRE	je conduirai	construire cuire déduire détruire enduire induire instruire	introduire luire nuire produire reconduire réduire reluire	reproduire séduire traduire
je conduis tu conduis il conduit nous conduisons vous conduisez ils conduisent	que je conduise il conduisit conduit			

VERBES EN -IRE

ÉCRIRE	j'écrirai	décrire inscrire prescrire proscrire transcrire souscrire
j'écris tu écris il écrit nous écrivons vous écrivez ils écrivent	que j'écrive il écrivit écrit	

LIRE	je lirai	élire réélire relire
je lis tu lis il lit nous lisons vous lisez ils lisent	que je lise il lut lu	

DIRE	je dirai	contredire dédire interdire médire prédire redire
je dis tu dis il dit nous disons vous dites ils disent	que je dise il dit dit	

RIRE	je rirai	sourire
je ris tu ris il rit nous rions vous riez ils rient	que je rie il rit ri	

SUFFIRE	je suffirai
je suffis tu suffis il suffit nous suffisons vous suffisez ils suffisent	que je suffise il suffit suffi

■ AUTRES VERBES EN -RE

FAIRE	je ferai	contrefaire défaire parfaire refaire satisfaire
je fais tu fais il fait nous faisons vous faites ils font	que je fasse il fit fait	

PLAIRE	je plairai	déplaire (se) taire
je plais tu plais il plaît nous plaisons vous plaisez ils plaisent	que je plaise il plut plu	

VIVRE	je vivrai	revivre survivre
je vis tu vis il vit nous vivons vous vivez ils vivent	que je vive il vécut vécu	

CONCLURE	je conclurai	exclure inclure (*part. passé :* inclus/incluse)
je conclus tu conclus il conclut nous concluons vous concluez ils concluent	que je conclue il conclut conclu	

BOIRE	je boirai
je bois tu bois il boit nous buvons vous buvez ils boivent	que je boive il but bu

CROIRE	je croirai
je crois tu crois il croit nous croyons vous croyez ils croient	que je croie il crut cru

SUIVRE	je suivrai	poursuivre
je suis tu suis il suit nous suivons vous suivez ils suivent	que je suive il suivit suivi	

INDEX DES CONTENUS

LISTE DES TABLEAUX
(notions grammaticales, lexicales, communicatives)

THÈMES ABORDÉS

ŒUVRES LITTÉRAIRES

TABLE DES MATIÈRES

Crédit photographique

4h : REA/Delluc-XPN ; 4b : GAMMA/Shock-Liaison ; 8 : RAPHO/Harbutt ; 9 : SCOPE/Gotin ; 10 : Charmet ; 11h et b : ERNOULT FEATURES/A. Ernoult ; 12 : Archives Nathan ; 13 : RAPHO/Pasquier ; 14 : PETIT FORMAT/ Gounod ; 16h : extrait de « Rires en chaîne », Le Cherche Midi éditeur 1987 ; 16b : JERRICAN/Langlois ; 18 : SCOPE/Blondel ; 21 : IMAGE BANK/Smith ; 22 : EDITING/Desprez ; 23 : KIPA/Morell ; 24 : Archives Nathan ; 25 : SYGMA/Borel ; 26 : GAMMA/Piel ; 28 : EXPLORER/Courau ; 29g : JERRICAN/Dianne ; 29d : Archives Nathan ; 30 : JERRICAN/Gaillard ; 31 : SYGMA L'Illustration ; 32 : CNES/S.O.G. ; 34g : EDITING/Romeuf ; 34d : KHARBINE-TAPABOR ; 37g : Le Point ; 37d : Le Nouvel Observateur ; 38 : COSMOS/Wilson-Woodfin Camp ; 45 : KHARBINE-TAPABOR/Coll. Jonas ; 46 : Hanoteau ; 47 : COSMOS/SPL-NASA ; 50 : Pagès : © ADAGP, Paris 1998/ Galerie Baudoin Lebon ; 51 : AKG Paris ; 52hd : Vasarely : © ADAGP, Paris 1998/AKG Paris ; 52bg ; Archives Nathan ; 53h : Fromageries Bel ; 53b : © Chanel ; 57 : EXPLORER/Lescourret ; 58 : EXPLORER/Mattes ; 59 : COSMOS/Luster-Matrix ; 61/COSMOS/Buthaud ; 64 : RAPHO/Bourcart ; 65 : RAPHO/Ducasse ; 66h : Gunther/FNH pour la Nature et l'Homme ; 66b : GAMMA/Loury ; 68 : EXPLORER/Boutin ; 69 : SYGMA/Caron ; 70 : SIPA/Niko ; 71 : Pomme de Pain/Hanoteau ; 72 : © Disney « Par autorisation spéciale » ; 73h : Malongo Cafés/Richard Peyrat et Ass. ; 73b : IKEA ; 74 : GAMMA/Martinez ; 76 : AKG Paris/Nou ; 77 : EXPLORER/Jalain ; 78 ; COSMOS/Hilgert ; 79 : RMP © 1994 King Features Syndicate Inc./TM of the Hearst Corporation ; 81 : KIPA/Facelly ; 82 : DAGLI ORTI ; 83 : COSMOS/Ferorelli ; 85 : Charmet ; 86 : EXPLORER/Thomas ; 87 : KIPA/Zucca ; 88 : A. Saxe ; 89 : © Roy Export Company Establisment ; 91 : GAMMA/Kurita ; 93 : SIPA/Chamussy ; 94h : Jean-Bernard Pouy « Nous avons brûlé une sainte ». Coll. « Série Noire », 1968 © Éditions Gallimard, 1984 ; Jean-Baptiste Manchette « Morgue Pleine ». Coll. « Série Noire », 1575 © Éditions Gallimard, 1973 ; 94b : DIAF/Mazin ; 96b : EXPLORER/Pilloud ; 99 : KIPA/Pugnet ; 100h : « Roland » de J.B. Lully, mise en scène Gilbert Deflo, ENGUERAND/Masson ; 100bg : JERRICAN/Gable ; 100bd : EXPLORER/Laffite ; 102 : TOP/Harpur ; 103 : JERRICAN/Gable ; 104 : BDDP/ Animation House Ltd/Bob Fortier ; 106h : KIPA/Roncen ; 106b : « Mae West » Salvador Dali, © ADAGP 1998 ; 108 : « Homme et femme jouant de la flûte », Utamaro Kitagawa - RMN/Willi ; 109 : EXPLORER/Matsumoto ; 110 : SYGMA/Eranian ; 111 : GAMMA/Le Corre ; 112 : VLOO/Sharpshooters ; 117 : « Artemisia » de Agnès Merlet, 1997 © Première Heure/Umberto Montiroli ; 118 : Archive Photos/FIA ; 121 : TF1/Maestracci ; 123 : KIPA/Prayer ; 124g : « Victoire de Samothrace », Louvre/RMN ; 124d : Création Helmut Lang - MARIE-CLAIRE/Moser ; 125h : Création Paco Rabanne - SYGMA/Vauthier ; 125b : « Les Précieuses ridicules » - BERNAND ; 128 : « Le Livre des Rois » - EDIMEDIA ; 129 : RMN/Berizz ; RAPHO/Doisneau ; 134 : GAMMA/Monier ; 135 : KIPA/Russeil ; 142g : SCOPE/Bowman ; 142md : ARCHIPRESS/Goustard ; 142bd : HOA QUI/Valentin ; 145b : FRANCOFOLIES/RC2C/ Zaü ; 146 : © Le Puy du Fou ; 147h : HOA QUI/Body ; 147b : SCOPE/Barde.

Édition : Martine Ollivier
Conception graphique : Evelyn Audureau
Mise en page : Marie Linard
Insolencre
Couverture : Tarha/Michel Munier
Illustrations : Dominique Boll
Cartographie : Graffito
Coordination artistique : Catherine Tasseau
Recherche iconographique : Nadine Gudimard

Avec la collaboration de Christine Morel

N° éditeur : 10083861 - (III) - (45) - CSBGP 80° - TC - Février 2001
Imprimé en Italie par G. Canale & C. S.p.A.